La Ma...t autres histoires de femmes galantes

POCKET CLASSIQUES

collection dirigée par Claude AZIZA

GUY DE MAUPASSANT

LA MAISON TELLIER
et autres histoires de femmes galantes

Préface et commentaires de
Pascaline MOURIER-CASILE

SOMMAIRE

* Pour approfondir votre lecture, *Au fil du texte* vous propose une sélection commentée :
- de morceaux « classiques » devenus incontournables, signalés par ●◆ (droit au but).
- d'extraits représentatifs de l'œuvre, signalés par C◆ (en flânant).

PRÉFACE

Maupassant, peintre des « filles »...

Depuis *Boule de suif* (1880)[1] et *La Maison Tellier* (1881), c'est-à-dire depuis les tout débuts de sa carrière littéraire, la réputation de Maupassant en ce domaine n'est plus à faire.

Tous les commentateurs en conviennent, la représentation que donne Maupassant des « filles » et de leur univers est d'une parfaite vérité historique, d'une exactitude toute documentaire. Il nous fait connaître leurs mœurs et leurs comportements spécifiques; leurs rapports avec le client ou la police; leur psychologie (sentimentalité facile, amour maternel, religiosité, mais aussi, très souvent, bêtise); leurs noms et surnoms; leur langage; leur origine sociale et leur histoire; les établissements où certaines d'entre elles exercent, avec leur décor, cossu ou misérable, leur échantillonnage calculé de « types » féminins susceptibles de satisfaire au mieux les fantasmes masculins... Le goût du détail signifiant, hérité de Flaubert, et la volonté de représenter le monde dans sa réalité concrète font ici merveille. Au point que, dans leurs études sur *Les Filles de noce* (A. Corbin) ou sur *La Vie quotidienne dans les maisons closes* (L. Adler), historiens des mentalités ou sociologues se réfèrent à ses récits presque aussi souvent qu'aux archives ou aux « spécialistes » (médecins ou hygié-

1. Disponible dans la même collection.

nistes) qui, au XIXᵉ siècle, ont prétendu se pencher *scientifiquement* sur la prostitution des villes et des campagnes. Il est vrai que P. Wald Lasowski, dont le domaine de recherche est le réseau fantasmatique qui, dans l'imaginaire des écrivains français du temps, s'articule autour de la figure mythique de *Syphilis*, trouve lui aussi dans les mêmes récits un tout aussi riche matériau (*cf.* Bibliographie, p. 345)

A rapprocher les uns des autres les quatorze récits qui composent ce volume, on voit se déployer dans toute sa diversité l'éventail des « filles de noce ».

Filles à numéro, d'abord. Pensionnaires des paisibles « maisons » des petites villes provinciales, avec la hiérarchie de leurs deux étages : au niveau de la rue, l'estaminet pour le peuple, et ses filles décaties ; au premier, le salon — cossu ou tapageur —, pour la bonne société locale. Les clients honorables, rassurés par la discrétion du lieu et par la visite régulière du médecin, y viennent à jour fixe, y ont leurs habitudes (et leurs préférées parmi les pensionnaires), s'y sentent comme en famille… (*La Maison Tellier, L'Ami Patience*).

Mais il y a aussi celles des bouges à matelots, dans les bas quartiers fangeux des grands ports, qui travaillent à la chaîne, boivent avec les clients jusqu'à l'ivresse et s'épuisent à grimper les escaliers (*Le Port*).

Filles des rues qui « raccrochent » au promenoir des Folies-Bergère et ramènent le client dans le galetas qui leur sert de local professionnel et de foyer (*L'Armoire*). Ou clandestines terrifiées par les « coups de filet » de la police et qu'un « Monsieur » complaisant sauve *in extremis* des dortoirs de Saint-Lazare. (*L'Odyssée d'une fille.*) Petites ouvrières que l'insuffisance de leur salaire conduit à monnayer leur corps et qui, par un heureux coup de chance ou par un chantage à l'enfant, atteignent, leur folle jeunesse passée, la respectabilité d'un emploi stable (*Ça ira*) ; ou que la fantaisie d'un bourgeois vieillissant a mises très tôt dans leurs meubles, à l'ébahissement de leur parentèle (*Le Pain maudit*). Étrangère abandonnée par son ami de cœur et dont la mère a choisi d'exploiter la beauté, qui accepte passivement, pour au moins trouver un toit, l'offre d'un voyageur. Orpheline de la campagne, sans ressources, qui roule de bouge en bouge. Domestique séduite puis jetée à la rue et qui survit au jour le jour entre des protecteurs séniles et des séjours en prison (*Les Sœurs Rondoli, Le Port, L'Odyssée d'une fille*).

Insouciante canotière qui partage avec une innocence de petit animal familier les plaisirs des canotiers du dimanche et les laisse, en contrepartie, se partager son corps (*Mouche*).

Courtisanes de haut vol, qui ont pignon et salon sur rue pour y recevoir, grâce à la générosité de quelques riches amateurs, la faune interlope du demi-monde (*Yvette*), ou qui ruinent allégrement les malheureux que leur beauté a subjugués (*L'Épingle*).

Femme entretenue à la sexualité incertaine, au charme populacier, dont on ne saura jamais pourquoi elle a réussi à séduire quelque jeune homme de bonne famille (*La Femme de Paul*).

Et même, inclassables, celle-ci qu'une sensualité à fleur de peau conduit à accepter, sans plus de formalité, le cavalier cinq-à-sept proposé par un passant inconnu, ou cette autre, qui joue les veuves éplorées, et qui, par de périodiques tournées au cimetière, s'assure le soutien financier d'un amant dupé par son apparence de parfaite respectabilité (*L'Inconnue, Les Tombales*).

Toutes, quel que soit leur statut social, Maupassant les désigne du même terme générique de « filles ». Pour lui, en effet, est « fille » (et c'est dans ce sens très large que nous utilisons ici le terme) celle qui, contre rétribution (dûment tarifée ou librement appréciée) mais gratuitement tout aussi bien, se livre à des activités sexuelles multiples, avec des partenaires de hasard. Et donc tenues — dans une société monogamique — pour immorales et illégales. On le voit, des prostituées aux courtisanes en passant par les bourgeoises en mal d'aventure et les filles folles de leur corps, toutes les nuances sont possibles...

Elles sont toutes là, les filles de joie, misérables ou triomphantes, bonnes mères ou garces sans scrupules, sentimentales ou exploiteuses, soumises ou agressives, sensuelles ou dégoûtées par la « chiennerie » des hommes ou bien encore « tribades », stupides ou calculatrices, avec leur religiosité naïve ou leur amoralisme tranquille. Certes, on y reconnaît sans peine la typologie (physique, psychique, morale, sociale) établie par Parent-Duchatelet, Jeannel et autres Reuss (dont Maupassant semble parfois s'être directement inspiré). Mais — et la différence est de taille — au discours sécuritaire, réglementariste et moraliste des « spécialistes » (qui ne les cataloguent que pour mieux les tenir en lisière, pour mieux en protéger les honnêtes gens, pour endiguer enfin les dangers d'infection que leur présence — nécessaire, ils en conviennent : tout autant, mais pas plus, que celle des égouts... — fait courir au corps social) se sont substituées, au moins pour les plus démunies, les plus méprisées d'entre elles, la pitié attentive du romancier, sa révolte devant le sort qui leur est fait, sa compréhension — amusée parfois, il est vrai — pourtant sans illusions.

Le thème des « filles » — compte tenu de l'extension que Maupassant donne à ce terme — est sans doute celui qui revient le plus souvent dans ses contes et nouvelles. Les quatorze récits ici rassemblés sont loin d'en avoir épuisé toutes les modulations. Ont été retenus ceux qui sont, explicitement, tout entiers consacrés — et ce dès le titre — à une ou à des « filles », ou à un élément spécifique et distinctif de leur univers. Mais il aurait fallu en rajouter bien d'autres, où le thème apparaît de façon épisodique, sans constituer vraiment le noyau central du récit. Ainsi : *Rouerie, Nuit de Noël, Yveline Samoris*

(1882); *Les Bijoux, Le Moyen de Roger, Sauvée* (1885); *L'Ermite* (1886); *La Baronne* (1887); *Divorce* (1888); *Le champ d'oliviers* (1890). Encore cette liste est-elle loin d'être exhaustive. Ne faudrait-il pas, pour ne prendre qu'un exemple, y inscrire *Un Fils*, où, certes, nulle « fille » n'apparaît nommément, mais où toute la méditation des « deux vieux amis » sur les incertitudes de la paternité est articulée autour des aléas de la prostitution ?

Avant même d'être — grâce aux « filles » qu'il a su peindre « telles qu'elles sont [...] sans les élever ou les flétrir, et en ne les traînant pas dans la boue ni dans les étoiles » (Banville, *Gil Blas*, 1er juillet 1883) — reconnu vraiment comme écrivain, c'est à « Une Fille » qu'il doit d'avoir fait quelque bruit dans le Landerneau littéraire et mondain. En 1879, en effet, il publie dans *La Revue moderne et naturaliste*, sous ce titre, un poème qui lui vaut aussitôt d'être poursuivi pour « outrage à la morale publique et religieuse et aux bonnes mœurs ». Pour que l'affaire s'achève par un non-lieu, il faudra l'intervention virulente de Flaubert. Le vieux maître (à qui *Madame Bovary* avait autrefois valu des poursuites du même ordre) vole au secours de son jeune poulain. Arguant du fait que « la poésie comme le soleil met l'or sur le fumier », il convoque pêle-mêle à la rescousse le ban et l'arrière-ban des plus illustres auteurs de l'Antiquité gréco-latine et de l'Europe moderne qui tous, à l'aune du moralisme des bien-pensants, seraient coupables d'avoir « souillé l'imagination »...

Dès lors, les cibles sont désignées. Dans *Boule de suif, Mademoiselle Fifi, Le Lit 29, La Maison Tellier, Le Pain maudit, Ça ira*, la peinture du monde marginal des prostituées servira à Maupassant de contrepoint, ou plutôt de repoussoir, pour stigmatiser, ou simplement ridiculiser, les tranquilles certitudes des gens honnêtes, les sacro-saintes institutions (famille, armée, police, religion, administration) sur quoi la société bourgeoise fonde sa stabilité, les prétendues valeurs au nom desquelles les moralistes jettent l'opprobre sur ces « créatures » qu'ils méprisent sans toujours les valoir. Sans jamais cependant céder à la tentation d'idéaliser « les filles ». Mieux : les coups de griffe qu'il leur décoche sont à double tranchant ; si elles égratignent les unes, c'est pour mieux agresser les autres. La caricaturale galerie de portraits des pensionnaires de la Maison Tellier en témoigne suffisamment. La caricature n'y est pas gratuite. Elle ne vise pas non plus vraiment à rabaisser, à ridiculiser celles qui en sont victimes. Elle ne prend sens qu'à la rapprocher de cette autre galerie — plus grotesque encore — qui épingle, dans leur médiocrité, leur bêtise, leur lâcheté, leur suffisance, ces *notables* que sont les très honorables clients de la « maison ». Et il en est de même pour toutes les séquences. Particulièrement pour celle de la cérémonie à l'église…

Pour Maupassant, tout commence donc par des « histoires de filles ». Et c'est par une « histoire de fille » que tout finit : *Les Tombales*, dernier conte publié (*Gil Blas*, 9 janvier 1891) et que Maupassant rajoutera à la réédition de *La Maison Tellier* (le recueil) faisant, ainsi se rejoindre l'alpha (à peu de chose près…) et l'oméga de son œuvre. Ensuite, il n'y a plus que le douloureux acharnement sur un impossible roman, *L'Angélus* ou *L'Âme étrangère* : « Je me suis absolument décidé à ne plus faire de contes ni de nouvelles. C'est usé, fini, ridicule […] Je ne veux travailler qu'à mes romans », écrit celui qui pourtant sait bien qu'il a su « ramener en France le goût violent du conte et de la nouvelle ». Et cette décision, hautement revendiquée comme un libre choix, sonne bien plutôt comme une dénégation désespérée. Ou l'aveu d'une impuissance.

Après quoi, comme pour Baudelaire, comme pour tant d'autres en ce siècle obsédé par « l'impudeur des prostituées » (J. Lorrain), il n'y a plus, triomphant, dévastateur, que « le vent de l'aile de l'imbécillité ». Ce vent dont le premier souffle a pris naissance au creux du corps pollué d'une de celles que l'on nommait alors, par antiphrase sans doute, des « filles de joie »… Peut-être avait-ce été Mouche, gentille « cantharide » des bords de l'eau, version miniature de Nana, la somptueuse « mouche d'or » zolienne. Mouche toujours « blagueuse et pleine de drôlerie », même lorsque « crève le rêve naïf, passionné » de toute sa vie de « petite créature fluette », qui passait « sans difficulté, sans résistance » de lit en lit.

A en croire G. d'Estoc (« l'Androgyne » qui fut sa maîtresse, sa complice et sa confidente), Maupassant aurait attrapé très tôt, dès 1870, la syphilis dont il devait mourir. Toujours est-il que dès 1877 les premiers symptômes se manifestent et Maupassant peut proclamer avec jactance : « J'ai la vérole ! Enfin ! La vraie ! […] et j'en suis fier, morbleu, et je méprise par-dessus tout les bourgeois. » On sait par le *Journal* des Goncourt que, de ce mal terrible dont il semble si fier, il aimait — goût de la provocation ou exorcisme ? les deux sans doute… — exhiber (en public comme en privé), hyperboliquement et soigneusement peints sur son propre corps, les signes fallacieux.

Fanfaronnade ou exorcisme n'y changent rien : le mal vénérien, la fleur du mâle, est bien ici affiché à la fois comme la préoccupation constante, la terreur larvée de l'amateur de prostituées et la décoration intime qui distingue le poète, qui le retranche de la tourbe méprisable des bourgeois ; le signe de sa dilection, de sa vocation. Baudelaire l'avait déjà dit :

Je t'aime capitale infâme ! Courtisanes
Et bandits, tels souvent vous offrez des plaisirs
Que ne comprennent pas les vulgaires profanes.

Flaubert, paternel, s'inquiétait : « trop de putains », selon lui, ne pouvaient que nuire au nécessaire travail de l'écriture. Il aurait voulu que Maupassant choisisse clairement. D'ailleurs, le génie présumé du jeune homme ne risquait-il pas ainsi de « s'en aller en sperme »? (Lettre à Tourgueniev, 27 juillet 1877.)

Maupassant, lui, semble n'avoir jamais fait de différence entre les prouesses sexuelles qu'il se vantait d'accomplir dans les maisons closes ou dans les alcôves et le flot d'encre qui jaillissait de sa plume.

Par-delà les exploits vécus ou imaginés, par-delà la représentation fidèle des réalités de son temps, par-delà même l'expression des fantasmes collectifs, la thématique récurrente des « filles » entretient d'étranges, d'étroits rapports avec l'écriture, chez Maupassant comme chez la plupart des écrivains de la modernité fin de siècle (*cf.* P. Wald Lasowski, Bibliographie p. 345. Ici encore c'est de Baudelaire qu'il faut partir. Baudelaire qui fit de Constantin Guys (parce que mieux que nul autre il savait dessiner la beauté morbide et mortifère des « filles ») le premier peintre de la *modernité*. Et l'écho baudelairien se prolonge pendant tout le siècle. Explicite par exemple chez Jean Lorrain (qui écrivit lui aussi des « histoires de filles » et même une *Maison Philibert* qui se souvient fort de *La Maison Tellier*, quand elle ne la démarque pas!) :

Modernité! Modernité! A travers les cris et les huées
L'impudeur des prostituées
Resplendit dans l'éternité.

(Modernités.)

Écho plus allusif, plus masqué sans doute chez Maupassant. Lorsque les joyeux canotiers de la Colonie d'Aspergopolis écrivent et jouent *À la feuille de Rose, maison turque*, pièce « pornographique » et ostensiblement « obscène », certes ils s'abandonnent aux joies potachiques des farces de carabins et des chansons de corps de garde. Mais prenons-y garde :

« la maison turque » ne fait référence à aucune « maison » réelle; elle vient en droite ligne d'un texte, vénéré entre tous : *L'Éducation sentimentale*[1] de Flaubert. La farce provocatrice est ainsi un hommage au père, à celui que Maupassant s'est choisi comme maître d'écriture et qui l'a, en retour, reconnu pour son disciple, son fils d'élection, son successeur au royaume de la littérature...

Ainsi, dans la vie comme dans l'œuvre, le goût de Maupassant pour les « filles » est une évidence. Et sans doute est-ce sa propre voix qu'il faut entendre derrière celle de l'académicien d'*Un fils* qui, au soir de sa vie, calculait que « de dix-huit à quarante ans » un homme avait eu « des rapports disons intimes avec deux ou trois cents femmes ». Songeant avec effroi aux probables « rejetons » issus de ces « accouplements d'aventure », l'académicien n'en retient que ceux nés des « étreintes à dix ou vingt francs », d'une de ces « femmes que nous appelons *publiques* ». Comme si, dans cette comptabilité donjuanesque, ne pouvaient entrer — pour solde de tout compte et à l'exclusion de toute rencontre, fût-elle « passagère », avec une femme dite honnête que la passion ou le désir eût pu entraîner — que des prostituées.

On touche sans doute ici à l'un des ressorts secrets de la fascination exercée sur Maupassant non peut-être par les filles réelles, mais bien par le thème littéraire de « la fille » tel qu'il n'a cessé de le moduler. Ce thème en effet rejoint, jusqu'à parfois s'y confondre, cet autre fil rouge de l'œuvre, tout aussi récurrent, qui est le thème du *bâtard*. Prostituées ou courtisanes, les « filles » de Maupassant sont souvent mères. (Il arrive même à l'une d'elles d'accoucher, une *Nuit de Noël*, entre les bras d'un client, à qui son embonpoint avait laissé espérer de plus érotiques réjouissances...) Pour ces enfants, plus que pour tout autre, se pose l'énigme fondatrice : « Qui est mon

1. Disponible dans la même collection.

père ? » C'est bien autour de cette question que
s'articule la réflexion angoissée d'Yvette. Et c'est
parce que — en dépit de l'intervention du double
roman familial qu'elle s'invente : celui de l'enfant
princier et celui de l'enfant trouvé — elle ne parvient
pas à lui donner une réponse satisfaisante qu'elle
choisit, dans un premier temps, de mourir ; puis de
reproduire la seule image d'identification dont, « fille
de fille », elle dispose, celle de la mère. Mais cette
première question en entraîne une autre — plus
cruciale encore peut-être. Celle-là même qu'Yvette
(en dépit des preuves quotidiennes qui eussent dû,
très vite, la lui suggérer) met si longtemps à oser
formuler : « Ma mère est-elle une prostituée ? » Pour
celle-ci, point n'est besoin de convoquer explicitement la thématique de « la fille ». Voyez *Pierre et
Jean*...

Par-delà le réalisme documentaire, le thème ici
rejoint bien le réseau fantasmatique d'un imaginaire
obsessionnel.

À côtoyer ainsi sans cesse, d'un bout à l'autre de
l'œuvre, tant de figures — si diverses et pourtant si
proches — de « filles de joie », le lecteur se prend à
songer que, si Maupassant se glorifiait des exigences
d'une sensualité polymorphe (« Je voudrais avoir
mille bras, mille lèvres, et mille... tempéraments pour
pouvoir étreindre en même temps une armée de ces
êtres charmants et sans importance »), s'il avouait
volontiers : « J'aime la chair des femmes du même
amour que j'aime l'herbe, les rivières, la mer », il
reconnaissait aussi : « Je n'ai point l'âme sentimentale. » Pour celui qui méprisait les femmes du monde,
qui « ont de l'esprit, mais un esprit fait au moule
comme un gâteau de riz assaisonné d'une crème » (et
tant pis pour les « petites comtesses » et autre
« Dame en gris »). Pour celui qui constatait amère-
ment : « Les femmes ! j'aime mieux des sangsues. Je
trouve décidément bien monotones les organes à

plaisir, ces trous malpropres dont la seule fonction consiste à remplir les fosses d'aisance et à suffoquer les fosses nasales. » Pour celui-là, « la Femme » par excellence, la seule susceptible (sinon de le satisfaire) de le fasciner, ce ne pouvait être que « la fille ».

L'image du sexe-trou, en effet, que livre ici sans fard, dans sa nudité impudique, une intime confidence, on la retrouve aussi dans l'univers des récits. Mais déformée, soumise, par et pour l'élaboration fictionnelle, à tout un jeu de déplacement, de condensation et de dispersion qui, la masquant, la rend, en quelque sorte, publiable.

Ainsi, dans la plus étrange, la plus énigmatique des histoires de filles, *L'Inconnue*, l'œil de la femme dont la rencontre marque à tout jamais le narrateur est « un trou noir, un trou profond [...] par où [...] on *entrait en elle* ». Trou de la pénétration... Il est aussi « pareil à une tache d'encre ». Image banale dira-t-on. Encore que cet œil-tache puisse évoquer un autre œil, *taché* celui-ci, l'œil de Raphaële, la « belle Juive » de service, « marqué d'une taie » (*La Maison Tellier*). (Dans *L'Inconnue*, une des questions, la plus insistante, que suscite la femme est : « Est-ce une Juive ? »)

En tout état de cause, l'apparente banalité devient étrangeté lorsque quelques lignes plus loin l'encre change de nature : le regard de cet œil vous laisse sur la peau « une sorte de glu, comme s'il eût projeté sur les gens un de ces liquides dont se servent les pieuvres pour obscurcir l'eau et endormir leurs proies ». Œil-trou-pieuvre. Et mortifère.

Il suffit dès lors de superposer à ce texte un autre — plus étrange encore, plus nettement fantasmatique aussi — pour que, par *pieuvre* interposée, *l'œil-trou* révèle explicitement sa vraie nature. Dans ce conte (*Un soir*), un pêcheur massacre, des pointes acérées de sa fouine, une pieuvre. Avec une « étrange colère ». La pieuvre, « grande loque de chair rouge qui palpitait », « corps musculeux et mou », « ven-

touse vivante » se réfugie, « crevée et mutilée », pour
y mourir, dans un « trou plein d'eau saumâtre ».

La suite du récit révèle que la pieuvre est en fait un
substitut — une métaphore ? — de la femme du
pêcheur, femme adultère, qu'il n'a pas eu le courage
de tuer, bien qu'il ait maintes fois rêvé d'« enfoncer
des aiguilles » dans ses yeux qui ne laissent rien «
deviner de ce qu'elle pense, derrière » (*L'Inconnue* :
« l'étrange regard, opaque et vide, sans pensée et si
beau ! »), de les « crever ». Apparemment, ici
encore, la pieuvre est image de l'œil. Mais la description de l'animal aquatique renvoie de façon beaucoup
plus explicite au sexe féminin. L'œil-trou-pieuvre et
le trou-sexe se superposent.

Au moment où il découvre « l'horreur des horreurs » — la trahison de sa femme, mais aussi la
pulsion meurtrière qui monte en lui — c'est, une fois
de plus, l'image des prostituées « inconscientes et
sereines » qui surgit dans l'esprit du narrateur.

Un réseau ainsi se tisse, de texte en texte, auquel il
faudrait encore ajouter un autre fil. Quand Célestin
débarque dans le port de Marseille où, entre les bras
d'une prostituée qui est aussi sa sœur, il va découvrir
« l'horreur des horreurs », son bateau vient s'amarrer
dans un bassin « plein d'eau putride ». Les rues qu'il
suit pour arriver au bouge à matelots, où l'attend la
révélation de l'inceste, « descendent vers la mer
comme des égouts », leurs pavés suintent « des eaux
putrides », elles sinuent comme un « labyrinthe »
entre « des murs pleins de chair de femme » (*Le
Port*). La ville tout entière s'est changée en un
immense sexe féminin, sexe-cloaque, fascinant et
répugnant. Fascinant dans l'exacte mesure de la
répulsion qu'il inspire.

Par son sexe fangeux, toute femme est « fille ».
Fantasme misogyne, assurément. Mais parce qu'elle
est « fille » et qu'elle seule suscite son désir, elle
révèle à l'homme la part de fange qui est en lui. Et qui
fait de lui, selon l'étrange formule utilisée par Maupassant, un « homme-fille ».

Et c'est bien ce que reconnaît le héros de *L'Épingle*, encore viscéralement accroché, au bout de dix ans de séparation, à Jeanne de Limours (« une des femmes, *ou plutôt une des filles*, les plus charmantes et les plus cotées de Paris »), pour laquelle il s'est ruiné et dont il accepterait de ne plus être que « le valet de chambre ». Car en cette « créature », si naturellement « fille » que « rien qu'en passant dans la rue [elle] appartenait à tout le monde », il lui faut bien avouer que « le Féminin, l'odieux et affolant Féminin, était plus puissant qu'en aucune autre femme. Elle en était chargée, surchargée, comme d'un fluide grisant et vénéneux. Elle était Femme plus qu'on ne l'a jamais été ».

La même sordide attirance retient « M. Paul », « malgré ses instincts délicats, malgré sa raison, malgré sa volonté même », auprès de cette Madeleine, « bête comme toutes les filles », qui le mènera à la mort : « Il subissait cet ensorcellement féminin [...], cette domination prodigieuse, venue on ne sait d'où, du démon de la chair, et qui jette l'homme le plus sensé aux pieds d'une fille publique. » Le goût irrésistible qu'il a des filles réduit à néant les illusions que l'homme pourrait se faire sur lui-même...

Et que penser encore de l'amant de Francesca Rondoli ? Cet esthète que la *Vénus couchée* du Titien plonge dans l'extase, ce raffiné dont la délicatesse se révulse à la simple évocation des draps suspects d'un lit d'hôtel, ne s'en attache pas moins sensuellement (alors qu'il n'en reçoit que des « consentements méprisants » et « l'indifférence de sa caresse ») à une fille dont la conversation est rudimentaire, le caractère épineux et l'hygiène plus que douteuse. Ici encore joue à plein entre l'homme et la fille le « lien mystérieux de l'amour bestial ». Au point qu'il lui faudra revivre, comme halluciné par une compulsion de répétition impérieuse, cette aventure avec la sœur cadette, en attendant que les plus jeunes des sœurs Rondoli soient en âge de satisfaire son étrange besoin...

Les interrogations sans réponse de l'amant de Francesca (« Qui était-elle ? D'où venait-elle ? Que faisait-elle ? »), l'homme à qui, amant, amoureux ou simple client, il arrive de croiser une « fille » est toujours, chez Maupassant, conduit à se les poser. Et le désir qu'il peut avoir d'elle croît en fonction de sa difficulté à leur donner réponse. Qui est exactement Madeleine ? Quel est le lieu exact de sa jouissance ? Qui est Yvette ? Vierge innocente ou rouée qui chasse de race ? Qui est l'Inconnue ? Une simple racoleuse ? Son dandinement troublant, sa poitrine offerte comme un défi, sa complaisance à se laisser aborder le donnent à penser. Une bourgeoise au tempérament exigeant ? Ne refuse-t-elle pas avec hauteur (« Pour qui me prenez-vous, Monsieur ? ») le petit cadeau d'usage ? A moins qu'elle ne soit « un de ces êtres dangereux et perfides qui ont pour mission d'entraîner les hommes en des abîmes inconnus », une messagère de l'au-delà infernal ?

Qui est la « sépulcrale chasseresse » du cimetière Montmartre ? Joseph de Bardon n'en finit pas de s'interroger. Son désir a beau s'être lassé, cette femme demeure pour lui « une de ces questions inexplicables dont la solution nous harcèle ». Lorsque le hasard semble lui fournir une réponse, voici que l'énigme se fait plus opaque encore, ranimant sa curiosité — et sans doute aussi son désir : « Était-ce une simple fille, une prostituée inspirée [...] ? Était-elle unique ? Sont-elles plusieurs ?... »

Même lorsqu'il s'agit de cas moins douteux, lorsque la prostitution est avérée, les interrogations demeurent, une enquête s'impose. L'insistance que met le narrateur de *Ça ira* à faire parler l'ancienne canotière de Chatou, pour laquelle, au temps de leur commune jeunesse, il n'avait eu qu'indifférence, paraît bien un peu étrange. Mais sans doute tient-elle moins à quelque nostalgie d'un passé révolu qu'à l'identité incertaine, flottante, de celle qui n'avait qu'un surnom et qui fut tour à tour Zaïra, Zara, Sara, la Juive, avant de n'être plus personne (« Puis elle disparut »), et qui soudain ressuscite sous les espèces d'une respectable buraliste. Posée sur un autre registre, la question n'en demeure pas moins, liée à l'état de « fille », et c'est la même : « Qui est cette femme ? » Il n'est pas jusqu'à ces dames de la Maison Tellier, dont le statut est pourtant de notoriété publique, qui ne finissent un beau soir par poser problème. Mais où sont-elles donc passées ? se demandent les bourgeois de Fécamp qui semblent — très fugitivement — prendre pour la première fois conscience qu'elles sont peut-être aussi autre chose que ce à quoi les réduit leur fonction : des « filles ».

Certes, pour le narrateur de *L'Armoire* ou de *L'Odyssée d'une fille*, l'identité de celle qui vient de le racoler ne fait pas de doute. Et sans doute cette certitude glace-t-elle son désir. Il éprouve pourtant le besoin de la presser de questions, de lui faire raconter son histoire, « harcelé par la curiosité bête qui pousse tous les hommes à interroger ces créatures [...] à vouloir lever le voile de leur première faute » (« Curiosité bête » du client, « mots obscurs et stu- pides » de la fille : édifiant face-à-face...).

Ainsi, étrangement, il semble que chez ces profes- sionnelles de la nudité il reste toujours, pour l'homme, un dernier voile à lever... Ainsi, la plus « publique » des filles a toujours, peu ou prou, quel- que chose à voir avec le mystère, avec l'énigme.

Tantôt, aux questions du narrateur-client, la fille répond ; elle raconte elle-même son histoire, se dévoile, révélant du même coup une intériorité qui, pour être stéréotypée — ce que le narrateur ne manque pas de souligner —, n'en a pas moins le mérite d'exister. L'espace d'un instant, l'objet éro- tique se change en sujet du discours. Mais le mystère était ténu, la seule énigme était sans doute le désir de savoir du client... La Françoise du *Port* constitue une variante intéressante de ce cas de figure. D'abord, Célestin, le client, ne lui demande pas comment elle en est arrivée là, mais, plus simplement : « V'là longtemps que t'es ici ? » Ensuite, Françoise prend l'initiative. C'est elle qui interroge. Et ses questions lèvent un à un les voiles sur ce qui, cette fois, est bel et bien un mystère, une énigme. C'est par elle que la vérité, insoutenable, se révèle, et le mot de l'énigme : l'inceste.

A ces rares exceptions près, la « fille » est vue de l'extérieur, maintenue sous un regard qui peut bien être scrutateur, voire inquisiteur, mais qui n'en est pas moins réduit à interpréter des signes, des comportements qui ne sont que partiellement déchiffrables. Dès lors le personnage garde, tout au long du récit, pour son partenaire comme pour le lecteur, un certain mystère. Il y a toujours chez la « fille », irréductible, une part d'obscurité. Certes, on peut souvent supposer qu'elle ne cache rien d'autre qu'un grand vide. Il n'en reste pas moins que, en tant que telle, elle est constitutive du personnage.

Nous connaissons les sentiments de Paul. Mais ceux de Madeleine ? De ceux que peut éprouver Anna Taille en écoutant le dernier couplet du « Pain maudit » on ne connaîtra jamais rien que les larmes dont ses yeux se remplissent et l'altération de sa voix. Sait-on ce que Mouche pense vraiment de ce ménage à six dont les canotiers ont pris l'initiative ? Quant au possible attachement de Francesca pour le narrateur, rien n'en transparaît sinon dans le discours — peu fiable ! — de la pétulante Mme Rondoli...

Si « la fille » conserve toujours quelque chose d'énigmatique, c'est sans doute parce que, comme le sphinx antique, elle met l'homme en face de sa propre énigme. Souvent même elle agit comme un révélateur. Elle dénude brutalement ses désirs profonds, ceux qu'il n'ose s'avouer. La part d'opacité qui est en lui. La part en lui de la Bête.

La plus exemplaire, bien sûr, est l'Inconnue. Femme « offerte comme une tentation ». Rencontrée plusieurs fois, à des mois, une année de distance, comme suscitée sur les pas de l'homme par le désir qu'il en a, pour disparaître aussitôt avant qu'il la puisse rejoindre. Lorsque, enfin, ils se rejoignent, lorsque, enfin, tombent les derniers voiles et se révèle entièrement ce corps tant convoité, du même coup se dévoile l'objet véritable du désir, « la grande tache en relief, très noire », qui est la marque de l'esprit du Mal. Sur le corps de la fille, certes. Mais en l'homme aussi. Puisque cette marque, il avait pu la pressentir sur le visage de l'inconnue. Puisque c'était cette marque justement, qu'il désirait. Double révélation, double dénuement. Qui, sur le coup, méduse, littéralement, l'homme et le réduit à l'impuissance. Peut-on affronter le miroir de Méduse lorsque ce qu'on y reconnaît c'est son propre visage ? Impuissance toute provisoire : le désir n'en renaît pas moins aussitôt, exaspéré, d'autant plus violent, torturant qu'il demeure inapaisé. D'autant plus inapaisable qu'il frappe d'interdit tous les autres corps. Le texte alors peut se clore sur une question sans réponse (« Pourquoi ? Voilà ! Pourquoi ? Je ne sais pas »), qui, bien plus qu'elle n'interroge l'identité de l'Inconnue, renvoie le narrateur à sa propre énigme. A l'opacité de son désir.

Si, dans son miroir, Yvette découvre non pas son propre visage mais bien celui de « la fille » que, comme sa mère, elle est vouée à devenir, d'une façon générale « la fille », chez Maupassant, présente à l'homme un miroir où, quoi qu'il en ait et bien qu'il s'en défende avec répugnance, il lui faut, en fin de compte, se reconnaître. Homme-fille.

L'héroïne des *Tombales*, qui a choisi « d'exploiter les regrets d'amour qu'on ranime en ces lieux familiers », est-elle si différente, somme toute, du narrateur qui aime tant à rêver sur la tombe d'une maîtresse dont le souvenir « en même temps qu'il (le) peine énormément, (lui) donne des regrets... des

regrets de toute nature » ? Soit, pour parler plus
nettement, de très concrètes jouissances.

La Tombale n'est peut-être qu'une « prostituée
inspirée » qui exploite dans ce cimetière un terrain de
chasse particulièrement rentable. Le goût du narrateur pour ce même lieu est plus ambigu, plus pervers.
La rencontre de la Tombale ne met-elle pas à nu, en
dépit de l'ironie que le narrateur affiche trop ostensiblement dans ses commentaires du « comique de la
prose tombale », l'inavouable connivence de son
désir pour la chair féminine « si blanche et si fraîche »
et de sa fascination pour la mort : « ... et maintenant... si on ouvrait ça... »

Chez Maupassant, tous les amants des « filles » —
voire simplement leurs clients — semblent bien être
des amants de la mort.

Si Paul se jette si facilement, si rapidement dans la
rivière, n'est-ce pas que ce désir était en lui depuis
longtemps ? Certes, la trahison de Madeleine, explicitement, l'y précipite. Mais ne peut-on penser que le
goût pervers qu'il a de Madeleine n'est rien d'autre
que la manifestation de la mort déjà au travail en lui ?
De son désir de mort.

Lorsqu'il regarde se déshabiller une fille, le narrateur de *L'Inconnue* voit ses « doux vêtements
(s'abattre) vides et mous comme s'ils venaient d'être
frappés de mort ». Annonce métaphorique du deuil
provisoire de sa virilité, qui suivra de très près ce
déshabillage ? Sans nul doute. Mais cette stratégie
narrative dit peut-être aussi autre chose : l'essentielle
érotisation de la mort.

Le narrateur de *L'Armoire* a été poussé jusqu'au
promenoir des Folies-Bergère, « cette amusante foire
aux filles » où se fait la rencontre, par une de « ces
tristesses qui doivent mener au suicide », si on ne
trouve à les dériver sur un objet équivalent... Celui
des *Sœurs Rondoli* ouvre le récit de son aventure
génoise par une longue méditation sur ces « soirs
navrants » où l'on a « les jambes molles, l'âme affais-

sée », où « l'on se sent si abominablement seul qu'une sorte de folie vous saisit ». Et l'on pourrait en dire autant de celui de *Ça ira* ou de *L'Ami Patience*. Sans doute, dans chacun de ces cas, cette brutale dépression a des causes circonstancielles : un soir de pluie particulièrement opiniâtre ; l'ennui d'une petite ville de province ; la solitude dans une ville étrangère... Mais elle signale aussi, permanente, prête à surgir à la moindre sollicitation, une défaillance de l'instinct de vie, constitutive de l'être. Et qui est le seul trait de caractère qui nous soit vraiment livré pour chacun de ces personnages...

Tous, à un degré ou à un autre, ils pourraient appartenir à « l'œuvre de la mort volontaire » (*L'Endormeuse*) dont le salon ressemble si fort à celui d'une maison close de bonne tenue, avec ses vitraux « d'un bleu pâle », « d'un rose tendre », « d'un vert léger », ses « paysages de tapisserie », ses « divans », ses palmiers, ses roses « embaumantes », ses boîtes de cigares entrouvertes et, surtout, sa « chaise longue couverte de crêpe de Chine crémeux » : « Étendez-vous sur l'Endormeuse... »

La fille et la mort — comme la maladie et la mort, les « deux bonnes sœurs » baudelairiennes (et d'ailleurs, *fille* et *maladie*, pour un homme du XIXe siècle les deux mots ne sont-ils pas synonymes ?) — ont partie liée. Peut-être est-ce le même oubli, la même létale jouissance que l'homme vient chercher dans les bras toujours disponibles de l'une comme de l'autre. La rivière des jeunes années, si voluptueusement aimée, où s'ébattaient les canotières complaisantes et souvent vénales, toujours prêtes aux joutes érotiques, n'offrait-elle pas aussi, dans son lit soyeux, « le plus sinistre des cimetières, celui où l'on n'a pas besoin de tombeau » ? (*Sur l'eau.*)

Au poète sinistre, ennemi des familles
Familier de l'enfer, courtisan mal renté
Tombeaux et lupanars montrent sous leur charmille
Un lit que le remords n'a jamais fréquenté

(Baudelaire)

LA MAISON TELLIER

I

On allait là, chaque soir, vers onze heures, comme ◆━
au café, simplement.

Ils s'y retrouvaient à six ou huit, toujours les
mêmes, non pas des noceurs, mais des hommes honorables, des commerçants, des jeunes gens de la ville ;
et l'on prenait sa chartreuse en lutinant quelque peu
les filles, ou bien on causait sérieusement avec
Madame, que tout le monde respectait.

Puis on rentrait se coucher avant minuit. Les jeunes
gens quelquefois restaient.

La maison était familiale, toute petite, peinte en
jaune, à l'encoignure d'une rue derrière l'église Saint-
Étienne ; et, par les fenêtres, on apercevait le bassin
plein de navires qu'on déchargeait, le grand marais
salant appelé « Retenue » et, derrière, la côte de la
Vierge avec sa vieille chapelle toute grise.

Madame, issue d'une bonne famille de paysans du
département de l'Eure, avait accepté cette profession
absolument comme elle serait devenue modiste ou
lingère. Le préjugé du déshonneur attaché à la prostitution, si violent et si vivace dans les villes, n'existe
pas dans la campagne normande. Le paysan dit :
« C'est un bon métier » ; et il envoie son enfant tenir
un harem de filles comme il l'enverrait diriger un
pensionnat de demoiselles.

◆━ Voir *Au fil du texte*, p. VII.

Cette maison, du reste, était venue par héritage d'un vieil oncle qui la possédait. *Monsieur et Madame*, autrefois aubergistes près d'Yvetot, avaient immédiatement liquidé, jugeant l'affaire de Fécamp plus avantageuse pour eux; et ils étaient arrivés un beau matin prendre la direction de l'entreprise qui périclitait en l'absence des patrons.

C'étaient de braves gens qui se firent aimer tout de suite par leur personnel et les voisins.

Monsieur mourut d'un coup de sang deux ans plus tard. Sa nouvelle profession l'entretenant dans la mollesse et l'immobilité, il était devenu très gros, et sa santé l'avait étouffé.

Madame, depuis son veuvage, était vainement désirée par tous les habitués de l'établissement; mais on la disait absolument sage, et les pensionnaires elles-mêmes n'étaient parvenues à rien découvrir.

Elle était grande, charnue, avenante. Son teint, pâli dans l'obscurité de ce logis toujours clos, luisait comme sous un vernis gras. Une mince garniture de cheveux follets, faux et frisés, entourait son front, et lui donnait un aspect juvénile qui jurait avec la maturité de ses formes. Invariablement gaie et la figure ouverte, elle plaisantait volontiers, avec une nuance de retenue que ses occupations nouvelles n'avaient pas encore pu lui faire perdre. Les gros mots la choquaient toujours un peu; et quand un garçon mal élevé appelait de son nom propre l'établissement qu'elle dirigeait, elle se fâchait, révoltée. Enfin elle avait l'âme délicate, et, bien que traitant ses femmes en amies, elle répétait volontiers qu'elles « n'étaient point du même panier ».

Parfois, durant la semaine, elle partait en voiture de louage avec une fraction de sa troupe; et l'on allait folâtrer sur l'herbe au bord de la petite rivière qui coule dans les fonds de Valmont[1]. C'étaient alors des parties de pensionnaires échappées, des courses

---

1. Le nom de cette localité, située à l'est de Fécamp, a fourni à Maupassant l'un de ses premiers pseudonymes.

folles, des jeux enfantins, toute une joie de recluses grisées par le grand air. On mangeait de la charcuterie sur le gazon en buvant du cidre, et l'on rentrait à la nuit tombante avec une fatigue délicieuse, un attendrissement doux ; et dans la voiture on embrassait *Madame* comme une mère très bonne pleine de mansuétude et de complaisance.

La maison avait deux entrées. A l'encoignure, une sorte de café borgne s'ouvrait, le soir, aux gens du peuple et aux matelots. Deux des personnes chargées du commerce spécial du lieu étaient particulièrement destinées aux besoins de cette partie de la clientèle. Elles servaient, avec l'aide du garçon, nommé Frédéric, un petit blond imberbe et fort comme un bœuf, les chopines de vin et les canettes sur les tables de marbre branlantes, et, les bras jetés au cou des buveurs, assises en travers de leurs jambes, elles poussaient à la consommation.

Les trois autres dames (elles n'étaient que cinq) formaient une sorte d'aristocratie, et demeuraient réservées à la compagnie du premier, à moins pourtant qu'on n'eût besoin d'elles en bas et que le premier fût vide.

Le salon de Jupiter, où se réunissaient les bourgeois de l'endroit, était tapissé de papier bleu et agrémenté d'un grand dessin représentant Léda étendue sous un cygne. On parvenait dans ce lieu au moyen d'un escalier tournant terminé par une porte étroite, humble d'apparence, donnant sur la rue, et au-dessus de laquelle brillait toute la nuit, derrière un treillage, une petite lanterne comme celles qu'on allume encore en certaines villes aux pieds des madones encastrées dans les murs.

Le bâtiment, humide et vieux, sentait légèrement le moisi. Par moments, un souffle d'eau de Cologne passait dans les couloirs, ou bien une porte entrouverte en bas faisait éclater dans toute la demeure, comme une explosion de tonnerre, les cris populaciers des hommes attablés au rez-de-chaussée, et mettait sur la figure des messieurs du premier une moue inquiète et dégoûtée.

Madame, familière avec les clients ses amis, ne quittait point le salon, et s'intéressait aux rumeurs de la ville qui lui parvenaient par eux. Sa conversation grave faisait diversion aux propos sans suite des trois femmes ; elle était comme un repos dans le badinage polisson des particuliers ventrus qui se livraient chaque soir à cette débauche honnête et médiocre de boire un verre de liqueur en compagnie de filles publiques.

Les trois dames du premier s'appelaient Fernande, Raphaële[1] et Rosa la Rosse.

Le personnel étant restreint, on avait tâché que chacune d'elles fût comme un échantillon, un résumé de type féminin, afin que tout consommateur pût trouver là, à peu près du moins, la réalisation de son idéal.

Fernande représentait la *belle blonde*, très grande, presque obèse, molle, fille des champs dont les taches de rousseur se refusaient à disparaître, et dont la chevelure filasse, écourtée, claire et sans couleur, pareille à du chanvre peigné, lui couvrait insuffisamment le crâne.

Raphaële, une Marseillaise, roulure des ports de mer, jouait le rôle indispensable de la *belle Juive*, maigre, avec des pommettes saillantes plâtrées de rouge. Ses cheveux noirs, lustrés à la moelle de bœuf, formaient des crochets sur ses tempes. Ses yeux eussent paru beaux si le droit n'avait pas été marqué d'une taie. Son nez arqué tombait sur une mâchoire accentuée où deux dents neuves, en haut, faisaient tache à côté de celles du bas qui avaient pris en vieillissant une teinte foncée comme les bois anciens.

Rosa la Rosse, une petite boule de chair tout en ventre avec des jambes minuscules, chantait du matin au soir, d'une voix éraillée, des couplets alternative-

---

1. La prostituée la plus demandée de *À la feuille de Rose*, dont Maupassant joua le rôle en travesti, portait ce prénom.

ment grivois ou sentimentaux, racontait des histoires interminables et insignifiantes, ne cessait de parler que pour manger et de manger que pour parler, remuait toujours, souple comme un écureuil malgré sa graisse et l'exiguïté de ses pattes ; et son rire, une cascade de cris aigus, éclatait sans cesse, de-ci, de-là, dans une chambre, au grenier, dans le café, partout, à propos de rien.

Les deux femmes du rez-de-chaussée, Louise, sur-nommée Cocote, et Flora, dite Balançoire parce qu'elle boitait un peu, l'une toujours en *Liberté* avec une ceinture tricolore, l'autre en Espagnole de fantai-sie avec des sequins de cuivre qui dansaient dans ses cheveux carotte à chacun de ses pas inégaux, avaient l'air de filles de cuisine habillées pour un carnaval. Pareilles à toutes les femmes du peuple, ni plus laides, ni plus belles, vraies servantes d'auberge, on les désignait dans le port sous le sobriquet des deux Pompes.

Une paix jalouse, mais rarement troublée, régnait entre ces cinq femmes, grâce à la sagesse conciliante de *Madame* et à son intarissable bonne humeur.

L'établissement, unique dans la petite ville, était assidûment fréquenté. *Madame* avait su lui donner une tenue si comme il faut ; elle se montrait si aimable, si prévenante envers tout le monde ; son bon cœur était si connu, qu'une sorte de considération l'entourait. Les habitués faisaient des frais pour elle, triomphaient quand elle leur témoignait une amitié plus marquée ; et lorsqu'ils se rencontraient dans le jour pour leurs affaires, ils se disaient : « A ce soir, où vous savez », comme on se dit : « Au café, n'est-ce pas ? après dîner. »

Enfin la maison Tellier était une ressource, et rarement quelqu'un manquait au rendez-vous quoti-dien.

Or, un soir, vers la fin du mois de mai, le premier arrivé, M. Poulin, marchand de bois et ancien maire, trouva la porte close. La petite lanterne, derrière son treillage, ne brillait point ; aucun bruit ne sortait du logis, qui semblait mort. Il frappa, doucement d'abord, avec plus de force ensuite ; personne ne répondit. Alors il remonta la rue à petits pas, et, comme il arrivait sur la place du Marché, il rencontra M. Duvert, l'armateur, qui se rendait au même endroit. Ils y retournèrent ensemble sans plus de succès. Mais un grand bruit éclata soudain tout près d'eux, et, ayant tourné la maison, ils aperçurent un rassemblement de matelots anglais et français qui heurtaient à coups de poings les volets fermés du café.

Les deux bourgeois aussitôt s'enfuirent pour n'être pas compromis, mais un léger « pss't » les arrêta : c'était M. Tournevau, le saleur de poisson, qui, les ayant reconnus, les hélait. Ils lui dirent la chose, dont il fut d'autant plus affecté que lui, marié, père de famille et fort surveillé, ne venait là que le samedi, « *securitatis causa*[1] », disait-il, faisant allusion à une mesure de police sanitaire dont le docteur Borde, son ami, lui avait révélé les périodiques retours. C'était justement son soir et il allait se trouver ainsi privé pour toute la semaine.

Les trois hommes firent un grand crochet jusqu'au quai, trouvèrent en route le jeune M. Philippe, fils du banquier, un habitué, et M. Pimpesse, le percepteur. Tous ensemble revinrent alors par la rue « aux Juifs » pour essayer une dernière tentative. Mais les matelots exaspérés faisaient le siège de la maison, jetaient des pierres, hurlaient ; et les cinq clients du premier étage, rebroussant chemin le plus vite possible, se mirent à errer par les rues.

Ils rencontrèrent encore M. Dupuis, l'agent d'assurances, puis M. Vasse, le juge au tribunal de commerce ; et une longue promenade commença qui les conduisit à la jetée d'abord. Ils s'assirent en ligne sur le parapet de granit et regardèrent moutonner les

---

1. Latin : *pour raison de sécurité*. Les visites médicales obligatoires dans les maisons closes avaient souvent lieu le samedi, jour de grande affluence.

flots. L'écume, sur la crête des vagues, faisait dans l'ombre des blancheurs lumineuses, éteintes presque aussitôt qu'apparues, et le bruit monotone de la mer brisant contre les rochers se prolongeait dans la nuit tout le long de la falaise. Lorsque les tristes promeneurs furent restés là quelque temps, M. Tournevau déclara : « Ça n'est pas gai. — Non certes », reprit M. Pimpesse ; et ils repartirent à petits pas.

Après avoir longé la rue que domine la côte et qu'on appelle : « Sous-le-Bois[1] », ils revinrent par le pont de planche sur la Retenue, passèrent près du chemin de fer et débouchèrent de nouveau place du Marché, où une querelle commença tout à coup entre le percepteur, M. Pimpesse, et le saleur, M. Tournevau, à propos d'un champignon comestible que l'un d'eux affirmait avoir trouvé dans les environs.

Les esprits étant aigris par l'ennui, on en serait peut-être venu aux voies de fait si les autres ne s'étaient interposés. M. Pimpesse, furieux, se retira ; et aussitôt une nouvelle altercation s'éleva entre l'ancien maire, M. Poulin, et l'agent d'assurances, M. Dupuis, au sujet des appointements du percepteur et des bénéfices qu'il pouvait se créer. Les propos injurieux pleuvaient des deux côtés, quand une tempête de cris formidables se déchaîna, et la troupe des matelots, fatigués d'attendre en vain devant une maison fermée, déboucha sur la place. Ils se tenaient par le bras, deux par deux, formant une longue procession, et ils vociféraient furieusement.

Le groupe des bourgeois se dissimula sous une porte, et la horde hurlante disparut dans la direction de l'abbaye. Longtemps encore on entendit la clameur diminuant comme un orage qui s'éloigne ; et le silence se rétablit.

M. Poulin et M. Dupuis, enragés l'un contre l'autre, partirent, chacun de son côté, sans se saluer.

1. La maison familiale de Laure Le Poittevin à Fécamp, lieu de naissance présumé du romancier, se trouvait dans cette rue. Aujourd'hui : Quai Guy-de-Maupassant.

Les quatre autres se remirent en marche, et redescendirent instinctivement vers l'établissement Tellier. Il était toujours clos, muet, impénétrable. Un ivrogne, tranquille et obstiné, tapait des petits coups dans la devanture du café, puis s'arrêtait pour appeler à mi-voix le garçon Frédéric. Voyant qu'on ne lui répondait point, il prit le parti de s'asseoir sur la marche de la porte, et d'attendre les événements.

Les bourgeois allaient se retirer quand la bande tumultueuse des hommes du port parut au bout de la rue. Les matelots français braillaient *La Marseillaise*, les anglais le *Rule Britannia*[1]. Il y eut un ruement général contre les murs, puis le flot de brutes reprit son cours vers le quai, où une bataille éclata entre les marins des deux nations. Dans la rixe, un Anglais eut le bras cassé, et un Français le nez fendu.

L'ivrogne, qui était resté devant la porte, pleurait maintenant comme pleurent les pochards ou les enfants contrariés.

Les bourgeois enfin se dispersèrent.

Peu à peu le calme revint sur la cité troublée. De place en place, encore par instants, un bruit de voix s'élevait, puis s'éteignait dans le lointain.

Seul, un homme errait toujours, M. Tournevau, le saleur, désolé d'attendre au prochain samedi ; et il espérait on ne sait quel hasard, ne comprenant pas ; s'exaspérant que la police laissât fermer ainsi un établissement d'utilité publique qu'elle surveille et tient sous sa garde.

Il y retourna, flairant les murs, cherchant la raison : et il s'aperçut que sur l'auvent une pancarte était collée. Il alluma bien vite une allumette-bougie, et lut ces mots tracés d'une grande écriture inégale : « *Fermé pour cause de première communion.* »

Alors il s'éloigna, comprenant bien que c'était fini.

1. Hymne patriotique anglais. Dans une lettre, Tourgueniev précise à Maupassant que « c'est le *Rule Britannia* (“Britain rules the waves”) que chantent les marins anglais » et non l'hymne national, *God save the Queen*.

L'ivrogne maintenant dormait, étendu tout de son long en travers de la porte inhospitalière.

Et le lendemain, tous les habitués, l'un après l'autre, trouvèrent moyen de passer dans la rue avec des papiers sous le bras pour se donner une contenance ; et d'un coup d'œil furtif, chacun lisait l'avertissement mystérieux : « *Fermé pour cause de première communion.* »

II

C'est que *Madame* avait un frère établi menuisier en leur pays natal, Virville, dans l'Eure[1]. Du temps que *Madame* était encore aubergiste à Yvetot, elle avait tenu sur les fonts baptismaux la fille de ce frère qu'elle nomma Constance, Constance Rivet ; étant elle-même une Rivet par son père. Le menuisier, qui savait sa sœur en bonne position, ne la perdait pas de vue, bien qu'ils ne se rencontrassent pas souvent, retenus tous les deux par leurs occupations et habitant du reste loin l'un de l'autre. Mais comme la fillette allait avoir douze ans, et faisait, cette année-là, sa première communion, il saisit cette occasion d'un rapprochement, il écrivit à sa sœur qu'il comptait sur elle pour la cérémonie. Les vieux parents étaient morts, elle ne pouvait refuser à sa filleule ; elle accepta. Son frère, qui s'appelait Joseph, espérait qu'à force de prévenances il arriverait peut-être à obtenir qu'on fît un testament en faveur de la petite, *Madame* étant sans enfants.

La profession de sa sœur ne gênait nullement ses scrupules, et, du reste, personne dans le pays ne savait rien. On disait seulement en parlant d'elle :

1. Localité de Seine-Maritime (et non pas de l'Eure), à trente kilomètres à l'ouest du Havre.

« Madame Tellier est une bourgeoise de Fécamp »,
ce qui laissait supposer qu'elle pouvait vivre de ses
rentes. De Fécamp à Virville on comptait au moins
vingt lieues ; et vingt lieues de terre pour des paysans
sont plus difficiles à franchir que l'Océan pour un
civilisé. Les gens de Virville n'avaient jamais dépassé
Rouen ; rien n'attirait ceux de Fécamp dans un petit
village de cinq cents feux, perdu au milieu des plaines
et faisant partie d'un autre département. Enfin on ne
savait rien.

Mais, l'époque de la communion approchant,
Madame éprouva un grand embarras. Elle n'avait
point de sous-maîtresse, et ne se souciait nullement
de laisser sa maison, même pendant un jour. Toutes
les rivalités entre les dames d'en haut et celles d'en
bas éclateraient infailliblement ; puis Frédéric se gri-
serait sans doute, et quand il était gris, il assommait
les gens pour un oui ou pour un non. Enfin elle se
décida à emmener tout son monde, sauf le garçon à
qui elle donna sa liberté jusqu'au surlendemain.

Le frère consulté ne fit aucune opposition, et se
chargea de loger la compagnie entière pour une nuit.
Donc, le samedi matin, le train express de huit heures
emportait *Madame* et ses compagnes dans un wagon
de seconde classe[1].

Jusqu'à Beuzeville[2] elles furent seules et jacas-
sèrent comme des pies. Mais à cette gare un couple
monta. L'homme, vieux paysan, vêtu d'une blouse
bleue, avec un col plissé, des manches larges serrées
aux poignets et ornées d'une petite broderie blanche,
couvert d'un antique chapeau de forme haute dont le
poil roussi semblait hérissé, tenait d'une main un
immense parapluie vert, et de l'autre un vaste panier
qui laissait passer les têtes effarées de trois canards.

1. Il y avait alors trois classes dans les trains. La seconde était
fréquentée surtout par la bourgeoisie moyenne et les commerçants
aisés.
2. A Bréauté-Beuzeville, en Seine-Maritime, se situait l'embranchement des lignes Rouen-Le Havre/ Rouen-Fécamp ou Étre-
tat.

La femme, raide en sa toilette rustique, avait une physionomie de poule avec un nez pointu comme un bec. Elle s'assit en face de son homme et demeura sans bouger, saisie de se trouver au milieu d'une si belle société.

Et c'était, en effet, dans le wagon, un éblouissement de couleurs éclatantes. *Madame*, tout en bleu, en soie bleue des pieds à la tête, portait là-dessus un châle de faux cachemire français, rouge, aveuglant, fulgurant. Fernande soufflait dans une robe écossaise dont le corsage, lacé à toute force par ses compagnes, soulevait sa croulante poitrine en un double dôme toujours agité qui semblait liquide sous l'étoffe.

Raphaële, avec une coiffure emplumée simulant un nid plein d'oiseaux, portait une toilette lilas, pailletée d'or, quelque chose d'oriental qui seyait à sa physionomie de Juive. Rosa la Rosse, en jupe rose à larges volants, avait l'air d'une enfant trop grasse, d'une naine obèse; et les deux Pompes semblaient s'être taillé des accoutrements étranges au milieu de vieux rideaux de fenêtre, ces vieux rideaux à ramages datant de la Restauration.

Sitôt qu'elles ne furent plus seules dans le compartiment, ces dames prirent une contenance grave, et se mirent à parler de choses relevées pour donner une bonne opinion d'elles. Mais à Bolbec[1] apparut un monsieur à favoris blonds, avec des bagues et une chaîne en or, qui mit dans le filet sur sa tête plusieurs paquets enveloppés de toile cirée. Il avait un air farceur et bon enfant[2]. Il salua, sourit et demanda avec aisance : « Ces dames changent de garnison ? » Cette question jeta dans le groupe une confusion embarrassée. *Madame* enfin reprit contenance, et elle répondit sèchement, pour venger l'honneur du

---

1. Première gare après Bréauté en direction de Rouen.
2. Il s'agit d'un *commis voyageur*, type social (*cf.* Balzac : *L'Illustre Gaudissart*) reconnaissable à son « ton avantageux », sa loquacité inépuisable et son aplomb. L'amant de cœur de la « fille Elisa » (Goncourt) est un commis voyageur.

corps : « Vous pourriez bien être poli ! » Il s'excusa :
« Pardon, je voulais dire de monastère. » *Madame*,
ne trouvant rien à répliquer, ou jugeant peut-être la
rectification suffisante, fit un salut digne en pinçant
les lèvres.

Alors le monsieur, qui se trouvait assis entre Rosa
la Rosse et le vieux paysan, se mit à cligner de l'œil
aux trois canards dont les têtes sortaient du grand
panier ; puis, quand il sentit qu'il captivait déjà son
public, il commença à chatouiller ces animaux sous le
bec, en leur tenant des discours drôles pour dérider la
société : « Nous avons quitté notre petite ma-mare !
couen ! couen ! couen ! — pour faire connaissance
avec la petite broche, — couen ! couen ! couen ! » Les
malheureuses bêtes tournaient le cou afin d'éviter les
caresses, faisaient des efforts affreux pour sortir de
leur prison d'osier ; puis soudain toutes trois
ensemble poussèrent un lamentable cri de détresse :
« Couen ! couen ! couen ! couen ! » Alors ce fut une
explosion de rires parmi les femmes. Elles se penchaient, elles se poussaient pour voir : on s'intéressait
follement aux canards ; et le monsieur redoublait de
grâce, d'esprit et d'agaceries.

Rosa s'en mêla, et, se penchant par-dessus les
jambes de son voisin, elle embrassa les trois bêtes sur
le nez. Aussitôt chaque femme voulut les baiser à son
tour ; et le monsieur asseyait ces dames sur ses
genoux, les faisait sauter, les pinçait ; tout à coup il les
tutoya.

Les deux paysans, plus affolés encore que leurs
volailles, roulaient des yeux de possédés sans oser
faire un mouvement, et leurs vieilles figures plissées
n'avaient pas un sourire, pas un tressaillement.

Alors le monsieur, qui était commis voyageur,
offrit par farce des bretelles à ces dames, et, s'empa-
rant d'un de ses paquets, il l'ouvrit. C'était une ruse,
le paquet contenait des jarretières.

Il y en avait en soie bleue, en soie rose, en soie
violette, en soie mauve, en soie ponceau, avec des

boucles de métal formées par deux amours enlacés et
dorés. Les filles poussèrent des cris de joie, puis
examinèrent les échantillons, reprises par la gravité
naturelle à toute femme qui tripote un objet de
toilette. Elles se consultaient de l'œil ou d'un mot
chuchoté, se répondaient de même, et *Madame*
maniait avec envie une paire de jarretières orangées,
plus larges, plus imposantes que les autres : de vraies
jarretières de patronne.

Le monsieur attendait, nourrissant une idée :
« Allons, mes petites chattes, dit-il, il faut les
essayer. » Ce fut une tempête d'exclamations ; et elles
serraient leurs jupes entre leurs jambes comme si elles
eussent craint des violences. Lui, tranquille, attendait
son heure. Il déclara : « Vous ne voulez pas, je
remballe. » Puis finalement : « J'offrirai une paire,
au choix, à celles qui feront l'essai. » Mais elles ne
voulaient pas, très dignes, la taille redressée. Les
deux Pompes cependant semblaient si malheureuses
qu'il leur renouvela la proposition. Flora Balançoire
surtout, torturée de désir, hésitait visiblement. Il la
pressa : « Vas-y, ma fille, un peu de courage ; tiens, la
paire lilas, elle ira bien avec ta toilette. » Alors elle se
décida, et relevant sa robe, montra une forte jambe
de vachère, mal serrée en un bas grossier. Le monsieur, se baissant, accrocha la jarretière sous le genou
d'abord, puis au-dessus ; et il chatouillait doucement
la fille pour lui faire pousser des petits cris avec de
brusques tressaillements. Quand il eut fini il donna la
paire lilas et demanda : « A qui le tour ? » Toutes
ensemble s'écrièrent : « A moi ! à moi ! » Il commença par Rosa la Rosse, qui découvrit une chose
informe, toute ronde, sans cheville, un vrai « boudin
de jambe », comme disait Raphaële. Fernande fut
complimentée par le commis voyageur qu'enthousias-
mèrent ses puissantes colonnes. Les maigres tibias de
la belle Juive eurent moins de succès. Louise Cocote,
par plaisanterie, coiffa le monsieur de sa jupe ; et
Madame fut obligée d'intervenir pour arrêter cette

farce inconvenante. Enfin *Madame* elle-même tendit
sa jambe, une belle jambe normande, grasse et mus-
clée ; et le voyageur, surpris et ravi, ôta galamment
son chapeau pour saluer ce maître mollet en vrai
chevalier français.

Les deux paysans, figés dans l'ahurissement, regardaient de côté, d'un seul œil ; et ils ressemblaient si
absolument à des poulets que l'homme aux favoris
blonds, en se relevant, leur fit dans le nez « Co-co-ri-
co ». Ce qui déchaîna de nouveau un ouragan de
gaieté.

Les vieux descendirent à Motteville[1], avec leur
panier, leurs canards et leur parapluie ; et l'on entendit la femme dire à son homme en s'éloignant :
« C'est des traînées qui s'en vont encore à ce satané
Paris. »

Le plaisant commis porteballe descendit lui-même
à Rouen, après s'être montré si grossier que *Madame*
se vit obligée de le remettre vertement à sa place. Elle
ajouta, comme morale : « Ça nous apprendra à causer au premier venu. »

A Oissel[2], elles changèrent de train, et trouvèrent à
une gare suivante M. Joseph Rivet qui les attendait
avec une grande charrette pleine de chaises et attelée
d'un cheval blanc.

Le menuisier embrassa poliment toutes ces dames
et les aida à monter dans sa carriole. Trois s'assirent
sur trois chaises au fond ; Raphaële, Madame et son
frère, sur les trois chaises de devant : et Rosa, n'ayant
point de siège, se plaça tant bien que mal sur les
genoux de la grande Fernande ; puis l'équipage se mit
en route. Mais, aussitôt, le trot saccadé du bidet[3]
secoua si terriblement la voiture que les chaises
commencèrent à danser, jetant les voyageuses en

1. A cinquante kilomètres de Rouen, embranchement de la
ligne de Saint-Valery-en-Caux.
2. A quelques kilomètres au sud de Rouen, changement pour
Elbeuf.
3. Cheval de petite taille et de médiocre qualité.

l'air, à droite, à gauche, avec des mouvements de pantins, des grimaces effarées, des cris d'effroi, coupés soudain par une secousse plus forte. Elles se cramponnaient aux côtés du véhicule; les chapeaux tombaient dans le dos, sur le nez ou vers l'épaule; et le cheval blanc allait toujours, allongeant la tête, et la queue droite, une petite queue de rat sans poil dont il se battait les fesses de temps en temps. Joseph Rivet, un pied tendu sur le brancard, l'autre jambe repliée sous lui, les coudes très élevés, tenait les rênes, et de sa gorge s'échappait à tout instant une sorte de gloussement qui, faisant dresser les oreilles au bidet, accélérait son allure.

Des deux côtés de la route la campagne verte se déroulait. Les colzas en fleur mettaient de place en place une grande nappe jaune ondulante d'où s'élevait une saine et puissante odeur, une odeur pénétrante et douce, portée très loin par le vent. Dans les seigles déjà grands des bleuets montraient leurs petites têtes azurées que les femmes voulaient cueillir, mais M. Rivet refusa d'arrêter. Puis parfois, un champ tout entier semblait arrosé de sang tant les coquelicots l'avaient envahi. Et au milieu de ces plaines colorées ainsi par les fleurs de la terre, la carriole, qui paraissait porter elle-même un bouquet de fleurs aux teintes plus ardentes, passait au trot du cheval blanc, disparaissait derrière les grands arbres d'une ferme, pour reparaître au bout du feuillage et promener de nouveau à travers les récoltes jaunes et vertes, piquées de rouge ou de bleu, cette éclatante charretée de femmes qui fuyait sous le soleil.

Une heure sonnait quand on arriva devant la porte du menuisier.

Elles étaient brisées de fatigue et pâles de faim, n'ayant rien pris depuis le départ. Mme Rivet se précipita, les fit descendre l'une après l'autre, les embrassant aussitôt qu'elles touchaient terre; et elle ne se lassait point de bécoter sa belle-sœur, qu'elle désirait accaparer. On mangea dans l'atelier débarrassé des établis pour le dîner du lendemain.

Une bonne omelette que suivit une andouille gril-
lée, arrosée de bon cidre piquant, rendit la gaieté à
tout le monde. Rivet, pour trinquer, avait pris un
verre, et sa femme servait, faisait la cuisine, apportait
les plats, les enlevait, murmurant à l'oreille de chacune : « En avez-vous à votre désir ? » Des tas de
planches dressées contre les murs et des empilements
de copeaux balayés dans les coins répandaient un
parfum de bois varlopé[1], une odeur de menuiserie, ce
souffle résineux qui pénètre au fond des poumons.

On réclama la petite, mais elle était à l'église, ne
devant rentrer que le soir.

La compagnie alors sortit pour faire un tour dans le
pays.

C'était un tout petit village que traversait une
grande route. Une dizaine de maisons rangées le long
de cette voie unique abritaient les commerçants de
l'endroit, le boucher, l'épicier, le menuisier, le cafe-
tier, le savetier et le boulanger. L'église, au bout de
cette sorte de rue, était entourée d'un étroit cimetière ; et quatre tilleuls démesurés, plantés devant son
portail, l'ombrageaient tout entière. Elle était bâtie
en silex taillé, sans style aucun, et coiffée d'un clocher
d'ardoises. Après elle la campagne recommençait,
coupée çà et là de bouquets d'arbres cachant les
fermes.

Rivet, par cérémonie, et bien qu'en vêtements
d'ouvrier, avait pris le bras de sa sœur qu'il promenait
avec majesté. Sa femme, tout émue par la robe à filets
d'or de Raphaële, s'était placée entre elle et Fernande. La boulotte Rosa trottait derrière avec Louise
Cocote et Flora Balançoire, qui boitillait, exténuée.

Les habitants venaient aux portes, les enfants arrêtaient leurs jeux, un rideau soulevé laissait entrevoir
une tête coiffée d'un bonnet d'indienne[2], une vieille à
béquille et presque aveugle se signa comme devant

1. Travaillé à la *varlope*, grand rabot à bois muni d'une poignée.
2. Toile de coton imprimée originaire des Indes.

une procession; et chacun suivait longtemps du regard toutes les belles dames de la ville qui étaient venues de si loin pour la première communion de la petite à Joseph Rivet. Une immense considération rejaillissait sur le menuisier.

En passant devant l'église, elles entendirent des chants d'enfants : un cantique crié vers le ciel par des petites voix aiguës; mais *Madame* empêcha qu'on entrât, pour ne point troubler ces chérubins.

Après un tour dans la campagne, et l'énumération des principales propriétés, du rendement de la terre et de la production du bétail, Joseph Rivet ramena son troupeau de femmes et l'installa dans son logis.

La place étant fort restreinte, on les avait réparties deux par deux dans les pièces.

Rivet, pour cette fois, dormirait dans l'atelier, sur les copeaux; sa femme partagerait son lit avec sa belle-sœur, et, dans la chambre à côté, Fernande et Raphaële reposeraient ensemble. Louise et Flora se trouvaient installées dans la cuisine sur un matelas jeté par terre et Rosa occupait seule un petit cabinet noir au-dessus de l'escalier, contre l'entrée d'une soupente étroite où coucherait, cette nuit-là, la communiante.

Lorsque rentra la petite fille, ce fut sur elle une pluie de baisers; toutes les femmes la voulaient caresser, avec ce besoin d'expansion tendre, cette habitude professionnelle de chatteries, qui, dans le wagon, les avait fait toutes embrasser les canards. Chacune l'assit sur ses genoux, mania ses fins cheveux blonds, la serra dans ses bras en des élans d'affection véhémente et spontanée. L'enfant bien sage, toute pénétrée de piété, comme fermée par l'absolution, se laissait faire, patiente et recueillie.

La journée ayant été pénible pour tout le monde, on se coucha bien vite après dîner. Ce silence illimité des champs qui semble presque religieux enveloppait le petit village, un silence tranquille, pénétrant, et large jusqu'aux astres. Les filles, accoutumées aux soirées tumultueuses du logis public, se sentaient émues par ce muet repos de la campagne endormie. Elles avaient des frissons sur la peau, non de froid, mais des frissons de solitude venus du cœur inquiet et troublé.

Sitôt qu'elles furent en leur lit, deux par deux, elles s'étreignirent comme pour se défendre contre cet envahissement du calme et profond sommeil de la terre. Mais Rosa la Rosse, seule en son cabinet noir, et peu habituée à dormir les bras vides, se sentit saisie par une émotion vague et pénible. Elle se retournait sur sa couche, ne pouvant obtenir le sommeil, quand elle entendit, derrière la cloison de bois contre sa tête, de faibles sanglots comme ceux d'un enfant qui pleure. Effrayée, elle appela faiblement, et une petite voix entrecoupée lui répondit. C'était la fillette qui, couchant toujours dans la chambre de sa mère, avait peur en sa soupente étroite.

Rosa, ravie, se leva, et doucement, pour ne réveiller personne, alla chercher l'enfant. Elle l'amena dans son lit bien chaud, la pressa contre sa poitrine en l'embrassant, la dorlota, l'enveloppa de sa tendresse aux manifestations exagérées, puis, calmée elle-même, s'endormit. Et jusqu'au jour la communiante reposa son front sur le sein nu de la prostituée.

Dès cinq heures, à l'*Angélus*[1], la petite cloche de l'église sonnant à toute volée réveilla ces dames qui dormaient ordinairement leur matinée entière, seul repos des fatigues nocturnes. Les paysans dans le village étaient déjà debout. Les femmes du pays allaient affairées de porte en porte, causant vivement, apportant avec précaution de courtes robes de mousseline empesées comme du carton, ou des cierges démesurés, avec un nœud de soie frangée d'or au milieu, et des découpures de cire indiquant la place de la main. Le soleil déjà haut rayonnait dans un ciel tout

1. Latin : *l'ange*. Premier mot d'une prière à la Vierge qui se dit le matin, à midi et le soir. Désigne aussi le tintement de cloche annonçant l'heure de cette prière.

bleu qui gardait vers l'horizon une teinte un peu
rosée, comme une trace affaiblie de l'aurore. Des
familles de poules se promenaient devant leurs maisons, et, de place en place, un coq noir au cou luisant
levait sa tête coiffée de pourpre, battait des ailes, et
jetait au vent son chant de cuivre que répétaient les
autres coqs.

Des carrioles arrivaient des communes voisines,
déchargeant au seuil des portes les hautes Normandes
en robes sombres, au fichu croisé sur la poitrine et
retenu par un bijou d'argent séculaire. Les hommes
avaient passé la blouse bleue sur la redingote neuve
ou sur le vieil habit de drap vert dont les deux basques
passaient.

Quand les chevaux furent à l'écurie, il y eut ainsi
tout le long de la grande route une double ligne de
guimbardes[1] rustiques, charrettes, cabriolets, tilbu-
rys, chars à bancs, voitures de toute forme et de tout
âge, penchées sur le nez ou bien cul par terre et les
brancards au ciel.

La maison du menuisier était pleine d'une activité
de ruche. Ces dames, en caraco[2] et en jupon, les
cheveux répandus sur le dos, des cheveux maigres et
courts qu'on aurait dits ternis et rongés par l'usage,
s'occupaient à habiller l'enfant.

La petite, debout sur une table, ne remuait pas,
tandis que Mme Tellier dirigeait les mouvements de
son bataillon volant. On la débarbouilla, on la pei-
gna, on la coiffa, on la vêtit, et, à l'aide d'une
multitude d'épingles, on disposa les plis de la robe, on
pinça la taille trop large, on organisa l'élégance de la
toilette. Puis quand ce fut terminé, on fit asseoir la
patiente en lui recommandant de ne plus bouger ; et la
troupe agitée des femmes courut se parer à son tour.

La petite église recommençait à sonner. Son tintement frêle de cloche pauvre montait se perdre à

1. Grosse voiture à quatre roues. *Cabriolet* : véhicule léger à
deux roues, comme le *tilbury* qui, lui, était découvert.
2. Corsage de femme, sorte de blouse assez ample.

travers le ciel, comme une voix trop faible, vite noyée dans l'immensité bleue.

Les communiants sortaient des portes, allaient vers le bâtiment communal qui contenait les deux écoles et la mairie, et situé tout au bout du pays, tandis que la « maison de Dieu » occupait l'autre bout.

Les parents, en tenue de fête avec une physionomie gauche et ces mouvements inhabiles des corps toujours courbés sur le travail, suivaient leurs mioches. Les petites filles disparaissaient dans un nuage de tulle neigeux semblable à de la crème fouettée, tandis que les petits hommes, pareils à des embryons de garçons de café, la tête encollée de pommade, marchaient les jambes écartées, pour ne point tacher leur culotte noire.

C'était une gloire pour une famille quand un grand nombre de parents, venus de loin, entouraient l'enfant : aussi le triomphe du menuisier fut-il complet. Le régiment Tellier, patronne en tête, suivait Constance ; et le père donnant le bras à sa sœur, la mère marchant à côté de Raphaële, Fernande avec Rosa, et les deux Pompes ensemble, la troupe se déployait majestueusement comme un état-major en grand uniforme.

L'effet dans le village fut foudroyant.

A l'école, les filles se rangèrent sous la cornette de la bonne sœur, les garçons sous le chapeau de l'instituteur[1], un bel homme qui représentait ; et l'on partit en attaquant un cantique.

Les enfants mâles en tête allongeaient leurs deux files entre les deux rangées de voitures dételées, les filles suivaient dans le même ordre ; et tous les habitants ayant cédé le pas aux dames de la ville par considération, elles arrivaient immédiatement après les petites, prolongeant encore la double ligne de la

---

1. A cette date, les lois de Jules Ferry, si elles avaient instauré l'instruction primaire obligatoire, n'imposaient pas encore la laïcité. L'instituteur était chargé d'accompagner les élèves aux cérémonies religieuses.

procession, trois à gauche et trois à droite, avec leurs toilettes éclatantes comme un bouquet de feu d'artifice.

Leur entrée dans l'église affola la population. On se pressait, on se retournait, on se poussait pour les voir. Et les dévotes parlaient presque haut, stupéfaites par le spectacle de ces dames plus chamarrées que les chasubles des chantres. Le maire offrit son banc, le premier banc à droite auprès du chœur, et Mme Tellier y prit place avec sa belle-sœur, Fernande et Raphaële. Rosa la Rosse et les deux Pompes occupèrent le second banc en compagnie du menuisier.

Le chœur de l'église était plein d'enfants à genoux, filles d'un côté, garçons de l'autre, et les longs cierges qu'ils tenaient en main semblaient des lances inclinées en tous sens.

Devant le lutrin, trois hommes debout chantaient d'une voix pleine. Ils prolongeaient indéfiniment les syllabes du latin sonore, éternisant les *Amen* avec des *a-a* indéfinis que le serpent[1] soutenait de sa note monotone poussée sans fin, mugie par l'instrument de cuivre à large gueule. La voix pointue d'un enfant donnait la réplique, et, de temps en temps, un prêtre assis dans une stalle et coiffé d'une barrette[2] carrée se levait, bredouillant quelque chose et s'asseyait de nouveau, tandis que les trois chantres repartaient, l'œil fixé sur le gros livre de plain-chant[3] ouvert devant eux et porté par les ailes déployées d'un aigle de bois monté sur pivot.

Puis un silence se fit. Toute l'assistance, d'un seul mouvement, se mit à genoux, et l'officiant parut, vieux, vénérable, avec des cheveux blancs, incliné sur

1. Instrument à vent, de forme contournée, qui tenait lieu d'orgue dans les petites églises de campagne (*cf.* les obsèques d'Emma, Flaubert : *Madame Bovary*, III, 10.)

2. Toque carrée à trois ou quatre cornes portée par les ecclésiastiques.

3. Chant à une seule voix sans accompagnement instrumental en usage dans la liturgie catholique.

le calice qu'il portait de sa main gauche. Devant lui marchaient les deux servants en robe rouge, et, derrière, apparut une foule de chantres à gros souliers qui s'alignèrent des deux côtés du chœur.

Une petite clochette tinta au milieu du grand silence. L'office divin commençait. Le prêtre circulait lentement devant le tabernacle d'or, faisait des génuflexions, psalmodiait de sa voix cassée, chevrotante de vieillesse, les prières préparatoires. Aussitôt qu'il s'était tu, tous les chantres et le serpent éclataient d'un seul coup, et des hommes aussi chantaient dans l'église, d'une voix moins forte, plus humble, comme doivent chanter les assistants.

Soudain le *Kyrie eleison*[1] jaillit vers le ciel, poussé par toutes les poitrines et tous les cœurs. Des grains de poussière et des fragments de bois vermoulu tombèrent même de la voûte ancienne secouée par cette explosion de cris. Le soleil qui frappait sur les ardoises du toit faisait une fournaise de la petite église ; et une grande émotion, une attente anxieuse, les approches de l'ineffable mystère, étreignaient le cœur des enfants, serraient la gorge de leurs mères.

Le prêtre, qui s'était assis quelque temps, remonta vers l'autel, et, tête nue, couvert de ses cheveux d'argent, avec des gestes tremblants, il approchait de l'acte surnaturel.

Il se tourna vers les fidèles, et, les mains tendues vers eux, prononça : « *Orate, fratres*, priez, mes frères. » Ils priaient tous. Le vieux curé balbutiait maintenant tout bas les paroles mystérieuses et suprêmes ; la clochette tintait coup sur coup, la foule prosternée appelait Dieu ; les enfants défaillaient d'une anxiété démesurée.

C'est alors que Rosa, le front dans ses mains, se rappela tout à coup sa mère, l'église de son village, sa première communion. Elle se crut revenue à ce jour-là, quand elle était si petite, toute noyée en sa

1. Grec : *Seigneur prends pitié…* Premiers mots des litanies chantées au cours de la messe.

robe blanche, et elle se mit à pleurer. Elle pleura
doucement d'abord : les larmes lentes sortaient de ses
paupières, puis, avec ses souvenirs, son émotion
grandit, et, le cou gonflé, la poitrine battante, elle
sanglota. Elle avait tiré son mouchoir, s'essuyait les
yeux, se tamponnait le nez et la bouche pour ne point
crier : ce fut en vain ; une espèce de râle sortit de sa
gorge, et deux autres soupirs profonds, déchirants, lui
répondirent ; car ses deux voisines, abattues près
d'elle, Louise et Flora, étreintes des mêmes souve-
nances lointaines, gémissaient aussi avec des torrents
de larmes.

Mais comme les larmes sont contagieuses,
Madame, à son tour, sentit bientôt ses paupières
humides, et, se tournant vers sa belle-sœur, elle vit
que tout son banc pleurait aussi.

Le prêtre engendrait le corps de Dieu. Les enfants
n'avaient plus de pensée, jetés sur les dalles par une
espèce de peur dévote ; et, dans l'église, de place en
place, une femme, une mère, une sœur, saisie par
l'étrange sympathie des émotions poignantes, boule-
versée aussi par ces belles dames à genoux que
secouaient des frissons et des hoquets, trempait son
mouchoir d'indienne à carreaux et, de la main
gauche, pressait violemment son cœur bondissant.

Comme la flammèche qui jette le feu à travers un
champ mûr, les larmes de Rosa et de ses compagnes
gagnèrent en un instant toute la foule. Hommes,
femmes, vieillards, jeunes gars en blouse neuve, tous
bientôt sanglotèrent, et sur leur tête semblait planer
quelque chose de surhumain, une âme épandue, le
souffle prodigieux d'un être invisible et tout-puissant.

Alors, dans le chœur de l'église, un petit coup sec
retentit : la bonne sœur, en frappant sur son livre,
donnait le signal de la communion ; et les enfants,
grelottant d'une fièvre divine, s'approchèrent de la
table sainte.

Toute une file s'agenouillait. Le vieux curé, tenant
en main le ciboire d'argent doré, passait devant eux,

leur offrant, entre deux doigts, l'hostie sacrée, le corps du Christ, la rédemption du monde. Ils ouvraient la bouche avec des spasmes, des grimaces nerveuses, les yeux fermés, la face toute pâle ; et la longue nappe étendue sous leurs mentons frémissait comme de l'eau qui coule.

Soudain dans l'église une sorte de folie courut, une rumeur de foule en délire, une tempête de sanglots avec des cris étouffés. Cela passa comme ces coups de vent qui courbent les forêts ; et le prêtre restait debout, immobile, une hostie à la main, paralysé par l'émotion, se disant : « C'est Dieu, c'est Dieu qui est parmi nous, qui manifeste sa présence, qui descend à ma voix sur son peuple agenouillé. » Et il balbutiait des prières affolées, sans trouver les mots, des prières de l'âme, dans un élan furieux vers le ciel.

Il acheva de donner la communion avec une telle surexcitation de foi que ses jambes défaillaient sous lui, et quand lui-même eut bu le sang de son Seigneur, il s'abîma dans un acte de remerciement éperdu.

Derrière lui le peuple peu à peu se calmait. Les chantres, relevés dans la dignité du surplis blanc, repartaient d'une voix moins sûre, encore mouillée ; et le serpent aussi semblait enroué comme si l'instrument lui-même eût pleuré.

Alors, le prêtre, levant les mains, leur fit signe de se taire, et passant entre les deux haies de communiants perdus en des extases de bonheur, il s'approcha jusqu'à la grille du chœur.

L'assemblée s'était assise au milieu d'un bruit de chaises, et tout le monde à présent se mouchait avec force. Dès qu'on aperçut le curé, on fit silence, et il commença à parler d'un ton très bas, hésitant, voilé. « Mes chers frères, mes chères sœurs, je vous remercie du fond du cœur ; vous venez de me donner la plus grande joie de ma vie. J'ai senti Dieu qui descendait sur nous à mon appel. Il est venu, il était là, présent, qui emplissait vos âmes, faisait déborder vos yeux. Je suis le plus vieux prêtre du diocèse, j'en suis aussi,

aujourd'hui, le plus heureux. Un miracle s'est fait
parmi nous, un vrai, un grand, un sublime miracle.
Pendant que Jésus-Christ pénétrait pour la première
fois dans le corps de ces petits, le Saint-Esprit,
l'oiseau céleste, le souffle de Dieu, s'est abattu sur
vous, s'est emparé de vous, vous a saisis, courbés
comme des roseaux sous la brise. »

Puis, d'une voix plus claire, se tournant vers les
deux bancs où se trouvaient les invitées du menuisier : « Merci surtout à vous, mes chères sœurs, qui
êtes venues de si loin, et dont la présence parmi nous,
dont la foi visible, dont la piété si vive ont été pour
tous un salutaire exemple. Vous êtes l'édification de
ma paroisse ; votre émotion a échauffé les cœurs ; sans
vous, peut-être, ce grand jour n'aurait pas eu ce
caractère vraiment divin. Il suffit parfois d'une seule
brebis d'élite pour décider le Seigneur à descendre
sur le troupeau. »

La voix lui manquait. Il ajouta : « C'est la grâce
que je vous souhaite. Ainsi soit-il. » Et il remonta
vers l'autel pour terminer l'office.

Maintenant on avait hâte de partir. Les enfants
eux-mêmes s'agitaient, las d'une si longue tension
d'esprit. Ils avaient faim, d'ailleurs, et les parents peu
à peu s'en allaient, sans attendre le dernier évangile,
pour terminer les apprêts du repas.

Ce fut une cohue à la sortie, une cohue bruyante,
un charivari de voix criardes où chantait l'accent
normand. La population formait deux haies, et
lorsque parurent les enfants, chaque famille se précipita sur le sien.

Constance se trouva saisie, entourée, embrassée
par toute la maisonnée de femmes. Rosa surtout ne se
lassait pas de l'étreindre. Enfin elle lui prit une main,
Mme Tellier s'empara de l'autre ; Raphaële et Fernande relevèrent sa longue jupe de mousseline pour
qu'elle ne traînât point dans la poussière ; Louise et
Flora fermaient la marche avec Mme Rivet ; et
l'enfant, recueillie, toute pénétrée par le Dieu qu'elle

portait en elle, se mit en route au milieu de cette
escorte d'honneur.

Le festin était servi dans l'atelier sur de longues
planches portées par des traverses.

La porte ouverte, donnant sur la rue, laissait entrer
toute la joie du village. On se régalait partout. Par
chaque fenêtre on apercevait des tablées de monde
endimanché, et des cris sortaient des maisons en
goguette. Les paysans, en bras de chemise, buvaient
du cidre pur à plein verre, et au milieu de chaque
compagnie on apercevait deux enfants, ici deux filles,
là deux garçons, dînant dans l'une des deux familles.

Quelquefois, sous la lourde chaleur de midi, un
char à bancs traversait le pays au trot sautillant d'un
vieux bidet, et l'homme en blouse qui conduisait
jetait un regard d'envie sur toute cette ripaille étalée.

Dans la demeure du menuisier, la gaieté gardait un
certain air de réserve, un reste de l'émotion du matin.
Rivet seul était en train et buvait outre mesure.
Mme Tellier regardait l'heure à tout moment, car
pour ne point chômer deux jours de suite on devait
reprendre le train de 3 h 55 qui les mettrait à Fécamp
vers le soir.

Le menuisier faisait tous ses efforts pour détourner
l'attention et garder son monde jusqu'au lendemain ;
mais *Madame* ne se laissait point distraire ; et elle ne
plaisantait jamais quand il s'agissait des affaires.

Aussitôt que le café fut pris, elle ordonna à ses
pensionnaires de se préparer bien vite ; puis, se tournant vers son frère : « Toi, tu vas atteler tout de
suite » ; et elle-même alla terminer ses derniers pré-
paratifs.

Quand elle redescendit, sa belle-sœur l'attendait
pour lui parler de la petite ; et une longue conversation eut lieu où rien ne fut résolu. La paysanne
finassait, faussement attendrie, et Mme Tellier, qui
tenait l'enfant sur ses genoux, ne s'engageait à rien,
promettait vaguement : on s'occuperait d'elle, on
avait du temps, on se reverrait d'ailleurs.

Cependant la voiture n'arrivait point, et les femmes ne descendaient pas. On entendait même en haut de grands rires, des bousculades, des poussées de cris, des battements de mains. Alors, tandis que l'épouse du menuisier se rendait à l'écurie pour voir si l'équipage était prêt, *Madame*, à la fin, monta.

Rivet, très pochard et à moitié dévêtu, essayait, mais en vain, de violenter Rosa qui défaillait de rire. Les deux Pompes le retenaient par les bras, et tentaient de le calmer, choquées de cette scène après la cérémonie du matin ; mais Raphaële et Fernande l'excitaient, tordues de gaieté, se tenant les côtes ; et elles jetaient des cris aigus à chacun des efforts inutiles de l'ivrogne. L'homme furieux, la face rouge, tout débraillé, secouant en des efforts violents les deux femmes cramponnées à lui, tirait de toutes ses forces sur la jupe de Rosa en bredouillant : « Salope, tu ne veux pas ? » Mais *Madame*, indignée, s'élança, saisit son frère par les épaules, et le jeta dehors si violemment qu'il alla frapper contre le mur.

Une minute plus tard, on l'entendait dans la cour qui se pompait de l'eau sur la tête ; et quand il reparut dans sa carriole, il était déjà tout apaisé.

On se remit en route comme la veille, et le petit cheval blanc repartit de son allure vive et dansante.

Sous le soleil ardent, la joie assoupie pendant le repas se dégageait. Les filles s'amusaient maintenant des cahots de la guimbarde, poussaient même les chaises des voisines, éclataient de rire à tout instant, mises en train d'ailleurs par les vaines tentatives de Rivet.

Une lumière folle emplissait les champs, une lumière miroitant aux yeux ; et les roues soulevaient deux sillons de poussière qui voltigeaient longtemps derrière la voiture sur la grand-route.

Tout à coup Fernande, qui aimait la musique, supplia Rosa de chanter ; et celle-ci entama gaillardement le *Gros Curé de Meudon*[1]. Mais *Madame* tout

1. Chanson du répertoire de corps de garde.

de suite la fit taire, trouvant cette chanson peu convenable en ce jour. Elle ajouta : « Chante-nous plutôt
quelque chose de Béranger[1]. » Alors Rosa, après
avoir hésité quelques secondes, fixa son choix, et de
sa voix usée commença la *Grand-Mère* :

> *Ma grand-mère, un soir à sa fête,*
> *De vin pur ayant bu deux doigts,*
> *Nous disait, en branlant la tête :*
> *Que d'amoureux j'eus autrefois !*
> *Combien je regrette*
> *Mon bras si dodu,*
> *Ma jambe bien faite,*
> *Et le temps perdu !*

Et le chœur des filles, que *Madame* elle-même
conduisait, reprit :

> *Combien je regrette*
> *Mon bras si dodu,*
> *Ma jambe bien faite,*
> *Et le temps perdu !*

« Ça, c'est tapé ! » déclara Rivet, allumé par la
cadence ; et Rosa aussitôt continua :

> *« Quoi, maman, vous n'étiez pas sage ?*
> *— Non, vraiment ! et de mes appas,*
> *Seule, à quinze ans, j'appris l'usage.*
> *Car, la nuit, je ne dormais pas. »*

Tous ensemble hurlèrent le refrain ; et Rivet tapait
du pied sur son brancard, battait la mesure avec les
rênes sur le dos du bidet blanc qui, comme s'il eût été
lui-même enlevé par l'entrain du rythme, prit le
galop, un galop de tempête, précipitant ces dames en
tas les unes sur les autres dans le fond de la voiture.

---

1. Poète (1780-1857), auteur de chansons libérales et patriotiques. Flaubert disait de lui : « Tout ce qu'il y a de médiocre se
tourne vers Béranger, qui avait un style de bottier. »

Elles se relevèrent en riant comme des folles. Et la chanson continua, braillée à tue-tête à travers la campagne, sous le ciel brûlant, au milieu des récoltes mûrissantes, au train enragé du petit cheval qui s'emballait maintenant à tous les retours du refrain, et piquait chaque fois ses cent mètres de galop, à la grande joie des voyageurs.

De place en place, quelque casseur de cailloux se redressait, et regardait à travers son loup de fil de fer cette carriole enragée et hurlante emportée dans la poussière.

Quand on descendit devant la gare, le menuisier s'attendrit : « C'est dommage que vous partiez, on aurait bien rigolé. »

Madame lui répondit sensément : « Toute chose a son temps, on ne peut pas s'amuser toujours. » Alors une idée illumina l'esprit de Rivet : « Tiens, dit-il, j'irai vous voir à Fécamp le mois prochain. » Et il regarda Rosa d'un air rusé, avec un œil brillant et polisson. « Allons, conclut *Madame*, il faut être sage ; tu viendras si tu veux, mais tu ne feras point de bêtises. »

Il ne répondit pas, et comme on entendait siffler le train, il se mit immédiatement à embrasser tout le monde. Quand ce fut au tour de Rosa, il s'acharna à trouver sa bouche que celle-ci, riant derrière ses lèvres fermées, lui dérobait chaque fois par un rapide mouvement de côté. Il la tenait en ses bras ; mais il n'en pouvait venir à bout, gêné par son grand fouet qu'il avait gardé à sa main et que, dans ses efforts, il agitait désespérément derrière le dos de la fille.

« Les voyageurs pour Rouen, en voiture », cria l'employé. Elles montèrent.

Un mince coup de sifflet partit, répété tout de suite par le sifflement puissant de la machine qui cracha bruyamment son premier jet de vapeur pendant que les roues commençaient à tourner un peu avec un effort visible.

Rivet, quittant l'intérieur de la gare, courut à la

barrière pour voir encore une fois Rosa ; et comme le
wagon plein de cette marchandise humaine passait
devant lui, il se mit à faire claquer son fouet en
sautant et chantant de toutes ses forces :

> *Combien je regrette*
> *Mon bras si dodu,*
> *Ma jambe bien faite,*
> *Et le temps perdu !*

Puis il regarda s'éloigner un mouchoir blanc qu'on
agitait.

III

Elles dormirent jusqu'à l'arrivée, du sommeil pai-
sible des consciences satisfaites ; et quand elles rentrèrent au logis, rafraîchies, reposées pour la besogne
de chaque soir, *Madame* ne put s'empêcher de dire :
« C'est égal, il m'ennuyait déjà de la maison. »

On soupa vite, puis, quand on eut repris le costume
de combat, on attendit les clients habituels ; et la
petite lanterne allumée, la petite lanterne de madone,
indiquait aux passants que dans la bergerie le troupeau était revenu.

En un clin d'œil la nouvelle se répandit, on ne sait
comment, on ne sait par qui. M. Philippe, le fils du
banquier, poussa même la complaisance jusqu'à prévenir par un exprès M. Tournevau emprisonné dans
sa famille.

Le saleur avait justement chaque dimanche plusieurs cousins à dîner, et l'on prenait le café quand un
homme se présenta avec une lettre à la main.
M. Tournevau, très ému, rompit l'enveloppe et
devint pâle : il n'y avait que ces mots tracés au

crayon : « *Chargement de morues retrouvé; navire entré au port; bonne affaire pour vous. Venez vite.* »

Il fouilla dans ses poches, donna vingt centimes au porteur, et rougissant soudain jusqu'aux oreilles : « Il faut, dit-il, que je sorte. » Et il tendit à sa femme le billet laconique et mystérieux. Il sonna, puis, lorsque parut la bonne : « Mon pardessus, vite, vite, et mon chapeau. » A peine dans la rue, il se mit à courir en sifflant un air, et le chemin lui parut deux fois plus long tant son impatience était vive.

L'établissement Tellier avait un air de fête. Au rez-de-chaussée les voix tapageuses des hommes du port faisaient un assourdissant vacarme. Louise et Flora ne savaient à qui répondre, buvaient avec l'un, buvaient avec l'autre, méritaient mieux que jamais leur sobriquet des « deux Pompes ». On les appelait partout à la fois : elles ne pouvaient déjà suffire à la besogne, et la nuit pour elles s'annonçait laborieuse.

Le cénacle[1] du premier fut au complet dès neuf heures. M. Vasse, le juge au tribunal de commerce, le soupirant attitré mais platonique de *Madame*, causait tout bas avec elle dans un coin; et ils souriaient tous les deux comme si une entente était près de se faire. M. Poulin, l'ancien maire, tenait Rosa à cheval sur ses jambes; et elle, nez à nez avec lui, promenait ses mains courtes dans les favoris blancs du bonhomme. Un bout de cuisse nue passait sous la jupe de soie jaune relevée, coupant le drap noir du pantalon, et les bas rouges étaient serrés par une jarretière bleue, cadeau du commis voyageur.

La grande Fernande, étendue sur le sopha, avait les deux pieds sur le ventre de M. Pimpesse, le percepteur, et le torse sur le gilet du jeune M. Philippe dont elle accrochait le cou de sa main droite, tandis que de la gauche, elle tenait une cigarette.

Raphaële semblait en pourparlers avec M. Dupuis,

---

1. A l'origine : la salle où le Christ réunit ses disciples lors de l'institution de l'Eucharistie. Cercle composé d'un nombre restreint de poètes, d'artistes ou de penseurs.

l'agent d'assurances, et elle termina l'entretien par ces mots : « Oui, mon chéri, ce soir, je veux bien. » Puis, faisant seule un tour de valse rapide à travers le salon : « Ce soir, tout ce qu'on voudra », cria-t-elle.

La porte s'ouvrit brusquement et M. Tournevau parut. Des cris d'enthousiasme éclatèrent : « Vive Tournevau! » Et Raphaële, qui pivotait toujours, alla tomber sur son cœur. Il la saisit d'un enlacement formidable, et sans dire un mot, l'enlevant de terre, comme une plume, il traversa le salon, gagna la porte du fond, et disparut dans l'escalier des chambres avec son fardeau vivant, au milieu des applaudissements.

Rosa, qui allumait l'ancien maire, l'embrassant coup sur coup et tirant sur ses deux favoris en même temps pour maintenir droite sa tête, profita de l'exemple : « Allons, fais comme lui », dit-elle. Alors le bonhomme se leva, et rajustant son gilet, suivit la fille en fouillant dans la poche où dormait son argent.

Fernande et *Madame* restèrent seules avec les quatre hommes, et M. Philippe s'écria : « Je paie du champagne : Madame Tellier, envoyez chercher trois bouteilles. »

Alors Fernande l'étreignant lui demanda dans l'oreille : « Fais-nous danser, dis, tu veux? » Il se leva, et, s'asseyant devant l'épinette[1] séculaire, endormie en un coin, fit sortir une valse, une valse enrouée, larmoyante, du ventre geignant de la machine. La grande fille enlaça le percepteur, *Madame* s'abandonna aux bras de M. Vasse; et les deux couples tournèrent en échangeant des baisers. M. Vasse, qui avait jadis dansé dans le monde, faisait des grâces, et *Madame* le regardait d'un œil captivé, de cet œil qui répond « oui », un « oui » plus discret et plus délicieux qu'une parole !

Frédéric apporta le champagne. Le premier bouchon partit, et M. Philippe exécuta l'invitation d'un quadrille.

1. Petit clavecin au son aigrelet qui n'était déjà plus en usage depuis près d'un siècle.

Les quatre danseurs le marchèrent à la façon mondaine, convenablement, dignement, avec des
manières, des inclinations et des saluts.

Après quoi l'on se mit à boire. Alors M. Tournevau reparut, satisfait, soulagé, radieux. Il s'écria :
« Je ne sais pas ce qu'a Raphaële, mais elle est
parfaite ce soir. » Puis, comme on lui tendait un
verre, il le vida d'un trait en murmurant : « Bigre,
rien que ça de luxe ! »

Sur-le-champ, M. Philippe entama une polka vive,
et M. Tournevau s'élança avec la belle Juive qu'il
tenait en l'air, sans laisser ses pieds toucher terre.
M. Pimpesse et M. Vasse étaient repartis d'un nouvel
élan. De temps en temps un des couples s'arrêtait
près de la cheminée pour lamper une flûte de vin
mousseux ; et cette danse menaçait de s'éterniser,
quand Rosa entrouvrit la porte avec un bougeoir à la
main. Elle était en cheveux, en savates, en chemise,
toute animée, toute rouge : « Je veux danser », cria-
t-elle. Raphaële demanda : « Et ton vieux ? » Rosa
s'esclaffa : « Lui ? il dort déjà, il dort tout de suite. »
Elle saisit M. Dupuis resté sans emploi sur le divan,
et la polka recommença.

Mais les bouteilles étaient vides : « J'en paie une »,
déclara M. Tournevau. « Moi aussi », annonça
M. Vasse. « Moi de même », conclut M. Dupuis.
Alors tout le monde applaudit.

Cela s'organisait, devenait un vrai bal. De temps en
temps même, Louise et Flora montaient bien vite,
faisaient rapidement un tour de valse, pendant que
leurs clients, en bas, s'impatientaient ; puis elles
retournaient en courant à leur café, avec le cœur
gonflé de regrets.

A minuit on dansait encore. Parfois une des filles
disparaissait, et quand on la cherchait pour faire un
vis-à-vis, on s'apercevait tout à coup qu'un des
hommes aussi manquait.

« D'où venez-vous donc ? » demanda plaisamment
M. Philippe, juste au moment où M. Pimpesse ren-

trait avec Fernande. « De voir dormir M. Poulin »,
répondit le percepteur. Le mot eut un succès énorme ;
et tous, à tour de rôle, montaient voir dormir M. Poulin avec l'une ou l'autre des demoiselles, qui se
montrèrent cette nuit-là d'une complaisance inconce-
vable. *Madame* fermait les yeux : et elle avait dans les
coins de longs apartés avec M. Vasse comme pour
régler les derniers détails d'une affaire entendue déjà.

Enfin, à une heure, les deux hommes mariés,
M. Tourneveau et M. Pimpesse, déclarèrent qu'ils se
retiraient, et voulurent régler leur compte. On ne
compta que le champagne, et, encore, à six francs la
bouteille au lieu de dix francs, prix ordinaire. Et
comme ils s'étonnaient de cette générosité, *Madame*,
radieuse, leur répondit :

« Ça n'est pas tous les jours fête. »

LA FEMME DE PAUL

Le restaurant Grillon[1], ce phalanstère[2] des canotiers, se vidait lentement. C'était, devant la porte, un
tumulte de cris, d'appels ; et les grands gaillards en
maillot blanc gesticulaient avec des avirons sur
l'épaule.

Les femmes, en claire toilette de printemps,
embarquaient avec précaution dans les yoles[3], et,
s'asseyant à la barre, disposaient leurs robes, tandis
que le maître de l'établissement[4], un fort garçon à
barbe rousse, d'une vigueur célèbre, donnait la main
aux belles petites en maintenant d'aplomb les frêles
embarcations.

Les rameurs prenaient place à leur tour, bras nus et
la poitrine bombée, posant pour la galerie, une galerie composée de bourgeois endimanchés, d'ouvriers
et de soldats accoudés sur la balustrade du pont et très
attentifs à ce spectacle.

Les bateaux, un à un, se détachaient du ponton.
Les tireurs se penchaient en avant, puis se renversaient d'un mouvement régulier ; et, sous l'impulsion

1. Il s'agit du restaurant *Fournaise*, situé près du pont de
Chatou.
2. Terme emprunté au socialiste utopique Charles Fourier.
Groupe vivant en communauté. Lieu où vit ce groupe.
3. Embarcation longue, légère et rapide, portant de deux à six
rameurs.
4. Il s'agit d'Alphonse Fournaise, dit Hercule (*cf.* l'Hercule
Farnèse !) à cause de sa puissante stature.

des longues rames recourbées, les yoles rapides glis-
saient sur la rivière, s'éloignaient, diminuaient, disparaissaient enfin sous l'autre pont, celui du chemin de
fer, en descendant vers la *Grenouillère*[1].

Un couple seul était resté. Le jeune homme,
presque imberbe encore, mince, le visage pâle, tenait
par la taille sa maîtresse, une petite brune maigre
avec des allures de sauterelle ; et ils se regardaient
parfois au fond des yeux.

Le patron cria : « Allons, monsieur Paul, dépêchez-vous. » Et ils s'approchèrent.

De tous les clients de la maison, M. Paul était le
plus aimé et le plus respecté. Il payait bien et régu-
lièrement, tandis que les autres se faisaient longtemps
tirer l'oreille à moins qu'ils ne disparussent, insol-
vables. Puis il constituait pour l'établissement une
sorte de réclame vivante, car son père était sénateur.
Et quand un étranger demandait : « Qui est-ce donc
ce petit-là, qui en tient si fort pour sa donzelle ? »
quelque habitué répondait à mi-voix, d'un air important et mystérieux : « C'est Paul Baron, vous savez ?
le fils du sénateur. » Et l'autre, invariablement,
ne pouvait s'empêcher de dire : « Le pauvre diable ! il
n'est pas à moitié pincé. »

La mère Grillon, une brave femme, entendue au
commerce, appelait le jeune homme et sa compagne :
« ses deux tourtereaux », et semblait tout attendrie
par cet amour avantageux pour sa maison.

Le couple s'en venait à petits pas ; la yole *Madeleine*
était prête ; mais, au moment de monter dedans, ils
s'embrassèrent, ce qui fit rire le public amassé sur le
pont. Et M. Paul, prenant ses rames, partit aussi pour
la Grenouillère.

Quand ils arrivèrent, il allait être trois heures, et le
grand café flottant regorgeait de monde.

1. Établissement de bains situé entre l'île de Chatou et la rive
droite de la Seine. Fréquenté par un public populaire mais aussi par
les artistes (*cf.* Renoir, Monet) et la bonne société désireuse de
s'encanailler.

L'immense radeau, couvert d'un toit goudronné que supportent des colonnes de bois, est relié à l'île charmante de Croissy par deux passerelles dont l'une pénètre au milieu de cet établissement aquatique, tandis que l'autre en fait communiquer l'extrémité avec un îlot minuscule planté d'un arbre et surnommé le « Pot-à-Fleurs », et, de là, gagne la terre auprès du bureau des bains.

M. Paul attacha son embarcation le long de l'établissement, il escalada la balustrade du café, puis, prenant les mains de sa maîtresse, il l'enleva et tous deux s'assirent au bout d'une table, face à face.

De l'autre côté du fleuve, sur le chemin de halage, une longue file d'équipages s'alignait. Les fiacres alternaient avec des fines voitures de gommeux[1] : les uns lourds, au ventre énorme écrasant les ressorts, attelés d'une rosse au cou tombant, aux genoux cassés ; les autres sveltes, élancées sur des roues minces, avec des chevaux aux jambes grêles et tendues, au cou dressé, aux mors neigeux d'écume, tandis que le cocher, gourmé dans sa livrée, la tête raide en son grand col, demeurait les reins inflexibles et le fouet sur un genou.

La berge était couverte de gens qui s'en venaient par familles, ou par bandes, ou deux par deux, ou solitaires. Ils arrachaient des brins d'herbe, descendaient jusqu'à l'eau, remontaient sur le chemin, et tous arrivés au même endroit, s'arrêtaient, attendant le passeur. Le lourd bachot allait sans fin d'une rive à l'autre, déchargeant dans l'île ses voyageurs.

Le bras de la rivière (qu'on appelle le bras mort), sur lequel donne ce ponton à consommations, semblait dormir, tant le courant était faible. Des flottes de yoles, de skifs, de périssoires, de podoscaphes, de gigs[2], d'embarcations de toute forme et de toute

1. Jeune homme d'une élégance tapageuse et affectée.
2. *Skif* : embarcation très longue, étroite et légère, à un seul rameur ; la *périssoire* se manœuvre avec une pagaie à double palette ; le *podoscaphe* est un canot de plaisance, mû à la pagaie (*cf.* Courbet : *La Dame au podoscaphe*) ; *gig* : yole à quatre, six ou huit rameurs.

nature, filaient sur l'onde immobile, se croisant, se mêlant, s'abordant, s'arrêtant brusquement d'une secousse des bras pour s'élancer de nouveau sous une brusque tension des muscles, et glisser vivement comme de longs poissons jaunes ou rouges.

Il en arrivait d'autres sans cesse : les unes de Chatou, en amont ; les autres de Bougival, en aval ; et des rires allaient sur l'eau d'une barque à l'autre, des appels, des interpellations ou des engueulades. Les canotiers exposaient à l'ardeur du jour la chair brunie et bosselée de leurs biceps ; et, pareilles à des fleurs étranges, à des fleurs qui nageraient, les ombrelles de soie rouge, verte, bleue ou jaune des barreuses s'épanouissaient à l'arrière des canots.

Un soleil de juillet flambait au milieu du ciel ; l'air semblait plein d'une gaieté brûlante ; aucun frisson de brise ne remuait les feuilles des saules et des peupliers.

Là-bas, en face, l'inévitable Mont-Valérien étageait dans la lumière crue ses talus fortifiés ; tandis qu'à droite, l'adorable coteau de Louveciennes, tournant avec le fleuve, s'arrondissait en demi-cercle, laissant passer par places, à travers la verdure puissante et sombre des grands jardins, les blanches murailles des maisons de campagne.

Aux abords de la Grenouillère, une foule de promeneurs circulait sous les arbres géants qui font de ce coin de l'île le plus délicieux parc du monde. Des femmes, des filles aux cheveux jaunes, aux seins démesurément rebondis, à la croupe exagérée, au teint plâtré de fard, aux yeux charbonnés, aux lèvres sanguinolentes, lacées, sanglées en des robes extravagantes, traînaient sur les frais gazons le mauvais goût criard de leurs toilettes ; tandis qu'à côté d'elles des jeunes gens posaient en leurs accoutrements de gravures de modes, avec des gants clairs, des bottes vernies, des badines grosses comme un fil et des monocles ponctuant la niaiserie de leur sourire.

L'île est étranglée juste à la Grenouillère, et sur

l'autre bord, où un bac aussi fonctionne amenant sans cesse les gens de Croissy, le bras rapide, plein de tourbillons, de remous, d'écume, roule avec des allures de torrent. Un détachement de pontonniers[1], en uniforme d'artilleurs, est campé sur cette berge, et les soldats, assis en ligne sur une longue poutre, regardaient couler l'eau.

Dans l'établissement flottant, c'était une cohue furieuse et hurlante. Les tables de bois, où les consommations répandues faisaient de minces ruisseaux poisseux, étaient couvertes de verres à moitié vides et entourées de gens à moitié gris. Toute cette foule criait, chantait, braillait. Les hommes, le chapeau en arrière, la face rougie, avec des yeux luisants d'ivrognes, s'agitaient en vociférant par un besoin de tapage naturel aux brutes. Les femmes, cherchant une proie pour le soir, se faisaient payer à boire en attendant; et, dans l'espace libre entre les tables, dominait le public ordinaire du lieu, un bataillon de canotiers *chahuteurs*[2] avec leurs compagnes en courte jupe de flanelle.

Un d'eux se démenait au piano et semblait jouer des pieds et des mains; quatre couples bondissaient un quadrille; et des jeunes gens les regardaient, élégants, corrects, qui auraient semblé comme il faut si la tare, malgré tout, n'eût apparu.

Car on sent là, à pleines narines, toute l'écume du monde, toute la crapulerie distinguée, toute la moisissure de la société parisienne : mélange de calicots[3], de cabotins, d'infimes journalistes, de gentilshommes en curatelle[4], de boursicotiers[5] véreux, de noceurs

1. Soldat du Génie, chargé de la construction et de l'entretien des ponts militaires.
2. Danseur de « chahut », danse populaire interdite dans les lieux publics à cause de son obscénité. Familier des bals populaires, bruyant et tapageur.
3. Nom populaire du commis vendeur en mercerie et nouveautés.
4. Régime sous lequel sont administrés les biens d'un mineur émancipé ou d'un adulte condamné par contumace.
5. Homme qui fait de petites opérations en Bourse, plus ou moins légales...

tarés, de vieux viveurs pourris ; cohue interlope de
tous les êtres suspects, à moitié connus, à moitié
perdus, à moitié salués, à moitié déshonorés, filous,
fripons, procureurs de femmes, chevaliers d'industrie
à l'allure digne, à l'air matamore qui semble dire :
« Le premier qui me traite de gredin, je le crève. »

Ce lieu sue la bêtise, pue la canaillerie et la galanterie de bazar. Mâles et femelles s'y valent. Il y flotte
une odeur d'amour, et l'on s'y bat pour un oui ou
pour un non, afin de soutenir des réputations ver-
moulues que les coups d'épées et les balles de pistolet
ne font que crever davantage.

Quelques habitants des environs y passent en
curieux, chaque dimanche ; quelques jeunes gens, très
jeunes, y apparaissent chaque année, apprenant à
vivre. Des promeneurs, flânant, s'y montrent ; quelques naïfs s'y égarent.

C'est, avec raison, nommé la *Grenouillère*. A côté
du radeau couvert où l'on boit, et tout près du
« Pot-à-Fleurs », on se baigne. Celles des femmes
dont les rondeurs sont suffisantes viennent là montrer
à nu leur étalage et faire le client. Les autres, dédai-
gneuses, bien qu'amplifiées par le coton, étayées de
ressorts, redressées par-ci, modifiées par-là,
regardent d'un air méprisant barboter leurs sœurs.

Sur une petite plate-forme, les nageurs se pressent
pour piquer leur tête. Ils sont longs comme des
échalas, ronds comme des citrouilles, noueux comme
des branches d'olivier, courbés en avant ou rejetés en
arrière par l'ampleur du ventre, et, invariablement
laids, ils sautent dans l'eau qui rejaillit jusque sur les
buveurs du café.

Malgré les arbres immenses penchés sur la maison
flottante et malgré le voisinage de l'eau, une chaleur
suffocante emplissait ce lieu. Les émanations des
liqueurs répandues se mêlaient à l'odeur des corps et
à celle des parfums violents dont la peau des marchandes d'amour était pénétrée et qui s'évaporaient
dans cette fournaise. Mais sous toutes ces senteurs

diverses flottait un arôme léger de poudre de riz qui parfois disparaissait, reparaissait, qu'on retrouvait toujours, comme si quelque main cachée eût secoué dans l'air une houppe invisible.

Le spectacle était sur le fleuve, où le va-et-vient incessant des barques tirait les yeux. Les canotières s'étalaient dans leur fauteuil en face de leurs mâles aux forts poignets, et elles considéraient avec mépris les quêteuses de dîners rôdant par l'île.

Quelquefois, quand une équipe lancée passait à toute vitesse, les amis descendus à terre poussaient des cris, et tout le public, subitement pris de folie, se mettait à hurler.

Au coude de la rivière, vers Chatou, se montraient sans cesse des barques nouvelles. Elles approchaient, grandissaient, et, à mesure qu'on reconnaissait les visages, d'autres vociférations partaient.

Un canot couvert d'une tente et monté par quatre femmes descendait lentement le courant. Celle qui ramait était petite, maigre, fanée, vêtue d'un costume de mousse avec ses cheveux relevés sous un chapeau ciré. En face d'elle, une grosse blonde habillée en homme, avec un veston de flanelle blanche, se tenait couchée sur le dos au fond du bateau, les jambes en l'air sur le banc des deux côtés de la rameuse, et elle fumait une cigarette, tandis qu'à chaque effort des avirons sa poitrine et son ventre frémissaient, ballottés par la secousse. Tout à l'arrière, sous la tente, deux belles filles grandes et minces, l'une brune et l'autre blonde, se tenaient par la taille en regardant sans cesse leurs compagnes.

Un cri partit de la Grenouillère : « V'là Lesbos[1] ! » et, tout à coup, ce fut une clameur furieuse ; une bousculade effrayante eut lieu ; les verres tombaient ; on montait sur les tables ; tous, dans un délire de bruit, vociféraient : « Lesbos ! Lesbos ! Lesbos ! » Le

1. Île de la mer Égée, patrie de la poétesse Sapho. La liberté de mœurs de ses femmes en a fait un symbole de l'homosexualité féminine.

cri roulait, devenait indistinct, ne formait plus qu'une
sorte de hurlement effroyable, puis, soudain, il semblait s'élancer de nouveau, monter par l'espace, couvrir la plaine, emplir le feuillage épais des grands
arbres, s'étendre aux lointains coteaux, aller jusqu'au
soleil.

La rameuse, devant cette ovation, s'était arrêtée
tranquillement. La grosse blonde étendue au fond du
canot tourna la tête d'un air nonchalant, se soulevant
sur les coudes; et les deux belles filles, à l'arrière, se
mirent à rire en saluant la foule.

Alors la vociération redoubla, faisant trembler
l'établissement flottant. Les hommes levaient leurs
chapeaux, les femmes agitaient leurs mouchoirs, et
toutes les voix, aiguës ou graves, criaient ensemble :
« Lesbos! » On eût dit que ce peuple, ce ramassis de
corrompus, saluait un chef, comme ces escadres qui
tirent le canon quand un amiral passe sur leur front.

La flotte nombreuse des barques acclamait aussi le
canot des femmes, qui repartit de son allure som-
nolente pour aborder un peu plus loin.

M. Paul, au contraire des autres, avait tiré une clef
de sa poche, et, de toute sa force, il sifflait. Sa
maîtresse, nerveuse, pâlie encore, lui tenait le bras
pour le faire taire et elle le regardait cette fois avec
une rage dans les yeux. Mais lui, semblait exaspéré,
comme soulevé par une jalousie d'homme, par une
fureur profonde, instinctive, désordonnée. Il balbutia, les lèvres tremblantes d'indignation :

« C'est honteux! on devrait les noyer comme des
chiennes avec une pierre au cou. »

Mais Madeleine, brusquement, s'emporta; sa
petite voix aigre devint sifflante, et elle parlait avec
volubilité, comme pour plaider sa propre cause :

« Est-ce que ça te regarde, toi? Sont-elles pas
libres de faire ce qu'elles veulent, puisqu'elles ne
doivent rien à personne? Fiche-nous la paix avec tes
manières et mêle-toi de tes affaires... »

Mais il lui coupa la parole.

« C'est la police que ça regarde, et je les ferai flanquer à Saint-Lazare[1], moi ! »

Elle eut un soubresaut :

« Toi ?

— Oui, moi ! Et, en attendant, je te défends de leur parler, tu entends, je te le défends. »

Alors elle haussa les épaules, et calmée tout à coup :

« Mon petit, je ferai ce qui me plaira ; si tu n'es pas content, file, et tout de suite. Je ne suis pas ta femme, n'est-ce pas ? Alors tais-toi. »

Il ne répondit pas et ils restèrent face à face, avec la bouche crispée et la respiration rapide.

A l'autre bout du grand café de bois, les quatre femmes faisaient leur entrée. Les deux costumées en homme marchaient devant : l'une maigre, pareille à un garçonnet vieillot avec des teintes jaunes sur les tempes, l'autre, emplissant de sa graisse ses vêtements de flanelle blanche, bombant de sa croupe le large pantalon, se balançant comme une oie grasse, ayant les cuisses énormes et les genoux rentrés. Leurs deux amies les suivaient et la foule des canotiers venait leur serrer les mains.

Elles avaient loué toutes les quatre un petit chalet au bord de l'eau, et elles vivaient là, comme auraient vécu deux ménages.

Leur vice était public, officiel, patent. On en parlait comme d'une chose naturelle, qui les rendait presque sympathiques, et l'on chuchotait tout bas des histoires étranges, des drames nés de furieuses jalousies féminines, et des visites secrètes de femmes connues, d'actrices, à la petite maison du bord de l'eau.

Un voisin, révolté de ces bruits scandaleux, avait prévenu la gendarmerie, et le brigadier, suivi d'un homme, était venu faire une enquête. La mission

1. Prison parisienne, située rue de Clichy. On y internait surtout des femmes, voleuses, mineures incarcérées sur requête des parents, prostituées.

était délicate ; on ne pouvait, en somme, rien repro-
cher à ces femmes, qui ne se livraient point à la
prostitution. Le brigadier, fort perplexe, ignorant
même à peu près la nature des délits soupçonnés,
avait interrogé à l'aventure, et fait un rapport monu-
mental concluant à l'innocence.

On en avait ri jusqu'à Saint-Germain.

Elles traversaient à petits pas, comme des reines,
l'établissement de la Grenouillère ; et elles semblaient
fières de leur célébrité, heureuses des regards fixés
sur elles, supérieures à cette foule, à cette tourbe, à
cette plèbe.

Madeleine et son amant les regardaient venir, et
dans l'œil de la fille une flamme s'allumait.

Lorsque les deux premières furent au bout de la
table, Madeleine cria : « Pauline ! » La grosse se
retourna, s'arrêta, tenant toujours le bras de son
moussaillon femelle.

« Tiens ! Madeleine... Viens donc me parler, ma
chérie. »

Paul crispa ses doigts sur le poignet de sa maîtresse ;
mais elle lui dit d'un tel air : « Tu sais, mon p'tit, tu
peux filer », qu'il se tut et resta seul.

Alors elles causèrent tout bas, debout, toutes les
trois. Des gaietés heureuses passaient sur leurs
lèvres ; elles parlaient vite ; et Pauline, par instants,
regardait Paul à la dérobée avec un sourire narquois
et méchant.

A la fin, n'y tenant plus, il se leva soudain et fut
près d'elle d'un élan, tremblant de tous ses membres.
Il saisit Madeleine par les épaules : « Viens, je le
veux, dit-il, je t'ai défendu de parler à ces gueuses. »

Mais Pauline éleva la voix et se mit à l'engueuler
avec son répertoire de poissarde[1]. On riait alentour ;
on s'approchait ; on se haussait sur le bout des pieds
afin de mieux voir, et lui restait interdit sous cette
pluie d'injures fangeuses ; il lui semblait que les mots
sortant de cette bouche et tombant sur lui le salis-

1. Femme du peuple au langage grossier.

saient comme des ordures, et, devant le scandale qui commençait, il recula, retourna sur ses pas, et s'accouda sur la balustrade vers le fleuve, le dos tourné aux trois femmes victorieuses.

Il resta là, regardant l'eau, et parfois, avec un geste rapide, comme s'il l'eût arrachée, il enlevait d'un doigt nerveux une larme formée au coin de son œil.

C'est qu'il aimait éperdument, sans savoir pourquoi, malgré ses instincts délicats, malgré sa raison, malgré sa volonté même. Il était tombé dans cet amour comme on tombe dans un trou bourbeux. D'une nature attendrie et fine, il avait rêvé des liaisons exquises, idéales et passionnées; et voilà que ce petit criquet de femme, bête, comme toutes les filles, d'une bêtise exaspérante, pas jolie même, maigre et rageuse, l'avait pris, captivé, possédé des pieds à la tête, corps et âme. Il subissait cet ensorcellement féminin, mystérieux et tout-puissant, cette force inconnue, cette domination prodigieuse, venue on ne sait d'où, du démon de la chair, et qui jette l'homme le plus sensé aux pieds d'une fille quelconque sans que rien en elle explique son pouvoir fatal et souverain.

Et là, derrière son dos, il sentait qu'une chose infâme s'apprêtait. Des rires lui entraient au cœur. Que faire? Il le savait bien, mais ne le pouvait pas.

Il regardait fixement, sur la berge en face, un pêcheur à la ligne immobile.

Soudain le bonhomme enleva brusquement du fleuve un petit poisson d'argent qui frétillait au bout du fil. Puis il essaya de retirer son hameçon, le tordit, le tourna, mais en vain; alors, pris d'impatience, il se mit à tirer, et tout le gosier saignant de la bête sortit avec un paquet d'entrailles. Et Paul frémit, déchiré lui-même jusqu'au cœur; il lui sembla que cet hameçon c'était son amour et que, s'il fallait l'arracher, tout ce qu'il avait dans la poitrine sortirait ainsi au bout d'un fer recourbé, accroché au fond de lui, et dont Madeleine tenait le fil.

Une main se posa sur son épaule ; il eut un sursaut, se tourna ; sa maîtresse était à son côté. Ils ne se parlèrent pas ; et elle s'accouda comme lui à la balustrade, les yeux fixés sur la rivière.

Il cherchait ce qu'il devait dire, et ne trouvait rien. Il ne parvenait même pas à démêler ce qui se passait en lui ; tout ce qu'il éprouvait, c'était une joie de la sentir là, près de lui, revenue, et une lâcheté honteuse, un besoin de pardonner tout, de tout permettre pourvu qu'elle ne le quittât point.

Enfin, au bout de quelques minutes, il lui demanda d'une voix très douce : « Veux-tu que nous nous en allions ? Il ferait meilleur dans le bateau. »

Elle répondit : « Oui, mon chat. »

Et il l'aida à descendre dans la yole, la soutenant, lui serrant les mains, tout attendri, avec quelques larmes encore dans les yeux. Alors elle le regarda en souriant et ils s'embrassèrent de nouveau.

Ils remontèrent le fleuve tout doucement, longeant la rive plantée de saules, couverte d'herbes, baignée et tranquille dans la tiédeur de l'après-midi.

Lorsqu'ils furent revenus au restaurant Grillon, il était à peine six heures ; alors, laissant leur yole, ils partirent à pied dans l'île, vers Bezons, à travers les prairies, le long des hauts peupliers qui bordent le fleuve.

Les grands foins, prêts à être fauchés, étaient remplis de fleurs. Le soleil qui baissait étalait dessus une nappe de lumière rousse, et, dans la chaleur adoucie du jour finissant, les flottantes exhalaisons de l'herbe se mêlaient aux humides senteurs du fleuve, imprégnaient l'air d'une langueur tendre, d'un bonheur léger, comme d'une vapeur de bien-être.

Une molle défaillance venait aux cœurs, et une espèce de communion avec cette splendeur calme du soir, avec ce vague et mystérieux frisson de vie épandue, avec cette poésie pénétrante, mélancolique, qui semblait sortir des plantes, des choses, s'épanouir, révélée aux sens en cette heure douce et recueillie.

Il sentait tout cela, lui; mais elle ne le comprenait pas, elle. Ils marchaient côte à côte; et soudain, lasse de se taire, elle chanta. Elle chanta de sa voix aigre-lette et fausse quelque chose qui courait les rues, un air traînant dans les mémoires, qui déchira brusque-ment la profonde et sereine harmonie du soir.

Alors il la regarda, et il sentit entre eux un infran-chissable abîme. Elle battait les herbes de son ombrelle, la tête un peu baissée, contemplant ses pieds, et chantant, filant des sons, essayant des rou-lades, osant des trilles.

Son petit front étroit, qu'il aimait tant, était donc vide, vide! Il n'y avait là-dedans que cette musique de serinette[1]; et les pensées qui s'y formaient par hasard étaient pareilles à cette musique. Elle ne comprenait rien de lui; ils étaient plus séparés que s'ils ne vivaient pas ensemble. Ses baisers n'allaient donc jamais plus loin que les lèvres?

Alors elle releva les yeux vers lui et sourit encore. Il fut remué jusqu'aux moelles, et, ouvrant les bras, dans un redoublement d'amour, il l'étreignit passion-nément.

Comme il chiffonnait sa robe, elle finit par se dégager, en murmurant par compensation : « Va, je t'aime bien, mon chat. »

Mais il la saisit par la taille, et, pris de folie, l'entraîna en courant et il l'embrassait sur la joue, sur la tempe, sur le cou, tout en sautant d'allégresse. Ils s'abattirent, haletants, au pied d'un buisson incendié par les rayons du soleil couchant, et, avant d'avoir repris haleine, ils s'unirent, sans qu'elle comprît son exaltation.

Ils revenaient en se tenant les deux mains, quand soudain, à travers les arbres, ils aperçurent sur la rivière le canot monté par les quatre femmes. La grosse Pauline aussi les vit, car elle se redressa, envoyant à Madeleine des baisers. Puis elle cria : « A ce soir! »

1. Petit orgue mécanique dont la musique répétitive servait à apprendre à chanter aux serins et autres oiseaux en cage.

Madeleine répondit : « A ce soir ! »

Paul crut sentir soudain son cœur enveloppé de glace.

Et ils rentrèrent pour dîner.

Ils s'installèrent sous une des tonnelles au bord de l'eau et se mirent à manger en silence. Quand la nuit fut venue, on apporta une bougie, enfermée dans un globe de verre, qui les éclairait d'une lueur faible et vacillante ; et l'on entendait à tout moment les explosions de cris des canotiers dans la grande salle du premier.

Vers le dessert, Paul, prenant tendrement la main de Madeleine, lui dit : « Je me sens très fatigué, ma mignonne ; si tu veux, nous nous coucherons de bonne heure. »

Mais elle avait compris la ruse et elle lui lança ce regard énigmatique, ce regard à perfidies qui apparaît si vite au fond de l'œil de la femme. Puis, après avoir réfléchi, elle répondit : « Tu te coucheras si tu veux, moi j'ai promis d'aller au bal de la Grenouillère. »

Il eut un sourire lamentable, un de ces sourires dont on voile les plus horribles souffrances, mais il répondit d'un ton caressant et navré : « Si tu étais bien gentille nous resterions tous les deux. » Elle fit « non » de la tête sans ouvrir la bouche. Il insista : « T'en prie ! ma bichette. » Alors elle rompit brusquement : « Tu sais ce que je t'ai dit. Si tu n'es pas content, la porte est ouverte. On ne te retient pas. Quant à moi, j'ai promis ; j'irai. »

Il posa ses deux coudes sur la table, enferma son front dans ses mains, et resta là, rêvant douloureusement.

Les canotiers redescendirent en braillant toujours. Ils repartaient dans leurs yoles pour le bal de la Grenouillère.

Madeleine dit à Paul : « Si tu ne viens pas, décide-toi, je demanderai à un de ces messieurs de me conduire. »

Paul se leva : « Allons ! » murmura-t-il.

Et ils partirent.

La nuit était noire, pleine d'astres, parcourue par
une haleine embrasée, par un souffle pesant, chargé
d'ardeurs, de fermentations, de germes vifs qui,
mêlés à la brise, l'alentissaient. Elle promenait sur les
visages une caresse chaude, faisait respirer plus vite,
haleter un peu, tant elle semblait épaissie et lourde.

Les yoles se mettaient en route, portant à l'avant
une lanterne vénitienne. On ne distinguait point les
embarcations, mais seulement ces petits falots de
couleur, rapides et dansants, pareils à des lucioles en
délire ; et des voix couraient dans l'ombre de tous
côtés.

La yole des deux jeunes gens glissait doucement.
Parfois, quand un bateau lancé passait près d'eux, ils
apercevaient soudain le dos blanc du canotier éclairé
par sa lanterne.

Lorsqu'ils eurent tourné le coude de la rivière, la
Grenouillère leur apparut dans le lointain. L'établissement en fête était orné de girandoles, de guir-
landes en veilleuses de couleur, de grappes de
lumières. Sur la Seine circulaient lentement quelques
gros bachots représentant des dômes, des pyramides,
des monuments compliqués en feux de toutes
nuances. Des festons enflammés traînaient jusqu'à
l'eau ; et quelquefois un falot rouge ou bleu, au bout
d'une immense canne à pêche invisible, semblait une
grosse étoile balancée.

Toute cette illumination répandait une lueur alentour du café, éclairait de bas en haut les grands arbres
de la berge dont le tronc se détachait en gris pâle, et
les feuilles en vert laiteux, sur le noir profond des
champs et du ciel.

L'orchestre, composé de cinq artistes de banlieue,
jetait au loin sa musique de bastringue[1], maigre et
sautillante, qui fit de nouveau chanter Madeleine.

Elle voulut tout de suite entrer. Paul désirait auparavant faire un tour dans l'île ; mais il dut céder.

1. Bal dans une guinguette populaire. Orchestre en usage dans
ces bals.

L'assistance s'était épurée. Les canotiers presque seuls restaient avec quelques bourgeois clairsemés et quelques jeunes gens flanqués de filles. Le directeur et organisateur de ce cancan[1], majestueux dans un habit noir fatigué, promenait en tous sens sa tête ravagée de vieux marchand de plaisirs publics à bon marché.

La grosse Pauline et ses compagnes n'étaient pas là ; et Paul respira.

On dansait : les couples face à face cabriolaient éperdument, jetaient leurs jambes en l'air jusqu'au nez des vis-à-vis.

Les femelles, désarticulées des cuisses, bondissaient dans un enveloppement de jupes révélant leurs dessous. Leurs pieds s'élevaient au-dessus de leurs têtes avec une facilité surprenante, et elles balançaient leurs ventres, frétillaient de la croupe, secouaient leurs seins, répandant autour d'elles une senteur énergique de femmes en sueur.

Les mâles s'accroupissaient comme des crapauds avec des gestes obscènes, se contorsionnaient, grimaçants et hideux, faisaient la roue sur les mains, ou bien, s'efforçant d'être drôles, esquissaient des manières avec une grâce ridicule.

Une grosse bonne et deux garçons servaient les consommations.

Ce café-bateau, couvert seulement d'un toit, n'ayant aucune cloison qui le séparât du dehors, la danse échevelée s'étalait en face de la nuit pacifique et du firmament poudré d'astres.

Tout à coup le Mont-Valérien, là-bas, en face, sembla s'éclairer comme si un incendie se fût allumé derrière. La lueur s'étendit, s'accentua, envahissant peu à peu le ciel, décrivant un grand cercle lumineux, d'une lumière pâle et blanche. Puis quelque chose de

---

1. Comme le *quadrille* et le *chahut*, danse populaire des cafés-concerts, à la mode depuis 1869. Le plus illustre était celui du Moulin-Rouge, à Montmartre, où se produisaient la Goulue et son partenaire Valentin le Désossé (*cf.* Toulouse-Lautrec).

rouge apparut, grandit, d'un rouge ardent comme un métal sur l'enclume. Cela se développait lentement en rond, semblait sortir de la terre ; et la lune, se détachant bientôt de l'horizon, monta doucement dans l'espace. A mesure qu'elle s'élevait, sa nuance pourpre s'atténuait, devenait jaune, d'un jaune clair, éclatant ; et l'astre paraissait diminuer à mesure qu'il s'éloignait.

Paul le regardait depuis longtemps, perdu dans cette contemplation, oubliant sa maîtresse. Quand il se retourna, elle avait disparu.

Il la chercha, mais ne la trouva pas. Il parcourait les tables d'un œil anxieux, allant et revenant sans cesse, interrogeant l'un et l'autre. Personne ne l'avait vue.

Il errait ainsi, martyrisé d'inquiétude, quand un des garçons lui dit : « C'est madame Madeleine que vous cherchez ? Elle vient de partir tout à l'heure en compagnie de madame Pauline. » Et, au même moment, Paul apercevait, debout à l'autre extrémité du café, le mousse et les deux belles filles, toutes trois liées par la taille, et qui le guettaient en chuchotant.

Il comprit, et, comme un fou, s'élança dans l'île.

Il courut d'abord vers Chatou, mais, devant la plaine, il retourna sur ses pas. Alors il se mit à fouiller l'épaisseur des taillis, à vagabonder éperdument, s'arrêtant parfois pour écouter.

Les crapauds, par tout l'horizon, lançaient leur note métallique et courte.

Vers Bougival un oiseau inconnu modulait quelques sons qui arrivaient affaiblis par la distance. Sur les larges gazons la lune versait une molle clarté, comme une poussière de ouate ; elle pénétrait les feuillages, faisait couler sa lumière sur l'écorce argentée des peupliers, criblait de sa pluie brillante les sommets frémissants des grands arbres. La grisante poésie de cette soirée d'été entrait dans Paul malgré lui, traversait son angoisse affolée, remuait son cœur avec une ironie féroce, développant jusqu'à la rage en son âme douce et contemplative ses besoins d'idéale

tendresse, d'épanchements passionnés dans le sein
d'une femme adorée et fidèle.

Il fut contraint de s'arrêter, étranglé par des sanglots précipités, déchirants.

La crise passée, il repartit.

Soudain il reçut comme un coup de couteau ; on
s'embrassait, là, derrière ce buisson. Il y courut ;
c'était un couple d'amoureux, dont les deux silhouettes s'éloignèrent vivement à son approche, enla-
cées, unies dans un baiser sans fin.

Il n'osait pas appeler, sachant bien qu'Elle ne
répondrait point ; et il avait aussi une peur affreuse de
les découvrir tout à coup.

Les ritournelles des quadrilles avec les solos
déchirants du piston, les rires faux de la flûte, les
rages aiguës du violon lui tiraillaient le cœur, exaspérant sa souffrance. La musique enragée, boitillante,
courait sous les arbres, tantôt affaiblie, tantôt grossie
dans un souffle passager de brise.

Tout à coup il se dit qu'Elle était revenue peut-
être ? Oui ! elle était revenue ! pourquoi pas ? Il avait
perdu la tête sans raison, stupidement emporté par
ses terreurs, par les soupçons désordonnés qui l'envahissaient depuis quelque temps.

Et, saisi par une de ces accalmies singulières qui
traversent parfois les plus grands désespoirs, il
retourna vers le bal.

D'un coup d'œil il parcourut la salle. Elle n'était
pas là. Il fit le tour des tables, et brusquement se
trouva de nouveau face à face avec les trois femmes.
Il avait apparemment une figure désespérée et drôle,
car toutes trois ensemble éclatèrent de gaieté.

Il se sauva, repartit dans l'île, se rua à travers les
taillis, haletant. Puis il écouta de nouveau, il écouta
longtemps, car ses oreilles bourdonnaient ; mais,
enfin, il crut entendre un peu plus loin un petit rire
perçant qu'il connaissait bien ; et il avança tout doucement, rampant, écartant les branches, la poitrine
tellement secouée par son cœur qu'il ne pouvait
respirer.

Deux voix murmuraient des paroles qu'il n'entendait pas encore. Puis elles se turent.

Alors il eut une envie immense de fuir, de ne pas voir, de ne pas savoir, de se sauver pour toujours, loin de cette passion furieuse qui le ravageait. Il allait retourner à Chatou, prendre le train, et ne reviendrait plus, ne la reverrait plus jamais. Mais son image brusquement l'envahit, et il l'aperçut dans sa pensée quand elle s'éveillait au matin, dans leur lit tiède, se pressait câline contre lui, jetant ses bras à son cou, avec ses cheveux répandus, un peu mêlés sur le front, avec ses yeux fermés encore et ses lèvres ouvertes pour le premier baiser ; et le souvenir subit de cette caresse matinale l'emplit d'un regret frénétique et d'un désir forcené.

On parlait de nouveau ; et il s'approcha, courbé en deux. Puis un léger cri courut sous les branches tout près de lui ! Un cri ! Un de ces cris d'amour qu'il avait appris à connaître aux heures éperdues de leur tendresse. Il avançait encore, toujours, comme malgré lui, attiré invinciblement, sans avoir conscience de rien... et il les vit.

Oh ! si c'eût été un homme, l'autre ! mais cela ! cela ! Il se sentait enchaîné par leur infamie même. Et il restait là, anéanti, bouleversé comme s'il eût découvert tout à coup un cadavre cher et mutilé, un crime contre nature, monstrueux, une immonde profanation.

Alors, dans un éclair de pensée involontaire, il songea au petit poisson dont il avait vu arracher les entrailles... Mais Madeleine murmura : « Pauline ! » du même ton passionné qu'elle disait : « Paul ! » et il fut traversé d'une telle douleur qu'il s'enfuit de toutes ses forces.

Il heurta deux arbres, tomba sur une racine, repartit, et se trouva soudain devant le fleuve, devant le bras rapide éclairé par la lune. Le courant torrentueux faisait de grands tourbillons où se jouait la lumière. La berge haute dominait l'eau comme une falaise, laissant à son pied une large bande obscure où les remous s'entendaient dans l'ombre.

Sur l'autre rive, les maisons de campagne de Croissy s'étageaient en pleine clarté.

Paul vit tout cela comme dans un songe, comme à travers un souvenir; il ne songeait à rien, ne comprenait rien, et toutes les choses, son existence même, lui apparaissaient vaguement, lointaines, oubliées, finies.

Le fleuve était là. Comprit-il ce qu'il faisait? Voulut-il mourir? Il était fou. Il se retourna cependant vers l'île, vers Elle; et, dans l'air calme de la nuit où dansaient toujours les refrains affaiblis et obstinés du bastringue, il lança d'une voix désespérée, suraiguë, surhumaine, un effroyable cri : « Madeleine! »

Son appel déchirant traversa le large silence du ciel, courut par tout l'horizon.

Puis, d'un bond formidable, d'un bond de bête, il sauta dans la rivière. L'eau jaillit, se referma, et, de la place où il avait disparu, une succession de grands cercles partit, élargissant jusqu'à l'autre berge leurs ondulations brillantes.

Les deux femmes avaient entendu. Madeleine se dressa : « C'est Paul. » Un soupçon surgit en son âme. « Il s'est noyé », dit-elle. Et elle s'élança vers la rive où la grosse Pauline la rejoignit.

Un lourd bachot monté par deux hommes tournait et retournait sur place. Un des bateliers ramait, l'autre enfonçait dans l'eau un grand bâton et semblait chercher quelque chose. Pauline cria : « Que faites-vous? Qu'y a-t-il? » Une voix inconnue répondit : « C'est un homme qui vient de se noyer. »

Les deux femmes, serrées l'une contre l'autre, hagardes, suivaient les évolutions de la barque. La musique de la Grenouillère folâtrait toujours au loin, semblait accompagner en cadence les mouvements des sombres pêcheurs; et la rivière qui cachait maintenant un cadavre, tournoyait, illuminée.

Les recherches se prolongeaient. L'attente horrible

faisait grelotter Madeleine. Enfin, après une demi-
heure au moins, un des hommes annonça : « Je le
tiens ! » Et il fit remonter sa longue gaffe doucement,
tout doucement. Puis quelque chose de gros apparut
à la surface de l'eau. L'autre marinier quitta ses
rames, et tous deux, unissant leurs forces, halant sur
la masse inerte, la firent culbuter dans leur bateau.

Ensuite ils gagnèrent la terre, en cherchant une
place éclairée et basse. Au moment où ils abordaient,
les femmes arrivaient aussi.

Dès qu'elle le vit, Madeleine recula d'horreur.
Sous la lumière de la lune, il semblait vert déjà, avec
sa bouche, ses yeux, son nez, ses habits pleins de
vase. Ses doigts fermés et raidis étaient affreux. Une
espèce d'enduit noirâtre et liquide couvrait tout son
corps. La figure paraissait enflée, et de ses cheveux
collés par le limon une eau sale coulait sans cesse.

Les deux hommes l'examinèrent.

« Tu le connais ? » dit l'un.

L'autre, le passeur de Croissy, hésitait : « Oui, il
me semble bien que j'ai vu cette tête-là ; mais tu sais,
comme ça, on ne reconnaît pas très bien. » Puis,
soudain : « Mais c'est monsieur Paul !

— Qui ça, monsieur Paul ? » demanda son camarade.

Le premier reprit :

« Mais M. Paul Baron, le fils du sénateur, ce p'tit
qu'était si amoureux. »

L'autre ajouta philosophiquement :

« Eh bien, il a fini de rigoler maintenant ; c'est
dommage tout de même quand on est riche ! »

Madeleine sanglotait, tombée par terre. Pauline
s'approcha du corps et demanda : « Est-ce qu'il est
bien mort ? — tout à fait ? »

Les hommes haussèrent les épaules : « Oh ! après
ce temps-là ! pour sûr ! »

Puis l'un d'eux interrogea : « C'est chez Grillon
qu'il logeait. — Oui, reprit l'autre ; faut le
reconduire, y aura de la braise[1]. »

1. Argot : *argent, pourboire.*

Ils remontèrent dans leur bateau et repartirent, s'éloignant lentement à cause du courant rapide; et longtemps encore après qu'on ne les vit plus de la place où les femmes étaient restées, on entendit tomber dans l'eau les coups réguliers des avirons.

Alors Pauline prit dans ses bras la pauvre Madeleine éplorée, la câlina, l'embrassa longtemps, la consola : « Que veux-tu, ce n'est point ta faute, n'est-ce pas? On ne peut pourtant pas empêcher les hommes de faire des bêtises. Il l'a voulu, tant pis pour lui, après tout! » Puis, la relevant : « Allons, ma chérie, viens-t'en coucher à la maison : tu ne peux pas rentrer chez Grillon ce soir. » Elle l'embrassa de nouveau : « Va, nous te guérirons », dit-elle.

Madeleine se releva, et pleurant toujours, mais avec des sanglots affaiblis, la tête sur l'épaule de Pauline, comme réfugiée dans une tendresse plus intime et plus sûre, plus familière et plus confiante, elle partit à tout petits pas.

LE PAIN MAUDIT

A Henry Brainne[1]

I

Le père Taille avait trois filles. Anna, l'aînée, dont on ne parlait guère dans la famille, Rose, la cadette, âgée maintenant de dix-huit ans, et Claire, la dernière, encore gosse, qui venait de prendre son quinzième printemps.

Le père Taille, veuf aujourd'hui, était maître mécanicien dans la fabrique de boutons de M. Lebrument. C'était un brave homme, très considéré, très droit, très sobre, une sorte d'ouvrier modèle. Il habitait rue d'Angoulême, au Havre.

Quand Anna avait pris la clef des champs, comme on dit, le vieux était entré dans une colère épouvantable ; il avait menacé de tuer le séducteur, un blanc-bec, un chef de rayon d'un grand magasin de nouveautés de la ville. Puis, on lui avait dit de divers côtés que la petite se rangeait, qu'elle mettait de l'argent

---

1. Fils d'une amie de Flaubert à qui Maupassant dédie en 1883 *Une Vie*. Un des canotiers de Chatou, sans doute le « Tomahawk » de *Mouche*.

sur l'État, qu'elle ne courait pas, liée maintenant avec
un homme d'âge, un juge au tribunal de commerce,
M. Dubois; et le père s'était calmé.

Il s'inquiétait même de ce qu'elle faisait, demandait
des renseignements sur sa maison à ses anciennes
camarades qui avaient été la revoir; et quand on lui
affirmait qu'elle était dans ses meubles et qu'elle avait
un tas de vases de couleur sur ses cheminées, des
tableaux peints sur les murs, des pendules dorées et
des tapis partout, un petit sourire content lui glissait
sur les lèvres. Depuis trente ans il travaillait, lui, pour
amasser cinq ou six pauvres mille francs! La fillette
n'était pas bête après tout!

Or, voilà qu'un matin, le fils Touchard, dont le
père était tonnelier au bout de la rue, vint lui demander la main de Rose, la seconde. Le cœur du vieux se
mit à battre. Les Touchard étaient riches et bien
posés; il avait décidément de la chance dans ses filles.

La noce fut décidée, et on résolut qu'on la ferait
d'importance. Elle aurait lieu à Sainte-Adresse[1], au
restaurant de la mère Jusa. Cela coûterait bon, par
exemple, ma foi tant pis, une fois n'était pas coutume.

Mais un matin, comme le vieux était rentré au logis
pour déjeuner, au moment où il se mettait à table
avec ses deux filles, la porte s'ouvrit brusquement et
Anna parut. Elle avait une toilette brillante, et des
bagues, et un chapeau à plume. Elle était gentille
comme un cœur avec tout ça. Elle sauta au cou du
père qui n'eut pas le temps de dire « ouf », puis elle
tomba en pleurant dans les bras de ses deux sœurs,
puis elle s'assit en s'essuyant les yeux et demanda une
assiette pour manger la soupe avec la famille. Cette
fois, le père Taille fut attendri jusqu'aux larmes à son
tour, et il répéta à plusieurs reprises : « C'est bien,
ça, petite, c'est bien, c'est bien. » Alors elle dit tout
de suite son affaire. — Elle ne voulait pas qu'on fît la
noce de Rose à Sainte-Adresse, elle ne voulait pas, ah

1. Village tout près du Havre, vers le cap de la Hève, devenu
une station balnéaire à la mode.

mais non. On la ferait chez elle, donc, cette noce, et
ça ne coûterait rien au père. Ses dispositions étaient
prises, tout arrangé, tout réglé ; elle se chargeait de
tout, voilà !

Le vieux répéta : « Ça, c'est bien, petite, c'est
bien. » Mais un scrupule lui vint. Les Touchard
consentiraient-ils ? Rose, la fiancée, surprise,
demanda : « Pourquoi qu'ils ne voudraient pas,
donc ? Laisse faire, je m'en charge, je vais en parler à
Philippe, moi. »

Elle en parla à son prétendu, en effet, le jour
même ; et Philippe déclara que ça lui allait parfaitement. Le père et la mère Touchard furent aussi ravis
de faire un bon dîner qui ne coûterait rien. Et ils
disaient : « Ça sera bien, pour sûr, vu que monsieur
Dubois roule sur l'or. » Alors ils demandèrent la
permission d'inviter une amie, Mlle Florence, la cuisinière des gens du premier. Anna consentit à tout.

Le mariage était fixé au dernier mardi du mois.

II

Après la formalité de la mairie et la cérémonie
religieuse, la noce se dirigea vers la maison d'Anna.
Les Taille avaient amené, de leur côté, un cousin
d'âge, M. Sauvetanin, homme à réflexions philo-
sophiques, cérémonieux et compassé, dont on attendait l'héritage, et une vieille tante, Mme Lamondois.

M. Sauvetanin avait été désigné pour offrir son
bras à Anna. On les avait accouplés, les jugeant les
deux personnes les plus importantes et les plus distinguées de la société.

Dès qu'on arriva devant la porte d'Anna, elle
quitta immédiatement son cavalier et courut en avant
en déclarant : « Je vais vous montrer le chemin. »

Elle monta, en courant, l'escalier, tandis que la procession des invités suivait plus lentement.

Dès que la jeune fille eut ouvert son logis, elle se rangea pour laisser passer le monde qui défilait devant elle en roulant de grands yeux et en tournant la tête de tous les côtés pour voir ce luxe mystérieux.

La table était mise dans le salon, la salle à manger ayant été jugée trop petite. Un restaurateur voisin avait loué les couverts, et les carafes pleines de vin luisaient sous un rayon de soleil qui tombait d'une fenêtre.

Les dames pénétrèrent dans la chambre à coucher pour se débarrasser de leurs châles et de leurs coiffures, et le père Touchard, debout sur la porte, clignait de l'œil vers le lit bas et large, et faisait aux hommes des petits signes farceurs et bienveillants. Le père Taille, très digne, regardait avec un orgueil intime l'ameublement somptueux de son enfant, et il allait de pièce en pièce, tenant toujours à la main son chapeau, inventoriant les objets d'un regard, marchant à la façon d'un sacristain dans une église.

Anna allait, venait, courait, donnait des ordres, hâtait le repas.

Enfin, elle apparut sur le seuil de la salle à manger démeublée, en criant : « Venez tous par ici une minute. » Les douze invités se précipitèrent et aperçurent douze verres de madère en couronne sur un guéridon.

Rose et son mari se tenaient par la taille, s'embrassaient déjà dans les coins. M. Sauvetanin ne quittait pas Anna de l'œil, poursuivi sans doute par cette ardeur, par cette attente qui remuent les hommes, même vieux et laids, auprès des femmes galantes, comme si elles devaient par métier, par obligation professionnelle, un peu d'elles à tous les mâles.

Puis on se mit à table, et le repas commença. Les parents occupaient un bout, les jeunes gens tout l'autre bout. Mme Touchard la mère présidait à droite, la jeune mariée présidait à gauche. Anna s'occupait de tous et de chacun, veillait à ce que les verres fussent toujours pleins et les assiettes toujours garnies. Une certaine gêne respectueuse, une certaine intimidation devant la richesse du logis et la solennité du service paralysaient les convives. On mangeait bien, on mangeait bon, mais on ne rigolait pas comme on doit rigoler dans les noces. On se sentait dans une atmosphère trop distinguée, cela gênait. Mme Touchard, la mère, qui aimait rire, tâchait d'animer la situation, et, comme on arrivait au dessert, elle cria : « Dis donc, Philippe, chante-nous quelque chose. » Son fils passait dans sa rue pour posséder une des plus jolies voix du Havre.

Le marié aussitôt se leva, sourit, et se tournant vers sa belle-sœur, par politesse et par galanterie, il chercha quelque chose de circonstance, de grave, de comme il faut, qu'il jugeait en harmonie avec le sérieux du dîner.

Anna prit un air content et se renversa sur sa chaise pour écouter. Tous les visages devinrent attentifs et vaguement souriants.

Le chanteur annonça « Le Pain maudit[1] » et arrondissant le bras droit, ce qui fit remonter son habit dans son cou, il commença :

Il est un pain béni qu'à la terre économe
Il nous faut arracher d'un bras victorieux.
C'est le pain du travail, celui que l'honnête homme,
Le soir, à ses enfants, apporte tout joyeux.
Mais il en est un autre, à mine tentatrice,
Pain maudit que l'Enfer pour nous damner sema (bis).
Enfants, n'y touchez pas, car c'est le pain du vice !
Chers enfants, gardez-vous de toucher ce pain-là ! (bis).

Toute la table applaudit avec frénésie. Le père Touchard déclara : « Ça, c'est tapé. » La cuisinière invitée tourna dans sa main un croûton qu'elle regar-

---

1. Chanson de Charles Pourny, compositeur de café-concert, sur des paroles d'Arthur Lamy.

dait avec attendrissement. M. Sauvetanin murmura :
« Très bien ! » Et la tante Lamondois s'essuyait déjà
les yeux avec sa serviette.

Le marié annonça : « Deuxième couplet » et le
lança avec une énergie croissante :

Respect au malheureux qui, tout brisé par l'âge,
Nous implore en passant sur le bord du chemin,
Mais flétrissons celui qui, désertant l'ouvrage,
Alerte et bien portant, ose tendre la main.
Mendier sans besoin, c'est voler la vieillesse,
C'est voler l'ouvrier que le travail courba (bis).
Honte à celui qui vit du pain de la paresse,
Chers enfants, gardez-vous de toucher ce pain-là !
                                                    (bis).

Tous, même les deux servants restés debout contre
les murs, hurlèrent en chœur le refrain. Les voix
fausses et pointues des femmes faisaient détonner les
voix grasses des hommes.

La tante et la mariée pleuraient tout à fait. Le père
Taille se mouchait avec un bruit de trombone, et le
père Touchard affolé brandissait un pain tout entier
jusqu'au milieu de la table. La cuisinière amie laissait
tomber des larmes muettes sur son croûton qu'elle
tourmentait toujours.

M. Sauvetanin prononça au milieu de l'émotion
générale : « Voilà des choses saines, bien différentes
des gaudrioles. »

Anna, troublée aussi, envoyait des baisers à sa
sœur et lui montrait d'un signe amical son mari,
comme pour la féliciter.

Le jeune homme, grisé par le succès, reprit :

Dans ton simple réduit, ouvrière gentille,
Tu sembles écouter la voix du tentateur !
Pauvre enfant, va, crois-moi, ne quitte pas
                                            [l'aiguille.
Tes parents n'ont que toi, toi seule es leur
                                            [bonheur.

Dans un luxe honteux trouveras-tu des charmes
Lorsque, te maudissant, ton père expirera (bis).
Le pain du déshonneur se pétrit dans les larmes.
Chers enfants, gardez-vous de toucher ce pain-là
                                        [(bis).

Seuls les deux servants et le père Touchard
reprirent le refrain. Anna, toute pâle, avait baissé les
yeux. Le marié, interdit, regardait autour de lui sans
comprendre la cause de ce froid subit. La cuisinière
avait soudain lâché son croûton comme s'il était
devenu empoisonné.

M. Sauvetanin déclara gravement, pour sauver la
situation : « Le dernier couplet est de trop. » Le père
Taille, rouge jusqu'aux oreilles, roulait des regards
féroces autour de lui.

Alors Anna, qui avait les yeux pleins de larmes, dit
aux valets d'une voix mouillée, d'une voix de femme
qui pleure : « Apportez le champagne. »

Aussitôt une joie secoua les invités. Les visages
redevinrent radieux. Et comme le père Touchard, qui
n'avait rien vu, rien senti, rien compris, brandissait
toujours son pain et chantait tout seul, en le montrant
aux convives :

Chers enfants, gardez-vous de toucher ce pain-là,

toute la noce, électrisée en voyant apparaître les
bouteilles coiffées d'argent, reprit avec un bruit de
tonnerre :

Chers enfants, gardez-vous de toucher ce pain-là.

L'AMI PATIENCE

Sais-tu ce qu'est devenu Leremy?
— Il est capitaine au 6e dragons.
— Et Pinson?
— Sous-préfet.
— Et Racollet?
— Mort.

Nous cherchions d'autres noms qui nous rappelaient des figures jeunes coiffées du képi à galons
d'or. Nous avions retrouvé plus tard quelques-uns de
ces camarades barbus, chauves, mariés, pères de
plusieurs enfants, et ces rencontres avec ces change-
ments nous avaient donné des frissons désagréables,
nous montrant comme la vie est courte, comme tout
passe, comme tout change.

Mon ami demanda :
— Et Patience, le gros Patience?

Je poussai une sorte de hurlement :
— Oh, quant à celui-là, écoute un peu. J'étais,
voici quatre ou cinq ans, en tournée d'inspection à
Limoges, attendant l'heure du dîner. Assis devant le
grand café de la place du Théâtre, je m'ennuyais
ferme. Les commerçants s'en venaient, à deux, trois
ou quatre, prendre l'absinthe ou le vermout, parlaient tout haut de leurs affaires et de celles des
autres, riaient violemment ou baissaient le ton pour
se communiquer des choses importantes et délicates.
Je me disais : « Que vais-je faire après dîner? » Et

je songeais à la longue soirée dans cette ville de
province, à la promenade lente et sinistre à travers
les rues inconnues, à la tristesse accablante qui se
dégage, pour le voyageur solitaire, de ces gens qui
passent et qui vous sont étrangers en tout, par tout,
par la forme du veston provincial, du chapeau et de la
culotte, par les habitudes et l'accent local, tristesse
pénétrante venue aussi des maisons, des boutiques,
des voitures aux formes singulières, des bruits ordinaires auxquels on n'est point accoutumé, tristesse
harcelante qui vous fait presser peu à peu le pas
comme si on était perdu dans un pays dangereux, qui
vous oppresse, vous fait désirer l'hôtel, le hideux
hôtel dont la chambre a conservé mille odeurs suspectes, dont le lit fait hésiter, dont la cuvette garde un
cheveu collé dans la poussière du fond.

Je songeais à tout cela en regardant allumer le gaz,
sentant ma détresse d'isolé accrue par la tombée des
ombres. Que vais-je faire après dîner ? J'étais seul,
tout seul, perdu lamentablement.

Un gros homme vint s'asseoir à la table voisine, et il
commanda d'une voix formidable :

— Garçon, mon bitter[1] !

Le *mon* sonna dans la phrase comme un coup de
canon. Je compris aussitôt que tout était à lui, bien à
lui, dans l'existence, et pas à un autre, qu'il avait son
caractère, nom d'un nom, son appétit, son pantalon,
son n'importe quoi d'une façon propre, absolue, plus
complète que n'importe qui. Puis il regarda autour de
lui d'un air satisfait. On lui apporta son bitter, et il
appela :

— Mon journal !

Je me demandais : « Quel peut bien être son journal ? » Le titre, certes, allait me révéler son opinion,
ses théories, ses principes, ses marottes, ses naïvetés.

Le garçon apporta *Le Temps*[2]. Je fus surpris. Pourquoi *Le Temps*, journal grave, gris, doctrinaire, pon-
déré ? Je pensai :

1. Apéritif d'origine hollandaise, au goût amer.
2. Journal à tendance républicaine modérée fondé en 1861.

— C'est donc un homme sage, de mœurs sérieuses, d'habitudes régulières, un bon bourgeois, enfin.

Il posa sur son nez des lunettes d'or, se renversa et, avant de commencer à lire, il jeta un nouveau regard circulaire. Il m'aperçut et se mit aussitôt à me considérer d'une façon insistante et gênante. J'allais même lui demander la raison de cette attention, quand il me cria de sa place :

— Nom d'une pipe, c'est bien Gontran Lardois.

Je répondis :

— Oui, monsieur, vous ne vous trompez pas.

Alors il se leva brusquement, et s'en vint, les mains tendues :

— Ah! mon vieux, comment vas-tu?

Je demeurais fort gêné, ne le reconnaissant pas du tout. Je balbutiai :

— Mais... très bien... et... vous?

Il se mit à rire :

— Je parie que tu ne me reconnais pas?

— Non, pas tout à fait... Il me semble... cependant.

Il me tapa sur l'épaule :

— Allons, pas de blague. Je suis Patience, Robert Patience, ton copain, ton camarade.

Je le reconnus. Oui, Robert Patience, mon camarade de collège. C'était cela. Je serrai la main qu'il me tendait :

— Et toi, tu vas bien?

— Moi, comme un charme.

Son sourire chantait le triomphe.

Il demanda :

— Qu'est-ce que tu viens faire ici?

J'expliquai que j'étais inspecteur des finances en tournée.

Il reprit, montrant ma décoration :

— Alors, tu as réussi?

Je répondis :

— Oui, pas mal, et toi?

— Oh! moi, très bien!

— Qu'est-ce que tu fais ?

— Je suis dans les affaires.

— Tu gagnes de l'argent ?

— Beaucoup, je suis très riche. Mais, viens donc me demander à déjeuner, demain matin, midi, 17, rue du Coq-qui-Chante ; tu verras mon installation.

Il parut hésiter une seconde, puis reprit :

— Tu es toujours le bon zig d'autrefois ?

— Mais... je l'espère !

— Pas marié, n'est-ce pas ?

— Non.

— Tant mieux. Et tu aimes toujours la joie et les pommes de terre ?

Je commençais à le trouver déplorablement commun. Je répondis néanmoins :

— Mais oui.

— Et les belles filles ?

— Quant à ça, oui.

Il se mit à rire d'un bon rire satisfait :

— Tant mieux, tant mieux. Te rappelles-tu notre première farce à Bordeaux, quand nous avons été souper à l'estaminet Roupie ? Hein, quelle noce !

Je me rappelais, en effet, cette noce ; et ce souvenir m'égaya. D'autres faits me revinrent à la mémoire, d'autres encore, nous disions :

— Dis donc, et cette fois où nous avons enfermé le pion dans la cave du père Latoque ?

Et il riait, tapait du poing sur la table, reprenait :

— Oui... oui... oui..., et te rappelles-tu la gueule du professeur de géographie, M. Marin, quand nous avons fait partir un pétard dans la mappemonde au moment où il pérorait sur les principaux volcans du globe ?

Mais, brusquement, je lui demandai :

— Et toi, es-tu marié ?

Il cria :

— Depuis dix ans, mon cher, et j'ai quatre enfants, des mioches étonnants. Mais tu les verras avec la mère.

Nous parlions fort ; les voisins se retournaient pour nous considérer avec étonnement.

Tout à coup, mon ami regarda l'heure à sa montre, un chronomètre gros comme une citrouille, et il cria :

— Tonnerre, c'est embêtant, mais il faut que je te quitte ; le soir, je ne suis pas libre.

Il se leva, me prit les deux mains, les secoua comme s'il voulait m'arracher les bras et prononça :

— A demain, midi, c'est entendu !

— C'est entendu.

Je passai la matinée à travailler chez le trésorier-payeur général. Il voulait me retenir à déjeuner, mais j'annonçai que j'avais rendez-vous chez un ami. Devant sortir, il m'accompagna :

Je lui demandai :

— Savez-vous où est la rue du Coq-qui-Chante ?

Il répondit :

— Oui, c'est à cinq minutes d'ici. Comme je n'ai rien à faire, je vais vous conduire.

Et nous nous mîmes en route.

J'atteignis bientôt la rue cherchée. Elle était grande, assez belle, sur la limite de la ville et des champs. Je regardais les maisons et j'aperçus le 17. C'était une sorte d'hôtel avec un jardin derrière. La façade ornée de fresques à la mode italienne me parut de mauvais goût. On voyait des déesses penchant des urnes, d'autres dont un nuage cachait les beautés secrètes. Deux amours de pierre tenaient le numéro.

Je dis au trésorier-payeur général :

— C'est ici que je vais.

Et je tendis la main pour le quitter. Il fit un geste brusque et singulier, mais ne dit rien et serra la main que je lui présentais.

Je sonnai. Une bonne apparut. Je demandai :

— Monsieur Patience, s'il vous plaît.

Elle répondit :

— C'est ici, monsieur... C'est à lui-même que vous désirez parler ?

— Mais oui.

Le vestibule était également orné de peintures dues au pinceau de quelque artiste du lieu. Des Paul et des Virginie s'embrassaient sous des palmiers noyés dans une lumière rose. Une lanterne orientale et hideuse pendait au plafond. Plusieurs portes étaient masquées par des tentures éclatantes.

Mais ce qui me frappait surtout, c'était l'odeur. Une odeur écœurante et parfumée, rappelant la poudre de riz et la moisissure des caves. Une odeur indéfinissable dans une atmosphère lourde, accablante comme celle des étuves où l'on pétrit des corps humains. Je montai, derrière la bonne, un escalier de marbre que couvrait un tapis de genre oriental, et on m'introduisit dans un somptueux salon.

Resté seul je regardai autour de moi.

La pièce était richement meublée, mais avec une prétention de parvenu polisson. Des gravures du siècle dernier, assez belles d'ailleurs, représentaient des femmes à haute coiffure poudrée, à moitié nues, surprises par des messieurs galants en des postures intéressantes. Une autre dame couchée en un grand lit ravagé batifolait du pied avec un petit chien noyé dans les draps ; une autre résistait avec complaisance à son amant dont la main fuyait sous les jupes. Un dessin montrait quatre pieds dont les corps se devinaient cachés derrière un rideau. La vaste pièce, entourée de divans moelleux, était tout entière imprégnée de cette odeur énervante et fade qui m'avait déjà saisi. Quelque chose de suspect se dégageait des murs, des étoffes, du luxe exagéré, de tout.

Je m'approchai de la fenêtre pour regarder le jardin dont j'apercevais les arbres. Il était fort grand, ombragé, superbe. Un large chemin contournait un gazon où s'égrenait dans l'air un jet d'eau, entrait sous des massifs, en ressortait plus loin. Et tout à coup, là-bas, tout au fond, entre deux taillis d'arbustes, trois femmes apparurent. Elles marchaient lentement, se tenant par le bras, vêtues de longs peignoirs blancs ennuagés de dentelles. Deux étaient blondes, et l'autre brune. Elles rentrèrent aussitôt sous les arbres. Je demeurai saisi, ravi, devant cette courte et charmante apparition qui fit surgir en moi tout un monde poétique. Elles s'étaient montrées à peine, dans le jour qu'il fallait, dans ce cadre de feuilles, dans ce fond de parc secret et délicieux. J'avais revu, d'un seul coup, les belles dames de l'autre siècle errant sous les charmilles, ces belles dames dont les gravures galantes des murs rappelaient les légères amours. Et je pensais au temps heureux, fleuri, spirituel et tendre où les mœurs étaient si douces et les lèvres si faciles...

Une grosse voix me fit bondir sur place. Patience était entré, et, radieux, me tendit les mains.

Il me regarda au fond des yeux de l'air sournois qu'on prend pour les confidences amoureuses, et, d'un geste large et circulaire, d'un geste de Napoléon, il me montra son salon somptueux, son parc, les trois femmes qui repassaient au fond, puis, d'une voix triomphante où chantait l'orgueil :

— Et dire que j'ai commencé avec rien... ma femme et ma belle-sœur.

L'ODYSSÉE D'UNE FILLE

Oui, le souvenir de ce soir-là ne s'effacera jamais. J'ai eu, pendant une demi-heure, la sinistre sensation de la fatalité invincible ; j'ai éprouvé ce frisson qu'on a en descendant aux puits des mines. J'ai touché ce fond noir de la misère humaine ; j'ai compris l'impossibilité de la vie honnête pour quelques-uns.

Il était minuit passé. J'allais du Vaudeville[1] à la rue Drouot, suivant d'un pas pressé le boulevard où couraient des parapluies. Une poussière d'eau voltigeait plutôt qu'elle ne tombait, voilant les becs de gaz, attristant la rue. Le trottoir luisait, gluant plus que mouillé. Les gens pressés ne regardaient rien.

Les filles, la jupe relevée, montrant leurs jambes, laissant entrevoir un bas blanc à la lueur terne de la lumière nocturne, attendaient dans l'ombre des portes, appelaient, ou bien passaient pressées, hardies, vous jetant à l'oreille deux mots obscurs et stupides. Elles suivaient l'homme quelques secondes, se serrant contre lui, lui soufflant au visage leur haleine putride ; puis, voyant inutiles leurs exhortations, elles le quittaient d'un mouvement brusque et mécontent, et se remettaient à marcher en frétillant des hanches.

J'allais, appelé par toutes, pris par la manche,

1. Théâtre ouvert en 1869 sur le boulevard des Capucines. On y jouait Scribe et Dumas fils. Une pièce de Maupassant, *La Paix du Ménage*, y fut reçue en 1888, mais jamais représentée.

harcelé et soulevé de dégoût. Tout à coup, j'en vis trois qui couraient comme affolées, jetant aux autres quelques paroles rapides. Et les autres aussi se mettaient à courir, à fuir, tenant à pleines mains leurs robes pour aller plus vite. On donnait ce jour-là un coup de filet à la prostitution[1].

Et soudain je sentis un bras sous le mien, tandis qu'une voix éperdue me murmurait dans l'oreille : « Sauvez-moi, monsieur, sauvez-moi, ne me quittez pas. »

Je regardai la fille. Elle n'avait pas vingt ans, bien que fanée déjà. Je lui dis : « Reste avec moi. » Elle murmura : « Oh! merci. »

Nous arrivions dans la ligne des agents. Elle s'ouvrit pour me laisser passer.

Et je m'engageai dans la rue Drouot.

Ma compagne me demanda :

— Viens-tu chez moi?

— Non.

— Pourquoi pas? Tu m'as rendu un rude service que je n'oublierai pas.

Je répondis, pour me débarrasser d'elle :

— Parce que je suis marié.

— Qu'est-ce que ça fait?

— Voyons, mon enfant, ça suffit. Je t'ai tirée d'affaire. Laissez-moi tranquille maintenant.

La rue était déserte et noire, vraiment sinistre. Et cette femme qui me serrait le bras rendait plus affreuse encore cette sensation de tristesse qui m'avait envahi. Elle voulut m'embrasser. Je me reculai avec horreur, et d'une voix dure :

— Allons, f...-moi la paix, n'est-ce pas?

Elle eut une sorte de mouvement de rage, puis, brusquement, se mit à sangloter. Je demeurai éperdu, attendri, sans comprendre.

---

1. Pour mieux accomplir sa double mission (assurer la sécurité et la moralité des lieux publics; protéger la santé des citoyens), la police interdisait aux prostituées certaines rues à certaines heures et organisait des rafles pour prévenir les infractions (*cf.* Dossier, p. 337).

— Voyons, qu'est-ce que tu as?
Elle murmura dans ses larmes :
— Si tu savais, ça n'est pas gai, va.
— Quoi donc?
— C'te vie-là.
— Pourquoi l'as-tu choisie?
— Est-ce que c'est ma faute?
— A qui la faute, alors?
— J'sais-ti, moi!
Une sorte d'intérêt me prit pour cette abandonnée.
Je lui demandai :
— Dis-moi ton histoire.
Elle me la conta.

J'avais seize ans, j'étais en service à Yvetot, chez
M. Lerable, un grainetier. Mes parents étaient morts.
Je n'avais personne; je voyais bien que mon maître
me regardait d'une drôle de façon et qu'il me chatouillait les joues; mais je ne m'en demandais pas plus
long. Je savais les choses, certainement. A la campagne, on est dégourdi; mais M. Lerable était un
vieux dévot qu'allait à la messe chaque dimanche. Je
l'en aurais jamais cru capable, enfin!

V'là qu'un jour il veut me prendre dans ma cuisine.
Je lui résiste. Il s'en va.

Y avait en face de nous un épicier, M. Dutan, qui
avait un garçon de magasin bien plaisant; si tant est
que je me laissai enjôler[1] par lui. Ça arrive à tout le
monde, n'est-ce pas? Donc je laissais la porte
ouverte, les soirs, et il venait me retrouver.

Mais v'là qu'une nuit M. Lerable entend du bruit.
Il monte et il trouve Antoine qu'il veut tuer. Ça fait
une bataille à coups de chaise, de pot à eau, de tout.
Moi j'avais saisi mes hardes[2] et je me sauvai dans la
rue. Me v'là partie.

J'avais une peur, une peur de loup. Je m'habillai
sous une porte. Puis je me mis à marcher tout droit.

1. Séduire.
2. Vêtements pauvres et usagés.

Je croyais pour sûr qu'il y avait quelqu'un de tué et que les gendarmes me cherchaient déjà. Je gagnai la grand-route de Rouen. Je me disais qu'à Rouen je pourrais me cacher très bien.

Il faisait noir à ne pas voir les fossés, et j'entendais des chiens qui aboyaient dans les fermes. Sait-on tout ce qu'on entend la nuit? Des oiseaux qui crient comme des hommes qu'on égorge, des bêtes qui jappent, des bêtes qui sifflent, et puis tant de choses que l'on ne comprend pas. J'en avais la chair de poule. A chaque bruit, je faisais le signe de croix. On ne s'imagine point ce que ça vous émouve le cœur. Quand le jour parut, v'là que l'idée des gendarmes me reprit, et que je me mis à courir. Puis je me calmai.

Je me sentis faim tout de même, malgré ma confusion; mais je ne possédais rien, pas un sou, j'avais oublié mon argent, tout ce qui m'appartenait sur terre, dix-huit francs.

Me v'là donc à marcher avec un ventre qui chante. Il faisait chaud. Le soleil piquait. Midi passe. J'allais toujours.

Tout à coup j'entends des chevaux derrière moi. Je me retourne. Les gendarmes! Mon sang ne fait qu'un tour; j'ai cru que j'allais tomber; mais je me contiens. Ils me rattrapent. Ils me regardent. Il y en a un, le plus vieux, qui dit:

— Bonjour, mamzelle.

— Bonjour, monsieur.

— Ousque vous allez comme ça?

— Je vas t'à Rouen, en service dans une place qu'on m'a t'offerte.

— Comme ça, pédestrement?

— Oui, comme ça.

Mon cœur battait, monsieur, à ce que je ne pouvais plus parler. Je me disais: « Ils me tiennent. » Et j'avais une envie de courir qui me frétillait dans les jambes. Mais ils m'auraient rattrapée tout de suite, vous comprenez.

Le vieux recommença:

— Nous allons faire route ensemble jusqu'à Barantin, mamzelle, vu que nous suivons le même itinéraire.

— Avec satisfaction, monsieur.

Et nous v'là causant. Je me faisais plaisante autant que je pouvais, n'est-ce pas ; si bien qu'ils ont cru des choses qui n'étaient point. Or, comme je passais dans un bois, le vieux dit :

— Voulez-vous, mamzelle, que j'allions faire un repos sur la mousse ?

Moi, je répondis sans y penser :

— A votre désir, monsieur.

Puis il descend et il donne son cheval à l'autre, et nous v'là partis dans le bois tous deux.

Il n'y avait plus à dire non. Qu'est-ce que vous auriez fait à ma place ? Il en prit ce qu'il a voulu ; puis il me dit : « Faut pas oublier le camarade. » Et il retourna tenir les chevaux, pendant que l'autre m'a rejointe. J'en étais honteuse que j'en aurais pleuré, monsieur. Mais je n'osais point résister, vous comprenez.

Donc nous v'là repartis. Je ne parlions plus. J'avais trop de deuil au cœur. Et puis je ne pouvais plus marcher tant j'avais faim. Tout de même, dans un village, ils m'ont offert un verre de vin, qui m'a r'donné des forces pour quelque temps. Et puis ils ont pris le trot pour pas traverser Barantin de compagnie. Alors je m'assis dans le fossé et je pleurai tout ce que j'avais de larmes.

Je marchai encore plus de trois heures durant avant Rouen. Il était sept heures du soir quand j'arrivai. D'abord toutes ces lumières m'éblouirent. Et puis je ne savais point où m'asseoir. Sur les routes, y a les fossés et l'herbe ousqu'on peut même se coucher pour dormir. Mais dans les villes, rien.

Les jambes me rentraient dans le corps, et j'avais des éblouissements à croire que j'allais tomber. Et puis, il se mit à pleuvoir, une petite pluie fine, comme ce soir, qui vous traverse sans que ça ait l'air de rien.

J'ai pas de chance les jours qu'il pleut. Je commençai
donc à marcher dans les rues. Je regardais toutes ces
maisons en me disant : « Y a tant de lits et tant de
pain dans tout ça et je ne pourrai point seulement
trouver une croûte et une paillasse. » Je pris par des
rues où il y avait des femmes qui appelaient les
hommes de passage. Dans ces cas-là, monsieur, on
fait ce qu'on peut. Je me mis, comme elles, à inviter le
monde. Mais on ne me répondait point. J'aurais
voulu être morte. Ça dura bien jusqu'à minuit. Je ne
savais même plus ce que je faisais. A la fin, v'là un
homme qui m'écoute. Il me demande : « Ousque tu
demeures ? » On devient vite rusée dans la nécessité.
Je répondis : « Je ne peux pas vous mener chez moi,
vu que j'habite avec maman. Mais n'y a-t-il point de
maisons où l'on peut aller ? »

Il répondit : « Plus souvent que je vas dépenser
vingt sous de chambre. »

Puis il réfléchit et ajouta : « Viens-t'en. Je connais
un endroit tranquille ousque nous ne serons point
interrompus. »

Il me fit passer un pont et puis il m'emmena au bout
de la ville, dans un pré qu'était près de la rivière. Je
ne pouvais pus le suivre.

Il me fit asseoir et puis il se mit à causer pourquoi
nous étions venus. Mais comme il était long dans son
affaire, je me trouvai tant percluse de fatigue que je
m'endormis.

Il s'en alla sans rien me donner. Je ne m'en aperçus
seulement pas. Il pleuvait, comme je vous l' disais.
C'est d'puis ce jour-là que j'ai des douleurs que je n'ai
pas pu m'en guérir, vu que j'ai dormi toute la nuit
dans la crotte.

Je fus réveillée par deux sergots[1] qui me mirent au
poste, et puis, de là, en prison, où je restai huit jours,
pendant qu'on cherchait ce que je pouvais bien être et
d'où je venais. Je ne voulus point le dire par peur des
conséquences.

1. Sergents de ville, agents de police.

On le sut pourtant et on me lâcha, après un juge-ment d'innocence.

Il fallait recommencer à trouver du pain. Je tâchai d'avoir une place, mais je ne pus pas, à cause de la prison d'où je venais.

Alors je me rappelai d'un vieux juge qui m'avait tourné de l'œil, pendant qu'il me jugeait, à la façon du père Lerable, d'Yvetot. Et j'allai le trouver. Je ne m'étais point trompée. Il me donna cent sous quand je le quittai, en me disant : « T'en auras autant toutes les fois ; mais viens pas plus souvent que deux fois par semaine. »

Je compris bien ça, vu son âge. Mais ça me donna une réflexion. Je me dis : « Les jeunes gens, ça rigole, ça s'amuse ; mais il n'y a jamais gras, tandis que les vieux, c'est autre chose. » Et puis je les connaissais maintenant, les vieux singes, avec leurs yeux en coulisse et leur petit simulacre de tête.

Savez-vous ce que je fis, monsieur ? Je m'habillai en bobonne qui vient du marché, et je courais les rues en cherchant mes nourriciers. Oh ! je les pinçais du premier coup. Je me disais : « En v'là un qui mord. »

Il s'approchait. Il commençait :

— Bonjour, mamzelle.

— Bonjour, monsieur.

— Ousque vous allez comme ça ?

— Je rentre chez mes maîtres.

— Ils demeurent loin, vos maîtres ?

— Comme ci, comme ça.

Alors il ne savait plus quoi dire. Moi je ralentissais le pas pour le laisser s'expliquer.

Alors il prononçait, tout bas, quelques compli-ments, et puis il me demandait de passer chez lui. Je me faisais prier, vous comprenez, puis je cédais. J'en avais de la sorte deux ou trois pour chaque matin, et toutes mes après-midi libres. Ç'a été le bon temps de ma vie. Je ne me faisais pas de bile.

Mais voilà. On n'est jamais tranquille longtemps. Le malheur a voulu que je fisse la connaissance d'un

grand richard du grand monde. Un ancien président
qui avait bien soixante-quinze ans.

Un soir, il m'emmena dîner dans un restaurant des
environs. Et puis, vous comprenez, il n'a pas su se
modérer. Il est mort au dessert.

J'ai eu trois mois de prison, vu que je n'étais point
sous la surveillance[1].

C'est alors que je vins à Paris.

Oh! ici, monsieur, c'est dur de vivre. On ne mange
pas tous les jours, allez. Y en a trop. Enfin, tant pis,
chacun sa peine, n'est-ce pas?

Elle se tut. Je marchais à côté, le cœur serré. Tout à
coup, elle se remit à me tutoyer.

— Alors tu ne montes pas chez moi, mon chéri?
— Non, je te l'ai déjà dit.
— Eh bien! au revoir, merci tout de même, sans
rancune. Mais je t'assure que tu as tort.

Et elle partit, s'enfonçant dans la pluie fine comme
un voile. Je la vis passer sous un bec de gaz, puis
disparaître dans l'ombre. Pauvre fille!

---

1. On distinguait deux catégories de filles de rue : les *clandestines*, échappant donc à tout contrôle policier et sanitaire, et les
filles en carte, inscrites sur les registres de la police et donc
surveillées et astreintes, comme les *femmes de maison*, à des visites
médicales périodiques. Ici la fille est triplement en infraction : c'est
une *clandestine*, elle est mineure, elle se trouve avec son client dans
un lieu public.

LES SŒURS RONDOLI

A Georges de Porto-Riche[1]

I

Non, dit Pierre Jouvenet, je ne connais pas l'Italie,
et pourtant j'ai tenté deux fois d'y pénétrer, mais je
me suis trouvé arrêté à la frontière de telle sorte qu'il
m'a toujours été impossible de m'avancer plus loin.
Et pourtant ces deux tentatives m'ont donné une idée
charmante des mœurs de ce beau pays. Il me reste à
connaître les villes, les musées, les chefs-d'œuvre
dont cette terre est peuplée. J'essayerai de nouveau,
au premier jour, de m'aventurer sur ce territoire
infranchissable.

Vous ne comprenez pas ? — Je m'explique.

C'est en 1874 que le désir me vint de voir Venise,
Florence, Rome et Naples[2]. Ce goût me prit vers le
15 juin, alors que la sève violente du printemps vous
met au cœur des ardeurs de voyage et d'amour.

1. Dramaturge (1849-1930) à la mode, spécialiste de l'adultère
mondain et des fatalités de l'amour. Il aurait, dit-on, fourni à
Maupassant le sujet du *Horla*.
2. Maupassant ne visitera l'Italie qu'en 1885. Mais au cours de
ses fréquents séjours dans le Midi, il a sans doute poussé plusieurs
fois jusqu'à Gênes.

Je ne suis pas voyageur cependant. Changer de place me paraît une action inutile et fatigante. Les nuits en chemin de fer, le sommeil secoué des wagons avec des douleurs dans la tête et des courbatures dans les membres, les réveils éreintés dans cette boîte roulante, cette sensation de crasse sur la peau, ces saletés volantes qui vous poudrent les yeux et le poil, ce parfum de charbon dont on se nourrit, ces dîners exécrables dans le courant d'air des buffets sont, à mon avis, de détestables commencements pour une partie de plaisir.

Après cette introduction du *Rapide*, nous avons les tristesses de l'hôtel, du grand hôtel plein de monde et si vide, la chambre inconnue, navrante, le lit suspect ! — Je tiens à mon lit plus qu'à tout. Il est le sanctuaire de la vie. On lui livre nue sa chair fatiguée pour qu'il la ranime et la repose dans la blancheur des draps et dans la chaleur des duvets.

C'est là que nous trouvons les plus douces heures de l'existence, les heures d'amour et de sommeil. Le lit est sacré. Il doit être respecté, vénéré par nous, et aimé comme ce que nous avons de meilleur et de plus doux sur la terre.

Je ne puis soulever le drap d'un lit d'hôtel sans un frisson de dégoût. Qu'a-t-on fait là-dedans, l'autre nuit ? Quels gens malpropres, répugnants ont dormi sur ces matelas ? Et je pense à tous les êtres affreux qu'on coudoie chaque jour, aux vilains bossus, aux chairs bourgeonneuses, aux mains noires, qui font songer aux pieds et au reste. Je pense à ceux dont la rencontre vous jette au nez des odeurs écœurantes d'ail ou d'humanité. Je pense aux difformes, aux purulents, aux sueurs des malades, à toutes les laideurs et à toutes les saletés de l'homme.

Tout cela a passé dans ce lit où je vais dormir. J'ai mal au cœur en glissant mon pied dedans.

Et les dîners d'hôtel, les longs dîners de table d'hôte au milieu de toutes ces personnes assommantes ou grotesques ; et les affreux dîners solitaires à la petite table du restaurant en face d'une pauvre bougie coiffée d'un abat-jour.

Et les soirs navrants dans la cité ignorée ? Connaissez-vous rien de plus lamentable que la nuit qui tombe sur une ville étrangère ? On va devant soi au milieu d'un mouvement, d'une agitation qui semblent surprenants comme ceux de songes. On regarde ces figures qu'on n'a jamais vues, qu'on ne reverra jamais ; on écoute ces voix parler de choses qui vous sont indifférentes, en une langue qu'on ne comprend même point. On éprouve la sensation atroce de l'être perdu. On a le cœur serré, les jambes molles, l'âme affaissée. On marche comme si on fuyait, on marche pour ne pas rentrer dans l'hôtel où on se trouverait plus perdu encore parce qu'on y est chez soi, dans le chez soi payé de tout le monde, et on finit par tomber sur la chaise d'un café illuminé, dont les dorures et les lumières vous accablent mille fois plus que les ombres de la rue. Alors, devant le bock baveux apporté par un garçon qui court, on se sent si abominablement seul qu'une sorte de folie vous saisit, un besoin de partir, d'aller autre part, n'importe où, pour ne pas rester là, devant cette table de marbre et sous ce lustre éclatant. Et on s'aperçoit soudain qu'on est vraiment et toujours et partout seul au monde, mais que, dans les lieux connus, les coudoiements familiers vous donnent seulement l'illusion de la fraternité humaine. C'est en ces heures d'abandon, de noir isolement dans les cités lointaines qu'on pense largement, clairement, et profondément. C'est alors qu'on voit bien toute la vie d'un seul coup d'œil en dehors de l'optique d'espérance éternelle, en dehors de la tromperie des habitudes prises et de l'attente du bonheur toujours rêvé.

C'est en allant loin qu'on comprend bien comme tout est proche et court et vide ; c'est en cherchant l'inconnu qu'on s'aperçoit bien comme tout est médiocre et vite fini ; c'est en parcourant la terre qu'on voit bien comme elle est petite et sans cesse à peu près pareille.

Oh! les soirées sombres de marche au hasard par des rues ignorées, je les connais. J'ai plus peur d'elles que de tout.

Aussi comme je ne voulais pour rien partir seul en ce voyage d'Italie je décidai à m'accompagner mon ami Paul Pavilly.

Vous connaissez Paul. Pour lui, le monde, la vie, c'est la femme. Il y a beaucoup d'hommes de cette race-là. L'existence lui apparaît poétisée, illuminée par la présence des femmes. La terre n'est habitable que parce qu'elles y sont; le soleil est brillant et chaud parce qu'il les éclaire. L'air est doux à respirer parce qu'il glisse sur leur peau et fait voltiger les courts cheveux de leurs tempes. La lune est charmante parce qu'elle leur donne à rêver et qu'elle prête à l'amour un charme langoureux. Certes tous les actes de Paul ont les femmes pour mobile; toutes ses pensées vont vers elles, ainsi que tous ses efforts et toutes ses espérances.

Un poète a flétri cette espèce d'hommes :

Je déteste surtout le barde à l'œil humide
Qui regarde une étoile en murmurant un nom,
Et pour qui la nature immense serait vide
S'il ne portait en croupe ou Lisette ou Ninon.

Ces gens-là sont charmants qui se donnent la
                                           [peine,
Afin qu'on s'intéresse à ce pauvre univers,
D'attacher des jupons aux arbres de la plaine
Et la cornette blanche au front des coteaux verts.

Certes ils n'ont pas compris tes musiques divines,
Éternelle Nature aux frémissantes voix,
Ceux qui ne vont pas seuls par les creuses ravines
Et rêvent d'une femme au bruit que font les bois![1]

---

1. Maupassant cite souvent ce passage d'un poème de Louis Bouilhet (1822-1869) qui fut son correspondant lorsqu'il était interne au lycée de Rouen et s'intéressa de près à ses premiers essais littéraires. Il s'agit du poème « J'aimai. Qui n'aima pas ? » dans *Festons et Astragales* (1859).

Quand je parlai à Paul de l'Italie, il refusa d'abord absolument de quitter Paris, mais je me mis à lui raconter des aventures de voyage, je lui dis comme les Italiennes passent pour charmantes ; je lui fis espérer des plaisirs raffinés, à Naples, grâce à une recommandation que j'avais pour un certain signore Michel Amoroso dont les relations sont fort utiles aux voyageurs ; et il se laissa tenter.

II

Nous prîmes le *Rapide* un jeudi soir, le 26 juin. On ne va guère dans le Midi à cette époque ; nous étions seuls dans le wagon, et de mauvaise humeur tous les deux, ennuyés de quitter Paris, déplorant d'avoir cédé à cette idée de voyage, regrettant Marly si frais, la Seine si belle, les berges si douces, les bonnes journées de flâne dans une barque, les bonnes soirées de somnolence sur la rive, en attendant la nuit qui tombe.

Paul se cala dans son coin, et déclara, dès que le train se fut mis en route : « C'est stupide d'aller là-bas. »

Comme il était trop tard pour qu'il changeât d'avis, je répliquai : « Il ne fallait pas venir. »

Il ne répondit point. Mais une envie de rire me prit en le regardant tant il avait l'air furieux. Il ressemble certainement à un écureuil. Chacun de nous d'ailleurs garde dans les traits, sous la ligne humaine, un type d'animal, comme la marque de sa race primitive. Combien de gens ont des gueules de bulldog, des têtes de bouc, de lapin, de renard, de cheval, de bœuf ! Paul est un écureuil devenu homme. Il a les yeux vifs de cette bête, son poil roux, son nez pointu, son corps petit, fin, souple et remuant, et puis une

mystérieuse ressemblance dans l'allure générale. Que
sais-je ? une similitude de gestes, de mouvements, de
tenue qu'on dirait être du souvenir.

Enfin nous nous endormîmes tous les deux de ce
sommeil bruissant de chemin de fer que coupent
d'horribles crampes dans les bras et dans le cou et les
arrêts brusques du train.

Le réveil eut lieu comme nous filions le long du
Rhône. Et bientôt le cri continu des cigales entrant
par la portière, ce cri qui semble la voix de la terre
chaude, le chant de la Provence, nous jeta dans la
figure, dans la poitrine, dans l'âme la gaie sensation
du Midi, la saveur du sol brûlé, de la patrie pierreuse
et claire de l'olivier trapu au feuillage vert-de-gris.

Comme le train s'arrêtait encore, un employé se
mit à courir le long du convoi en lançant un *Valence*
sonore, un vrai *Valence*, avec l'accent, avec tout
l'accent, un *Valence* enfin qui nous fit passer de
nouveau dans le corps ce goût de Provence que nous
avait déjà donné la note grinçante des cigales.

Jusqu'à Marseille, rien de nouveau.

Nous descendîmes au buffet pour déjeuner.

Quand nous remontâmes dans notre wagon une
femme y était installée.

Paul me jeta un coup d'œil ravi ; et, d'un geste
machinal, il frisa sa courte moustache, puis, soulevant
un peu sa coiffure, il glissa, comme un peigne, ses
cinq doigts ouverts dans ses cheveux fort dérangés par
cette nuit de voyage. Puis il s'assit en face de
l'inconnue.

Chaque fois que je me trouve, soit en route, soit
dans le monde, devant un visage nouveau, j'ai
l'obsession de deviner quelle âme, quelle intelligence,
quel caractère se cachent derrière ces traits.

C'était une jeune femme, toute jeune et jolie, une
fille du Midi assurément. Elle avait des yeux superbes, d'admirables cheveux noirs, ondulés, un peu
crêpelés, tellement touffus, vigoureux et longs, qu'ils
semblaient lourds, qu'ils donnaient rien qu'à les voir

la sensation de leur poids sur la tête. Vêtue avec élégance et un certain mauvais goût méridional, elle semblait un peu commune. Les traits réguliers de sa face n'avaient point cette grâce, ce fini des races élégantes, cette délicatesse légère que les fils d'aristocrates reçoivent en naissant et qui est comme la marque héréditaire d'un sang moins épais.

Elle portait des bracelets trop larges pour être en or, des boucles d'oreilles ornées de pierres transparentes trop grosses pour être des diamants; et elle avait dans toute sa personne un je ne sais quoi de peuple. On devinait qu'elle devait parler trop fort, crier en toute occasion avec des gestes exubérants.

Le train partit.

Elle demeurait immobile à sa place, les yeux fixés devant elle dans une pose renfrognée de femme furieuse. Elle n'avait pas même jeté un regard sur nous.

Paul se mit à causer avec moi, disant des choses apprêtées pour produire de l'effet, étalant une devanture de conversation pour attirer l'intérêt comme les marchands étalent en montre leurs objets de choix pour éveiller le désir.

Mais elle semblait ne pas entendre.

« Toulon! dix minutes d'arrêt! Buffet! » cria l'employé.

Paul me fit signe de descendre, et, sitôt sur le quai : « Dis-moi, qui ça peut bien être? »

Je me mis à rire : « Je ne sais pas, moi. Ça m'est bien égal. »

Il était fort allumé : « Elle est rudement jolie et fraîche, la gaillarde! Quels yeux! Mais elle n'a pas l'air content. Elle doit avoir des embêtements; elle ne fait attention à rien. »

Je murmurai : « Tu perds tes frais. »

Mais il se fâcha : « Je ne fais pas de frais, mon cher; je trouve cette femme très jolie, voilà tout. Si on pouvait lui parler! Mais que lui dire? Voyons, tu n'as pas une idée, toi? Tu ne soupçonnes pas qui ça peut être?

— Ma foi, non. Cependant je pencherais pour une cabotine qui rejoint sa troupe après une fuite amoureuse. »

Il eut l'air froissé, comme si je lui avais dit quelque chose de blessant, et il reprit : « A quoi vois-tu ça ? Moi je lui trouve au contraire l'air très comme il faut. »

Je répondis : « Regarde les bracelets, mon cher, et les boucles d'oreilles, et la toilette. Je ne serais pas étonné non plus que ce fût une danseuse, ou peut-être même une écuyère, mais plutôt une danseuse. Elle a dans toute sa personne quelque chose qui sent le théâtre. »

Cette idée le gênait décidément : « Elle est trop jeune, mon cher, elle a à peine vingt ans.

— Mais, mon bon, il y a bien des choses qu'on peut faire avant vingt ans, la danse et la déclamation sont de celles-là, sans compter d'autres encore qu'elle pratique peut-être uniquement. »

« Les voyageurs pour l'express de Nice, Vintimille, en voiture ! » criait l'employé.

Il fallait remonter. Notre voisine mangeait une orange. Décidément elle n'était pas d'allure distinguée. Elle avait ouvert son mouchoir sur ses genoux ; et sa manière d'arracher la peau dorée, d'ouvrir la bouche pour saisir les quartiers entre ses lèvres, de cracher les pépins par la portière révélait toute une éducation commune d'habitudes et de gestes.

Elle semblait d'ailleurs plus grinchue[1] que jamais, et elle avalait rapidement son fruit avec un air de fureur tout à fait drôle.

Paul la dévorait du regard, cherchant ce qu'il fallait faire pour éveiller son attention, pour remuer sa curiosité. Et il se remit à causer avec moi, donnant jour à une procession d'idées distinguées, citant familièrement des noms connus. Elle ne prenait nullement garde à ses efforts.

On passa Fréjus, Saint-Raphaël. Le train courait

_____
1. Maussade, revêche (*cf.* grincheuse).

dans ce jardin, dans ce paradis des roses, dans ce bois d'orangers et de citronniers épanouis qui portent en même temps leurs bouquets blancs et leurs fruits d'or, dans ce royaume des parfums, dans cette patrie des fleurs, sur ce rivage admirable qui va de Marseille à Gênes.

C'est en juin qu'il faut suivre cette côte où poussent, libres, sauvages, par les étroits vallons, sur les pentes des collines, toutes les fleurs les plus belles. Et toujours on revoit des roses, des champs, des plaines, des haies, des bosquets de roses. Elles grimpent aux murs, s'ouvrent sur les toits, escaladent les arbres, éclatent dans les feuillages, blanches, rouges, jaunes, petites ou énormes, maigres, avec une robe unie et simple, ou charnues, en lourde et brillante toilette.

Et leur souffle puissant, leur souffle continu épaissit l'air, le rend savoureux et alanguissant. Et la senteur plus pénétrante encore des orangers ouverts semble sucrer ce qu'on respire, en faire une friandise pour l'odorat.

La grande côte aux rochers bruns s'étend baignée par la Méditerranée immobile. Le pesant soleil d'été tombe en nappe de feu sur les montagnes, sur les longues berges de sable, sur la mer d'un bleu dur et figé. Le train va toujours, entre dans les tunnels pour traverser les caps, glisse sur les ondulations des collines, passe au-dessus de l'eau sur des corniches droites comme des murs; et une douce, une vague odeur salée, une odeur d'algues qui sèchent se mêle parfois à la grande et troublante odeur des fleurs.

Mais Paul ne voyait rien, ne regardait rien, ne sentait rien. La voyageuse avait pris toute son attention.

A Cannes, ayant encore à me parler, il me fit signe de descendre de nouveau.

A peine sortis du wagon, il me prit le bras.

« Tu sais qu'elle est ravissante. Regarde ses yeux. Et ses cheveux, mon cher, je n'en ai jamais vu de pareils ! »

Je lui dis : « Allons, calme-toi ; ou bien, attaque si tu as des intentions. Elle ne m'a pas l'air imprenable, bien qu'elle paraisse un peu grognon. »

Il reprit : « Est-ce que tu ne pourrais pas lui parler, toi ? Moi, je ne trouve rien. Je suis d'une timidité stupide au début. Je n'ai jamais su aborder une femme dans la rue. Je les suis, je tourne autour, je m'approche, et jamais je ne découvre la phrase nécessaire. Une seule fois j'ai fait une tentative de conversation. Comme je voyais de la façon la plus évidente qu'on attendait mes ouvertures, et comme il fallait absolument dire quelque chose, je balbutiai : "Vous allez bien, madame ?" Elle me rit au nez, et je me suis sauvé. »

Je promis à Paul d'employer toute mon adresse pour amener une conversation, et, lorsque nous eûmes repris nos places, je demandai gracieusement à notre voisine : « Est-ce que la fumée de tabac vous gêne ? madame. »

Elle répondit : « Non capisco[1]. »

C'était une Italienne ! Une folle envie de rire me saisit. Paul ne sachant pas un mot de cette langue, je devais lui servir d'interprète. J'allais commencer mon rôle. Je prononçai, alors, en italien :

« Je vous demandais, madame, si la fumée du tabac vous gêne le moins du monde ? »

Elle me jeta d'un air furieux : « Che mi fa ? »

Elle n'avait pas tourné la tête ni levé les yeux sur moi, et je demeurai fort perplexe, ne sachant si je devais prendre ce « qu'est-ce que ça me fait ? » pour une autorisation, pour un refus, pour une vraie marque d'indifférence ou pour un simple : « Laissez-moi tranquille. »

Je repris : « Madame, si l'odeur vous gêne le moins du monde ?... »

Elle répondit alors : « Mica[2] » avec une intonation qui équivalait à : « Fichez-moi la paix ! » C'était

1. Italien : *Je ne comprends pas.*
2. Italien : *Pas du tout.*

cependant une permission, et je dis à Paul : « Tu peux fumer. » Il me regardait avec ces yeux étonnés qu'on a quand on cherche à comprendre des gens qui parlent devant vous une langue étrangère. Et il demanda d'un air tout à fait drôle :

« Qu'est-ce que tu lui as dit ?

— Je lui ai demandé si nous pouvions fumer.

— Elle ne sait donc pas le français ?

— Pas un mot.

— Qu'a-t-elle répondu ?

— Qu'elle nous autorisait à faire tout ce qui nous plairait. »

Et j'allumai mon cigare.

Paul reprit : « C'est tout ce qu'elle a dit ?

— Mon cher, si tu avais compté ses paroles, tu aurais remarqué qu'elle en a prononcé juste six, dont deux pour me faire comprendre qu'elle n'entendait pas le français. Il en reste donc quatre. Or, en quatre mots, on ne peut vraiment exprimer une quantité de choses. »

Paul semblait tout à fait malheureux, désappointé, désorienté.

Mais soudain l'Italienne me demanda de ce même ton mécontent qui lui paraissait naturel : « Savez-vous à quelle heure nous arriverons à Gênes ? »

Je répondis : « A onze heures du soir, madame. » Puis, après une minute de silence, je repris : « Nous allons également à Gênes, mon ami et moi, et si nous pouvions, pendant le trajet, vous être bons à quelque chose, croyez que nous en serions très heureux. »

Comme elle ne répondait pas, j'insistai : « Vous êtes seule, et si vous aviez besoin de nos services... » Elle articula un nouveau « mica » si dur que je me tus brusquement.

Paul demanda :

« Qu'est-ce qu'elle a dit ?

— Elle a dit qu'elle te trouvait charmant. »

Mais il n'était pas en humeur de plaisanterie ; et il me pria sèchement de ne point me moquer de lui.

Alors, je traduisis et la question de la jeune femme et
ma proposition galante si vertement repoussée.

Il était vraiment agité comme un écureuil en cage.
Il dit : « Si nous pouvions savoir à quel hôtel elle
descend, nous irions au même. Tâche donc de l'interroger adroitement, de faire naître une nouvelle occasion de lui parler. »

Ce n'était vraiment pas facile et je ne savais
qu'inventer, désireux moi-même de faire connaissance avec cette personne difficile.

On passa Nice, Monaco, Menton, et le train
s'arrêta à la frontière pour la visite des bagages.

Bien que j'aie en horreur les gens mal élevés qui
déjeunent et dînent dans les wagons, j'allai acheter
tout un chargement de provisions pour tenter un
effort suprême sur la gourmandise de notre
compagne. Je sentais bien que cette fille-là devait
être, en temps ordinaire, d'abord aisé. Une contra-
riété quelconque la rendait irritable, mais il suffisait
peut-être d'un rien, d'une envie éveillée, d'un mot,
d'une offre bien faite pour la dérider, la décider et la
conquérir.

On repartit. Nous étions toujours seuls tous les
trois. J'étalai mes vivres sur la banquette, je découpai
le poulet, je disposai élégamment les tranches de
jambon sur un papier, puis j'arrangeai avec soin tout
près de la jeune femme notre dessert : fraises,
prunes, cerises, gâteaux et sucreries.

Quand elle vit que nous nous mettions à manger,
elle tira à son tour d'un petit sac un morceau de
chocolat et deux croissants et elle commença à cro-
quer de ses belles dents aiguës le pain croustillant et la
tablette.

Paul me dit à demi-voix.

« Invite-la donc !

— C'est bien mon intention, mon cher, mais le
début n'est pas facile. »

Cependant elle regardait parfois du côté de nos
provisions et je sentis bien qu'elle aurait encore faim

une fois finis ses deux croissants. Je la laissai donc terminer son dîner frugal. Puis je lui demandai :

« Vous seriez tout à fait gracieuse, madame, si vous vouliez accepter un de ces fruits ? »

Elle répondit encore : « Mica ! » mais d'une voix moins méchante que dans le jour, et j'insistai : « Alors, voulez-vous me permettre de vous offrir un peu de vin ? Je vois que vous n'avez rien bu. C'est du vin de votre pays, du vin d'Italie, et puisque nous sommes maintenant chez vous, il nous serait fort agréable de voir une jolie bouche italienne accepter l'offre des Français, ses voisins. »

Elle faisait « non » de la tête, doucement, avec la volonté de refuser, et avec le désir d'accepter, et elle prononça encore « mica » mais un « mica » presque poli. Je pris la petite bouteille vêtue de paille à la mode italienne ; j'emplis un verre et je le lui présentai.

« Buvez, lui dis-je, ce sera notre bienvenue dans votre patrie. »

Elle prit le verre d'un air mécontent et le vida d'un seul trait, en femme que la soif torture, puis elle me le rendit sans dire merci.

Alors, je lui présentai les cerises : « Prenez, madame, je vous en prie. Vous voyez bien que vous nous faites grand plaisir. »

Elle regardait de son coin tous les fruits étalés à côté d'elle et elle prononça si vite que j'avais grand-peine à entendre : « A me non piacciono ne le ciliegie ne le susine ; amo soltanto le fragole. »

« Qu'est-ce qu'elle dit ? demanda Paul aussitôt.

— Elle dit qu'elle n'aime ni les cerises ni les prunes, mais seulement les fraises. »

Et je posai sur ses genoux le journal plein de fraises des bois. Elle se mit aussitôt à les manger très vite, les saisissant du bout des doigts et les lançant, d'un peu loin, dans sa bouche qui s'ouvrait pour les recevoir d'une façon coquette et charmante.

Quand elle eut achevé le petit tas rouge que nous avions vu en quelques minutes diminuer, fondre,

disparaître sous le mouvement vif de ses mains, je lui
demandai : « Et maintenant, qu'est-ce que je peux
vous offrir ? »

Elle répondit : « Je veux bien un peu de poulet. »

Et elle dévora certes la moitié de la volaille qu'elle
dépeçait à grands coups de mâchoire avec des allures
de carnivore. Puis elle se décida à prendre des cerises,
qu'elle n'aimait pas, puis des prunes, puis des
gâteaux, puis elle dit : « C'est assez », et elle se blottit
dans son coin.

Je commençais à m'amuser beaucoup et je voulus
la faire manger encore, multipliant pour la décider les
compliments et les offres. Mais elle redevint tout à
coup furieuse et me jeta par la figure un « mica »
répété si terrible que je ne me hasardai plus à troubler
sa digestion.

Je me tournai vers mon ami : « Mon pauvre Paul,
je crois que nous en sommes pour nos frais. »

La nuit venait, une chaude nuit d'été qui descendait lentement, étendait ses ombres tièdes sur la terre
brûlante et lasse. Au loin, de place en place, par la
mer, des feux s'allumaient sur les caps, au sommet
des promontoires, et des étoiles aussi commençaient
à paraître à l'horizon obscurci, et je les confondais
parfois avec les phares.

Le parfum des orangers devenait plus pénétrant ;
on le respirait avec ivresse, en élargissant les poumons pour le boire profondément. Quelque chose de
doux, de délicieux, de divin semblait flotter dans l'air
embaumé.

Et tout à coup, j'aperçus sous les arbres, le long de
la voie, dans l'ombre toute noire maintenant, quelque
chose comme une pluie d'étoiles. On eût dit des
gouttes de lumière sautillant, voletant, jouant et courant dans les feuilles, des petits astres tombés du ciel
pour faire une partie sur la terre. C'étaient des
lucioles, ces mouches ardentes dansant dans l'air
parfumé un étrange ballet de feu.

Une d'elles, par hasard, entra dans notre wagon et

se mit à vagabonder jetant sa lueur intermittente, éteinte aussitôt qu'allumée. Je couvris de son voile bleu notre quinquet[1] et je regardais la mouche fantastique aller, venir, selon les caprices de son vol enflammé. Elle se posa, tout à coup, dans les cheveux noirs de notre voisine assoupie après dîner. Et Paul demeurait en extase, les yeux fixés sur ce point brillant qui scintillait comme un bijou vivant sur le front de la femme endormie.

L'Italienne se réveilla vers dix heures trois quarts, portant toujours dans sa coiffure la petite bête allumée. Je dis, en la voyant remuer : « Nous arrivons à Gênes, madame. » Elle murmura, sans me répondre, comme obsédée par une pensée fixe et gênante : « Qu'est-ce que je vais faire maintenant ? »

Puis, tout d'un coup, elle me demanda :

« Voulez-vous que je vienne avec vous ? »

Je demeurai tellement stupéfait que je ne comprenais pas.

« Comment, avec nous ? Que voulez-vous dire ? »

Elle répéta, d'un air de plus en plus furieux :

« Voulez-vous que j'aille avec vous tout de suite ?

— Je veux bien, moi ; mais où désirez-vous aller ? Où voulez-vous que je vous conduise ? »

Elle haussa les épaules avec une indifférence souveraine.

« Où vous voudrez ! Ça m'est égal. »

Elle répéta deux fois : « Che mi fa ? »

« Mais, c'est que nous allons à l'hôtel ! »

Elle dit du ton le plus méprisant : « Eh bien ! allons à l'hôtel. »

Je me tournai vers Paul, et je prononçai :

« Elle demande si nous voulons qu'elle vienne avec nous. »

La surprise affolée de mon ami me fit reprendre mon sang-froid. Il balbutia :

« Avec nous ? Où ça ? Pourquoi ? Comment ?

— Je n'en sais rien, moi ! Elle vient de me faire

_____

1. Lampe, ainsi nommée du nom de son inventeur.

cette étrange proposition du ton le plus irrité. J'ai
répondu que nous allions à l'hôtel ; elle a répliqué :
« Eh bien, allons à l'hôtel ! » Elle ne doit pas avoir le
sou. C'est égal, elle a une singulière manière de faire
connaissance. »

Paul, agité et frémissant, s'écria : « Mais certes
oui, je veux bien, dis-lui que nous l'emmenons où il
lui plaira. » Puis il hésita une seconde et reprit d'une
voix inquiète : « Seulement il faudrait savoir avec qui
elle vient ? Est-ce avec toi ou avec moi ? »

Je me tournai vers l'Italienne qui ne semblait même
pas nous écouter, retombée dans sa complète insouciance et je lui dis : « Nous serons très heureux,
madame, de vous emmener avec nous. Seulement
mon ami désirerait savoir si c'est mon bras ou le sien
que vous voulez prendre comme appui ? »

Elle ouvrit sur moi ses grands yeux noirs et répondit avec une vague surprise : « Che mi fa ? »

Je m'expliquai : « On appelle en Italie, je crois,
l'ami qui prend soin de tous les désirs d'une femme,
qui s'occupe de toutes ses volontés et satisfait tous ses
caprices, un *patito*[1]. Lequel de nous deux voulez-vous
pour votre patito ? »

Elle répondit sans hésiter : « Vous ! »

Je me retournai vers Paul : « C'est moi qu'elle
choisit, mon cher, tu n'as pas de chance. »

Il déclara, d'un air rageur : « Tant mieux pour
toi. »

Puis, après avoir réfléchi quelques minutes :
« Est-ce que tu tiens à emmener cette grue-là ? Elle va
nous faire rater notre voyage. Que veux-tu que nous
fassions de cette femme qui a l'air de je ne sais quoi ?
On ne va seulement pas nous recevoir dans un hôtel
comme il faut ! »

Mais je commençais justement à trouver l'Italienne
beaucoup mieux que je ne l'avais jugée d'abord, et je
tenais, oui, je tenais à l'emmener maintenant. J'étais

1. Italien : *soupirant, amoureux*, qui se met au service d'une
femme.

même ravi de cette pensée, et je sentais déjà ces petits frissons d'attente que la perspective d'une nuit d'amour vous fait passer dans les veines.

Je répondis : « Mon cher, nous avons accepté. Il est trop tard pour reculer. Tu as été le premier à me conseiller de répondre : Oui. »

Il grommela : « C'est stupide ! Enfin, fais comme tu voudras. »

Le train sifflait, ralentissait ; on arriva.

Je descendis du wagon, puis je tendis la main à ma nouvelle compagne. Elle sauta lestement à terre, et je lui offris mon bras qu'elle eut l'air de prendre avec répugnance. Une fois les bagages reconnus et réclamés, nous voilà partis à travers la ville. Paul marchait en silence, d'un pas nerveux.

Je lui dis : « Dans quel hôtel allons-nous descendre ? Il est peut-être difficile d'aller à la *Cité de Paris* avec une femme, surtout avec cette Italienne. »

Paul m'interrompit : « Oui, avec une Italienne qui a plutôt l'air d'une fille que d'une duchesse. Enfin, cela ne me regarde pas. Agis à ton gré ! »

Je demeurais perplexe. J'avais écrit à la *Cité de Paris* pour retenir notre appartement, et maintenant… je ne savais plus à quoi me décider.

Deux commissionnaires nous suivaient avec les malles. Je repris : « Tu devrais bien aller en avant. Tu dirais que nous arrivons. Tu laisserais, en outre, entendre au patron que je suis avec une… amie, et que nous désirons un appartement tout à fait séparé pour nous trois, afin de ne pas nous mêler aux autres voyageurs. Il comprendra, et nous nous déciderons d'après sa réponse. »

Mais Paul grommela : « Merci, ces commissions et ce rôle ne me vont guère. Je ne suis pas venu ici pour préparer tes appartements et tes plaisirs. »

Mais j'insistai : « Voyons, mon cher, ne te fâche pas. Il vaut mieux assurément descendre dans un bon hôtel que dans un mauvais, et ce n'est pas bien difficile d'aller demander au patron trois chambres séparées, avec salle à manger. »

J'appuyai sur trois, ce qui le décida.

Il prit donc les devants et je le vis entrer sous la grande porte d'un bel hôtel pendant que je demeurais de l'autre côté de la rue, traînant mon Italienne muette, et suivi pas à pas par les porteurs de colis.

Paul enfin revint, avec un visage aussi maussade que celui de ma compagne : « C'est fait, dit-il, on nous accepte ; mais il n'y a que deux chambres. Tu t'arrangeras comme tu pourras. »

Et je le suivis, honteux d'entrer en cette compagnie suspecte.

Nous avions deux chambres en effet, séparées par un petit salon. Je priai qu'on nous apportât un souper froid, puis je me tournai, un peu perplexe, vers l'Italienne.

« Nous n'avons pu nous procurer que deux chambres, madame, vous choisirez celle que vous voudrez. »

Elle répondit par un éternel : « Che mi fa ? » Alors je pris, par terre, sa petite caisse de bois noir, une vraie malle de domestique, et je la portai dans l'appartement de droite que je choisis pour elle... pour nous. Une main française avait écrit sur un carré de papier collé : « Mademoiselle Francesca Rondoli. Gênes. »

Je demandai : « Vous vous appelez Francesca ? »

Elle fit « oui » de la tête, sans répondre.

Je repris : « Nous allons souper tout à l'heure. En attendant, vous avez peut-être envie de faire votre toilette ? »

Elle répondit par un « mica », mot aussi fréquent dans sa bouche que le « che mi fa ». J'insistai : « Après un voyage en chemin de fer, il est si agréable de se nettoyer. »

Puis je pensai qu'elle n'avait peut-être pas les objets indispensables à une femme, car elle me paraissait assurément dans une situation singulière, comme au sortir de quelque aventure désagréable, et j'apportai mon nécessaire.

J'atteignis tous les petits instruments de propreté qu'il contenait : une brosse à ongles, une brosse à dents neuve — car j'en emporte toujours avec moi un assortiment — mes ciseaux, mes limes, des éponges. Je débouchai un flacon d'eau de Cologne, un flacon d'eau de lavande ambrée, un petit flacon de « new-mown hay[1] », pour lui laisser le choix. J'ouvris ma boîte à poudre de riz où baignait la houppe légère. Je plaçai une de mes serviettes fines à cheval sur le pot à eau et je posai un savon vierge auprès de la cuvette.

Elle suivait mes mouvements de son œil large et fâché, sans paraître étonnée ni satisfaite de mes soins.

Je lui dis : « Voilà tout ce qu'il vous faut, je vous préviendrai quand le souper sera prêt. »

Et je rentrai dans le salon. Paul avait pris possession de l'autre chambre et s'était enfermé dedans, je restai donc seul à attendre.

Un garçon allait et venait, apportant les assiettes, les verres. Il mit la table lentement, puis posa dessus un poulet froid et m'annonça que j'étais servi.

Je frappai doucement à la porte de Mlle Rondoli. Elle cria : « Entrez. » J'entrai. Une suffocante odeur de parfumerie me saisit, cette odeur violente, épaisse, des boutiques de coiffeur.

L'Italienne était assise sur sa malle dans une pose de songeuse mécontente ou de bonne renvoyée. J'appréciai d'un coup d'œil ce qu'elle entendait par faire sa toilette. La serviette était restée pliée sur le pot à eau toujours plein. Le savon intact et sec demeurait auprès de la cuvette vide ; mais on eût dit que la jeune femme avait bu la moitié des flacons d'essence. L'eau de Cologne cependant avait été ménagée ; il ne manquait environ qu'un tiers de la bouteille ; elle avait fait, par compensation, une surprenante consommation d'eau de lavande ambrée et de « new-mown hay ». Un nuage de poudre de riz, un vague brouillard blanc semblait encore flotter dans l'air, tant elle s'en était barbouillé le visage et le cou.

1. Eau de toilette anglaise aux senteurs de foin frais coupé.

Elle en portait une sorte de neige dans les cils, dans les sourcils et sur les tempes, tandis que ses joues en étaient plâtrées et qu'on en voyait des couches profondes dans tous les creux de son visage, sur les ailes du nez, dans la fossette du menton, aux coins des yeux.

Quand elle se leva, elle répandit une odeur si violente que j'eus une sensation de migraine.

Et on se mit à table pour souper. Paul était devenu d'une humeur exécrable. Je n'en pouvais tirer que des paroles de blâme, des appréciations irritées ou des compliments désagréables.

Mlle Francesca mangeait comme un gouffre. Dès qu'elle eut achevé son repas, elle s'assoupit sur le canapé. Cependant, je voyais venir avec inquiétude l'heure décisive de la répartition des logements. Je me résolus à brusquer les choses, et m'asseyant auprès de l'Italienne, je lui baisai la main avec galanterie.

Elle entrouvrit ses yeux fatigués, me jeta entre ses paupières soulevées un regard endormi et toujours mécontent.

Je lui dis : « Puisque nous n'avons que deux chambres, voulez-vous me permettre d'aller avec vous dans la vôtre ? »

Elle répondit : « Faites comme vous voudrez. Ça m'est égal. Che mi fa ? »

Cette indifférence me blessa : « Alors, ça ne vous est pas agréable que j'aille avec vous ?

— Ça m'est égal, faites comme vous voudrez.

— Voulez-vous vous coucher tout de suite ?

— Oui, je veux bien ; j'ai sommeil. »

Elle se leva, bâilla, tendit la main à Paul qui la prit d'un air furieux, et je l'éclairai dans notre appartement.

Mais une inquiétude me hantait : « Voici, lui dis-je de nouveau, tout ce qu'il vous faut. »

Et j'eus soin de verser moi-même la moitié du pot à eau dans la cuvette et de placer la serviette près du savon.

Puis je retournai vers Paul. Il déclara dès que je fus rentré : « Tu as amené là un joli chameau ! » Je répliquai en riant : « Mon cher, ne dis pas de mal des raisins trop verts[1]. »

Il reprit, avec une méchanceté sournoise : « Tu verras s'il t'en cuira, mon bon. »

Je tressaillis, et cette peur harcelante qui nous poursuit après les amours suspectes, cette peur qui nous gâte les rencontres charmantes, les caresses imprévues, tous les baisers cueillis à l'aventure, me saisit. Je fis le brave cependant : « Allons donc, cette fille-là n'est pas une rouleuse[2]. »

Mais il me tenait le gredin ! Il avait vu sur mon visage passer l'ombre de mon inquiétude :

« Avec ça que tu la connais ! Je te trouve surprenant ! Tu cueilles dans un wagon une Italienne qui voyage seule ; elle t'offre avec un cynisme vraiment singulier d'aller coucher avec toi dans le premier hôtel venu. Tu l'emmènes. Et tu prétends que ce n'est pas une fille ! Et tu te persuades que tu ne cours pas plus de danger ce soir que si tu allais passer la nuit dans le lit d'une... d'une femme atteinte de petite vérole. »

Et il riait de son rire mauvais et vexé. Je m'assis, torturé d'angoisse. Qu'allais-je faire ? Car il avait raison. Et un combat terrible se livrait en moi entre la crainte et le désir.

Il reprit : « Fais ce que tu voudras, je t'aurai prévenu ; tu ne te plaindras point des suites. »

Mais je vis dans son œil une gaieté si ironique, un tel plaisir de vengeance ; il se moquait si gaillardement de moi que je n'hésitai plus. Je lui tendis la main. « Bonsoir », lui dis-je.

A vaincre sans péril, on triomphe sans gloire[3].

1. *Cf.* la fable de La Fontaine *Le Renard et les Raisins* : « Ils sont trop verts et bons pour les goujats. »
2. Vagabonde, prostituée.
3. *Cf.* Corneille : *Le Cid*, II, 2.

« Et ma foi, mon cher, la victoire vaut le danger. »

Et j'entrai d'un pas ferme dans la chambre de Francesca.

Je demeurai sur la porte, surpris, émerveillé. Elle dormait déjà, toute nue, sur le lit. Le sommeil l'avait surprise comme elle venait de se dévêtir; et elle reposait dans la pose charmante de la grande femme du Titien[1].

Elle semblait s'être couchée par lassitude, pour ôter ses bas, car ils étaient restés sur le drap; puis elle avait pensé à quelque chose, sans doute à quelque chose d'agréable, car elle avait attendu un peu avant de se relever, pour laisser s'achever sa rêverie, puis, fermant doucement les yeux, elle avait perdu connaissance. Une chemise de nuit, brodée au col, achetée toute faite dans un magasin de confection, luxe de débutante, gisait sur une chaise.

Elle était charmante, jeune, ferme et fraîche.

Quoi de plus joli qu'une femme endormie? Ce corps, dont tous les contours sont doux, dont toutes les courbes séduisent, dont toutes les molles saillies troublent le cœur, semble fait pour l'immobilité du lit. Cette ligne onduleuse qui se creuse au flanc, se soulève à la hanche, puis descend la pente légère et gracieuse de la jambe pour finir si coquettement au bout du pied ne se dessine vraiment avec tout son charme exquis qu'allongée sur les draps d'une couche.

J'allais oublier, en une seconde, les conseils prudents de mon camarade; mais, soudain, m'étant tourné vers la toilette, je vis toutes choses dans l'état où je les avais laissées; et je m'assis, tout à fait anxieux, torturé par l'irrésolution.

Certes, je suis resté là longtemps, fort longtemps,

---

1. Peintre vénitien (1490-1576). Il s'agit sans doute ici de la *Vénus au repos* (1538) de la Galerie des Offices à Florence qui semble avoir fasciné Maupassant. (*cf. La Vie errante* : « Florence m'attire presque sensuellement par cette image de femme couchée, rêve prodigieux d'attrait charnel. »)

une heure peut-être, sans me décider à rien, ni à l'audace ni à la fuite. La retraite d'ailleurs m'était impossible, et il me fallait soit passer la nuit sur un siège, soit me coucher à mon tour, à mes risques et périls.

Quant à dormir ici ou là, je n'y devais pas songer, j'avais la tête trop agitée et les yeux trop occupés.

Je remuais sans cesse, vibrant, enfiévré, mal à l'aise, énervé à l'excès. Puis je me fis un raisonnement de capitulard : « Ça ne m'engage à rien de me coucher. Je serai toujours mieux, pour me reposer, sur un matelas que sur une chaise. »

Et je me déshabillai lentement ; puis passant par-dessus la dormeuse, je m'étendis contre la muraille, en offrant le dos à la tentation.

Et je demeurai encore longtemps, fort longtemps sans dormir.

Mais, tout à coup, ma voisine se réveilla. Elle ouvrit des yeux étonnés et toujours mécontents, puis s'étant aperçue qu'elle était nue, elle se leva et passa tranquillement sa chemise de nuit, avec autant d'indifférence que si je n'avais pas été là.

Alors... ma foi... je profitai de la circonstance, sans qu'elle parût d'ailleurs s'en soucier le moins du monde. Et elle se rendormit placidement, la tête posée sur son bras droit.

Et je me mis à méditer sur l'imprudence et la faiblesse humaines. Puis je m'assoupis enfin.

Elle s'habilla de bonne heure, en femme habituée aux travaux du matin. Le mouvement qu'elle fit en se levant m'éveilla ; et je la guettai entre mes paupières à demi closes.

Elle allait, venait, sans se presser, comme étonnée de n'avoir rien à faire. Puis elle se décida à se rapprocher de la table de toilette et elle vida, en une minute, tout ce qui restait de parfums dans mes flacons. Elle usa aussi de l'eau, il est vrai, mais peu.

Puis quand elle se fut complètement vêtue, elle se rassit sur sa malle, et, un genou dans ses mains, elle demeura songeuse.

Je fis alors semblant de l'apercevoir, et je dis :
« Bonjour, Francesca. »

Elle grommela, sans paraître plus gracieuse que la
veille : « Bonjour. »

Je demandai : « Avez-vous bien dormi ? »

Elle fit oui de la tête sans répondre ; et sautant à
terre, je m'avançai pour l'embrasser.

Elle me tendit son visage d'un mouvement ennuyé
d'enfant qu'on caresse malgré lui. Je la pris alors
tendrement dans mes bras (le vin étant tiré, j'eus été
bien sot de n'en plus boire) et je posai lentement mes
lèvres sur ses grands yeux fâchés qu'elle fermait, avec
ennui, sous mes baisers, sur ses joues claires, sur ses
lèvres charnues qu'elle détournait.

Je lui dis : « Vous n'aimez donc pas qu'on vous
embrasse ? »

Elle répondit : « Mica. »

Je m'assis sur la malle à côté d'elle, et passant mon
bras sous le sien : « Mica ! mica ! mica ! pour tout. Je
ne vous appellerai plus que mademoiselle Mica. »

Pour la première fois, je crus voir sur sa bouche une
ombre de sourire, mais il passa si vite que j'ai bien pu
me tromper.

« Mais si vous répondez toujours "mica" je ne
saurai plus quoi tenter pour vous plaire. Voyons,
aujourd'hui, qu'est-ce que nous allons faire ? »

Elle hésita comme si une apparence de désir eût
traversé sa tête, puis elle prononça nonchalamment :
« Ça m'est égal, ce que vous voudrez. »

— Eh bien, mademoiselle Mica, nous prendrons
une voiture et nous irons nous promener. »

Elle murmura : « Comme vous voudrez. »

Paul nous attendait dans la salle à manger avec la
mine ennuyée des tiers dans les affaires d'amour.
J'affectai une figure ravie et je lui serrai la main avec
une énergie pleine d'aveux triomphants.

Il demanda : « Qu'est-ce que tu comptes faire ? »

Je répondis : « Mais nous allons d'abord parcourir
un peu la ville, puis nous pourrons prendre une
voiture pour voir quelque coin des environs. »

Le déjeuner fut silencieux, puis on partit par les rues, pour la visite des musées. Je traînai à mon bras Francesca de palais en palais. Nous parcourûmes le palais Spinola, le palais Doria, le palais Marcello Durazzo, le palais Rouge et le palais Blanc[1]. Elle ne regardait rien ou bien levait parfois sur les chefs-d'œuvre son œil las et nonchalant. Paul exaspéré nous suivait en grommelant des choses désagréables. Puis une voiture nous promena par la campagne, muets tous les trois.

Puis on rentra pour dîner.

Et le lendemain ce fut la même chose, et le lendemain encore.

Paul, le troisième jour, me dit : « Tu sais, je te lâche, moi, je ne vais pas rester trois semaines à te regarder faire l'amour avec cette grue-là ! »

Je demeurai fort perplexe, fort gêné, car, à ma grande surprise, je m'étais attaché à Francesca d'une façon singulière. L'homme est faible et bête, entraînable pour un rien, et lâche toutes les fois que ses sens sont excités ou domptés. Je tenais à cette fille que je ne connaissais point, à cette fille taciturne et toujours mécontente. J'aimais sa figure grogneuse, la moue de sa bouche, l'ennui de son regard ; j'aimais ses gestes fatigués, ses consentements méprisants, jusqu'à l'indifférence de sa caresse. Un lien secret, ce lien mystérieux de l'amour bestial, cette attache secrète de la possession qui ne rassasie pas, me retenait près d'elle. Je le dis à Paul, tout franchement. Il me traita d'imbécile, puis me dit : « Eh bien, emmène-la. »

Mais elle refusa obstinément de quitter Gênes sans vouloir expliquer pourquoi. J'employai les prières, les raisonnements, les promesses ; rien n'y fit.

Et je restai.

1. Étapes obligées de tout touriste à Gênes : le palais Spinola, célèbre pour la somptueuse décoration de ses appartements ; le palais Doria Tursi qui servait d'hôtel de ville ; le palais Durazzo Pallavicini, belle résidence du XVIIe siècle ; les riches galeries d'art du Palazzo Blanco (blanc) et du Palazzo Rosso (rouge).

Paul déclara qu'il allait partir tout seul. Il fit même sa malle, mais il resta également.

Et quinze jours se passèrent encore.

Francesca, toujours silencieuse et d'humeur irritée, vivait à mon côté plutôt qu'avec moi, répondant à tous mes désirs, à toutes mes demandes, à toutes mes propositions par son éternel « che mi fa » ou par son non moins éternel « mica ».

Mon ami ne dérageait plus. A toutes ses colères, je répondais : « Tu peux t'en aller si tu t'ennuies. Je ne te retiens pas. »

Alors il m'injuriait, m'accablait de reproches, s'écriait : « Mais où veux-tu que j'aille maintenant. Nous pouvions disposer de trois semaines, et voilà quinze jours passés ! Ce n'est pas à présent que je peux continuer ce voyage ? Et puis, comme si j'allais partir tout seul pour Venise, Florence et Rome ! Mais tu me le payeras, et plus que tu ne penses. On ne fait pas venir un homme de Paris pour l'enfermer dans un hôtel de Gênes avec une rouleuse italienne ! »

Je lui disais tranquillement : « Eh bien, retourne à Paris, alors. » Et il vociférait : « C'est ce que je vais faire et pas plus tard que demain. »

Mais le lendemain il restait comme la veille, toujours furieux et jurant.

On nous connaissait maintenant par les rues, où nous errions du matin au soir, par les rues étroites et sans trottoirs de cette ville qui ressemble à un immense labyrinthe de pierre, percé de corridors pareils à des souterrains. Nous allions dans ces passages où soufflent de furieux courants d'air, dans ces traverses resserrées entre des murailles si hautes, que l'on voit à peine le ciel. Des Français parfois se retournaient, étonnés de reconnaître des compatriotes en compagnie de cette fille ennuyée aux toilettes voyantes, dont l'allure vraiment semblait singulière, déplacée entre nous, compromettante.

Elle allait appuyée à mon bras, ne regardant rien. Pourquoi restait-elle avec moi, avec nous qui parais-

sions lui donner si peu d'agrément! Qui était-elle?
D'où venait-elle? Que faisait-elle? Avait-elle un projet, une idée? Ou bien vivait-elle, à l'aventure, de
rencontres et de hasards? Je cherchais en vain à la
comprendre, à la pénétrer, à l'expliquer. Plus je la
connaissais, plus elle m'étonnait, m'apparaissait
comme une énigme. Certes, elle n'était point une
drôlesse, faisant profession de l'amour. Elle me
paraissait plutôt quelque fille de pauvres gens,
séduite, emmenée, puis lâchée et perdue maintenant.
Mais que comptait-elle devenir? Qu'attendait-elle?
Car elle ne semblait nullement s'efforcer de me
conquérir ou de tirer de moi quelque profit bien réel.

J'essayai de l'interroger, de lui parler de son
enfance, de sa famille. Elle ne me répondit pas. Et je
demeurais avec elle, le cœur libre et la chair tenaillée,
nullement las de la tenir en mes bras, cette femelle
hargneuse et superbe, accouplée comme une bête,
pris par les sens ou plutôt séduit, vaincu par une sorte
de charme sensuel, un charme jeune, sain, puissant,
qui se dégageait d'elle, de sa peau savoureuse, des
lignes robustes de son corps.

Huit jours encore s'écoulèrent. Le terme de mon
voyage approchait, car je devais être rentré à Paris le
11 juillet. Paul, maintenant, prenait à peu près son
parti de l'aventure, tout en m'injuriant toujours.
Quant à moi, j'inventais des plaisirs, des distractions,
des promenades pour amuser ma maîtresse et mon
ami; je me donnais un mal infini.

Un jour, je leur proposai une excursion à Santa
Margarita[1]. La petite ville charmante, au milieu de
jardins, se cache au pied d'une côte qui s'avance au
loin dans la mer jusqu'au village de Portofino. Nous
suivions tous trois l'admirable route qui court le long
de la montagne. Francesca soudain me dit:
« Demain, je ne pourrai pas me promener avec vous.
J'irai voir des parents. »

1. Petite ville à une vingtaine de kilomètres de Gênes, un peu
au nord de Portofino.

Puis elle se tut. Je ne l'interrogeai pas, sûr qu'elle ne me répondrait point.

Elle se leva en effet, le lendemain, de très bonne heure. Puis, comme je restais couché, elle s'assit sur le pied de mon lit et prononça, d'un air gêné, contrarié, hésitant : « Si je ne suis pas revenue ce soir, est-ce que vous viendrez me chercher ? »

Je répondis : « Mais oui, certainement. Où faut-il aller ? »

Elle m'expliqua : « Vous irez dans la rue Victor-Emmanuel, puis vous prendrez le passage Falcone et la traverse Saint-Raphaël, vous entrerez dans la maison du marchand de mobilier, dans la cour, tout au fond, dans le bâtiment qui est à droite, et vous demanderez Mme Rondoli. C'est là. »

Et elle partit. Je demeurais fort surpris.

En me voyant seul, Paul, stupéfait, balbutia : « Où donc est Francesca ? » Et je lui racontai ce qui venait de se passer.

Il s'écria : « Eh bien, mon cher, profite de l'occasion et filons. Aussi bien voilà notre temps fini. Deux jours de plus ou de moins ne changent rien. En route, en route, fais ta malle. En route ! »

Je refusai : « Mais non, mon cher, je ne puis vraiment lâcher cette fille d'une pareille façon, après être resté près de trois semaines avec elle. Il faut que je lui dise adieu, que je lui fasse accepter quelque chose ; non, je me conduirais là comme un saligaud. »

Mais il ne voulait rien entendre, il me pressait, me harcelait. Cependant je ne cédai pas.

Je ne sortis point de la journée, attendant le retour de Francesca. Elle ne revint point.

Le soir, au dîner, Paul triomphait : « C'est elle qui t'a lâché, mon cher. Ça, c'est drôle, c'est bien drôle. »

J'étais étonné, je l'avoue et un peu vexé. Il me riait au nez, me raillait : « Le moyen n'est pas mauvais, d'ailleurs, bien que primitif. — Attendez-moi, je reviens. — Est-ce que tu vas l'attendre longtemps ? Qui sait ? Tu auras peut-être la naïveté d'aller la chercher à l'adresse indiquée : — Madame Rondoli, s'il vous plaît? — Ce n'est pas ici, monsieur. — Je parie que tu as envie d'y aller? »

Je protestai : « Mais non, mon cher, et je t'assure que si elle n'est pas revenue demain matin, je pars à huit heures par l'express. Je serai resté vingt-quatre heures. C'est assez : ma conscience sera tranquille. »

Je passai toute la soirée dans l'inquiétude, un peu triste, un peu nerveux. J'avais vraiment au cœur quelque chose pour elle. A minuit je me couchai. Je dormis à peine.

J'étais debout à six heures. Je réveillai Paul, je fis ma malle, et nous prenions ensemble, deux heures plus tard, le train pour la France.

III

Or il arriva que l'année suivante, juste à la même époque, je fus saisi, comme on l'est par une fièvre périodique, d'un nouveau désir de voir l'Italie. Je me décidai tout de suite à entreprendre ce voyage, car la visite de Florence, Venise et Rome fait partie assurément de l'éducation d'un homme bien élevé. Cela donne d'ailleurs dans le monde une multitude de sujets de conversation et permet de débiter des banalités artistiques qui semblent toujours profondes.

Je partis seul cette fois, et j'arrivai à Gênes à la même heure que l'année précédente, mais sans aucune aventure de voyage. J'allai coucher au même hôtel, et j'eus par hasard la même chambre !

Mais à peine entré dans le lit, voilà que le souvenir de Francesca, qui, depuis la veille d'ailleurs flottait vaguement dans ma pensée, me hanta avec une persistance étrange.

Connaissez-vous cette obsession d'une femme,

longtemps après, quand on retourne aux lieux où on l'a aimée et possédée ?

C'est là une des sensations les plus violentes et les plus pénibles que je connaisse. Il semble qu'on va la voir entrer, sourire, ouvrir les bras. Son image, fuyante et précise, est devant vous, passe, revient et disparaît. Elle vous torture comme un cauchemar, vous tient, vous emplit le cœur, vous émeut les sens par sa présence irréelle. L'œil l'aperçoit ; l'odeur de son parfum vous poursuit ; on a sur les lèvres le goût de ses baisers, et la caresse de sa chair sur la peau. On est seul cependant, on le sait, on souffre du trouble singulier de ce fantôme évoqué. Et une tristesse lourde, navrante vous enveloppe. Il semble qu'on vient d'être abandonné pour toujours. Tous les objets prennent une signification désolante, jettent à l'âme, au cœur, une impression horrible d'isolement, de délaissement. Oh ! ne revoyez jamais la ville, la maison, la chambre, le bois, le jardin, le banc où vous avez tenu dans vos bras une femme aimée !

Enfin, pendant toute la nuit, je fus poursuivi par le souvenir de Francesca ; et, peu à peu, le désir de la revoir entrait en moi, un désir confus d'abord, puis plus vif, puis plus aigu, brûlant. Et je me décidai à passer à Gênes la journée du lendemain, pour tâcher de la retrouver. Si je n'y parvenais point, je prendrais le train du soir.

Donc, le matin venu, je me mis à sa recherche. Je me rappelais parfaitement le renseignement qu'elle m'avait donné en me quittant : — Rue Victor-Emmanuel — passage Falcone — traverse Saint-Raphaël, — maison du marchand de mobilier, au fond de la cour, le bâtiment à droite.

Je trouvai tout cela non sans peine, et je frappai à la porte d'une sorte de pavillon délabré. Une grosse femme vint ouvrir, qui avait dû être fort belle, et qui n'était plus que fort sale. Trop grasse, elle gardait cependant une majesté de lignes remarquable. Ses cheveux dépeignés tombaient par mèches sur son front et sur ses épaules, et on voyait flotter, dans une vaste robe de chambre, criblée de taches, tout son gros corps ballottant. Elle avait au cou un énorme collier doré, et, aux deux poignets, de suberbes bracelets en filigrane de Gênes.

Elle demanda d'un air hostile : « Qu'est-ce que vous désirez ? »

Je répondis : « N'est-ce pas ici que demeure Mlle Francesca Rondoli ?

— Qu'est-ce que vous lui voulez ?

— J'ai eu le plaisir de la rencontrer l'année dernière, et j'aurais désiré la revoir. »

La vieille femme me fouillait de son œil méfiant : « Dites-moi où vous l'avez rencontrée ?

— Mais, ici même, à Gênes !

— Comment vous appelez-vous ? »

J'hésitai une seconde, puis je dis mon nom. Je l'avais à peine prononcé que l'Italienne leva les bras comme pour m'embrasser : « Ah ! vous êtes le Français ; que je suis contente de vous voir ! Que je suis contente ! Mais, comme vous lui avez fait de la peine à la pauvre enfant. Elle vous a attendu un mois, monsieur, oui, un mois. Le premier jour, elle croyait que vous alliez venir la chercher. Elle voulait voir si vous l'aimiez ! Si vous saviez comme elle a pleuré quand elle a compris que vous ne viendriez pas. Oui, monsieur, elle a pleuré toutes ses larmes. Et puis, elle a été à l'hôtel. Vous étiez parti. Alors, elle a cru que vous faisiez votre voyage en Italie, et que vous alliez encore passer par Gênes, et que vous la chercheriez en retournant puisqu'elle n'avait pas voulu aller avec vous. Et elle a attendu, oui, monsieur, plus d'un mois ; et elle était bien triste, allez, bien triste. Je suis sa mère ! »

Je me sentis vraiment un peu déconcerté. Je repris cependant mon assurance et je demandai : « Est-ce qu'elle est ici en ce moment ?

— Non, monsieur, elle est à Paris, avec un peintre, un garçon charmant qui l'aime, monsieur, qui l'aime d'un grand amour et qui lui donne tout ce qu'elle veut. Tenez, regardez ce qu'elle m'envoie, à moi sa mère. C'est gentil, n'est-ce pas ? »

Et elle me montrait, avec une animation toute méridionale, les gros bracelets de ses bras et le lourd collier de son cou. Elle reprit : « J'ai aussi deux boucles d'oreilles avec des pierres, et une robe de soie, et des bagues ; mais je ne les porte pas le matin, je les mets seulement sur le tantôt, quand je m'habille en toilette. Oh ! elle est très heureuse, monsieur, très heureuse. Comme elle sera contente quand je lui écrirai que vous êtes venu. Mais entrez, monsieur, asseyez-vous. Vous prendrez bien quelque chose, entrez. »

Je refusais, voulant partir maintenant par le premier train. Mais elle m'avait saisi le bras et m'attirait en répétant : « Entrez donc, monsieur, il faut que je lui dise que vous êtes venu chez nous. »

Et je pénétrai dans une petite salle assez obscure, meublée d'une table et de quelques chaises.

Elle reprit : « Oh ! elle est très heureuse à présent, très heureuse. Quand vous l'avez rencontrée dans le chemin de fer, elle avait un gros chagrin. Son bon ami l'avait quittée à Marseille. Et elle revenait, la pauvre enfant. Elle vous a bien aimé tout de suite, mais elle était encore un peu triste, vous comprenez. Maintenant, rien ne lui manque ; elle m'écrit tout ce qu'elle fait. Il s'appelle M. Bellemin. On dit que c'est un grand peintre chez vous. Il l'a rencontrée en passant ici, dans la rue, oui, monsieur, dans la rue, et il l'a aimée tout de suite. Mais, vous boirez bien un verre de sirop ? Il est très bon. Est-ce que vous êtes tout seul cette année ? »

Je répondis : « Oui, je suis tout seul. »

Je me sentais gagné maintenant par une envie de rire qui grandissait, mon premier désappointement s'envolant devant les déclarations de Mme Rondoli mère. Il me fallut boire un verre de sirop.

Elle continuait : « Comment vous êtes tout seul ?

Oh! que je suis fâchée alors que Francesca ne soit plus ici; elle vous aurait tenu compagnie le temps que vous allez rester dans la ville. Ce n'est pas gai de se promener tout seul; et elle le regrettera bien de son côté. »

Puis, comme je me levais, elle s'écria : « Mais si vous voulez que Carlotta aille avec vous; elle connaît très bien les promenades. C'est mon autre fille, monsieur, la seconde. »

Elle prit sans doute ma stupéfaction pour un consentement, et se précipitant sur la porte intérieure, elle l'ouvrit et cria dans le noir d'un escalier invisible : « Carlotta! Carlotta! descends vite, viens tout de suite, ma fille chérie. »

Je voulus protester; elle ne me le permit pas : « Non, elle vous tiendra compagnie; elle est très douce, et bien plus gaie que l'autre; c'est une bonne fille, une très bonne fille que j'aime beaucoup. »

J'entendais sur les marches un bruit de semelles de savate; et une grande fille parut, brune, mince et jolie, mais dépeignée aussi, et laissant deviner, sous une vieille robe de sa mère, son corps jeune et svelte.

Mme Rondoli la mit aussitôt au courant de ma situation : « C'est le Français de Francesca, celui de l'an dernier, tu sais bien. Il venait la chercher; il est tout seul, ce pauvre monsieur. Alors, je lui ai dit que tu irais avec lui pour lui tenir compagnie. »

Carlotta me regardait de ses beaux yeux bruns, et elle murmura en se mettant à sourire : « S'il veut, je veux bien, moi. »

Comment aurais-je pu refuser? Je déclarai : « Mais certainement que je veux bien. »

Alors Mme Rondoli la poussa dehors : « Va t'habiller, bien vite, bien vite, tu mettras ta robe bleue et ton chapeau à fleurs, dépêche-toi. »

Dès que sa fille fut sortie, elle m'expliqua : « J'en ai encore deux autres, mais plus petites. Ça coûte cher, allez, d'élever quatre enfants! Heureusement que l'aînée est tirée d'affaire à présent. »

Et puis elle me parla de sa vie, de son mari qui était mort employé de chemin de fer, et de toutes les qualités de sa seconde fille Carlotta.

Celle-ci revint, vêtue dans le goût de l'aînée, d'une robe voyante et singulière.

Sa mère l'examina de la tête aux pieds, la jugea bien à son gré, et nous dit : « Allez, maintenant, mes enfants. »

Puis, s'adressant à sa fille : « Surtout, ne rentre pas plus tard que dix heures, ce soir ; tu sais que la porte est fermée. »

Carlotta répondit : « Ne crains rien, maman. »

Elle prit mon bras, et me voilà errant avec elle par les rues comme avec sa sœur, l'année d'avant.

Je revins à l'hôtel pour déjeuner, puis j'emmenai ma nouvelle amie à Santa Margarita, refaisant la dernière promenade que j'avais faite avec Francesca.

Et, le soir, elle ne rentra pas, bien que la porte dût être fermée après dix heures.

Et pendant les quinze jours dont je pouvais disposer, je promenai Carlotta dans les environs de Gênes. Elle ne me fit pas regretter l'autre.

Je la quittais tout en larmes, le matin de mon départ, en lui laissant, avec un souvenir pour elle, quatre bracelets pour sa mère.

Et je compte, un de ces jours, retourner voir l'Italie, tout en songeant, avec une certaine inquiétude mêlée d'espoirs, que Mme Rondoli possède encore deux filles.

YVETTE

I

En sortant du Café Riche[1], Jean de Servigny dit à ◆● Léon Saval :

— Si tu veux, nous irons à pied. Le temps est trop beau pour prendre un fiacre.

Et son ami répondit :

— Je ne demande pas mieux.

Jean reprit :

— Il est à peine onze heures, nous arriverons beaucoup avant minuit, allons donc doucement.

Une cohue agitée grouillait sur le boulevard, cette foule des nuits d'été qui remue, boit, murmure et coule comme un fleuve, pleine de bien-être et de joie. De place en place, un café jetait une grande clarté sur le tas de buveurs assis sur le trottoir devant les petites tables couvertes de bouteilles et de verres, encombrant le passage de leur foule pressée. Et sur la chaussée, les fiacres aux yeux rouges, bleus ou verts, passaient brusquement dans la lueur vive de la devanture illuminée, montrant une seconde la silhouette maigre et trottinante du cheval, le profil élevé du cocher, et le coffre

1. Établissement du boulevard des Italiens, de 1791 à 1916, où se réunissaient sous l'Empire les journalistes d'opposition.

◆● Voir *Au fil du texte*, p. VII.

sombre de la voiture. Ceux de l'Urbaine[1] faisaient des taches claires et rapides avec leurs panneaux jaunes frappés par la lumière.

Les deux amis marchaient d'un pas lent, un cigare à la bouche, en habit, le pardessus sur le bras, une fleur à la boutonnière et le chapeau un peu sur le côté, comme on le porte quelquefois, par nonchalance, quand on a bien dîné et quand la brise est tiède.

Ils étaient liés depuis le collège par une affection étroite, dévouée, solide.

Jean de Servigny, petit, svelte, un peu chauve, un peu frêle, très élégant, la moustache frisée, les yeux clairs, la lèvre fine, était un de ces hommes de nuit qui semblent nés et grandis sur le boulevard, infatigable bien qu'il eût toujours l'air exténué, vigoureux bien que pâle, un de ces minces Parisiens en qui le gymnase, l'escrime, les douches et l'étuve ont mis une force nerveuse et factice. Il était connu par ses noces autant que par son esprit, par sa fortune, par ses relations, par cette sociabilité, cette amabilité, cette galanterie mondaine, spéciales à certains hommes.

Vrai Parisien, d'ailleurs, léger, sceptique, changeant, entraînable, énergique et irrésolu, capable de tout et de rien, égoïste par principe et généreux par élans, il mangeait ses rentes avec modération et s'amusait avec hygiène. Indifférent et passionné, il se laissait aller et se reprenait sans cesse, combattu par des instincts contraires et cédant à tous pour obéir, en définitive, à sa raison de viveur dégourdi dont la logique de girouette consistait à suivre le vent et à tirer profit des circonstances sans prendre la peine de les faire naître.

Son compagnon Léon Saval, riche aussi, était un de ces superbes colosses qui font se retourner les femmes dans les rues. Il donnait l'idée d'un monument fait homme, d'un type de la race, comme ces objets

1. Il y avait à Paris plusieurs compagnies de fiacres ou voitures de location. La plus connue était *L'Urbaine*, dont les voitures étaient jaunes (*cf.* la chanson de Xanroff : « Un fiacre allait trottinant / Jaune avec un cocher blanc... »).

modèles qu'on envoie aux expositions. Trop beau, trop grand, trop large, trop fort, il péchait un peu par excès de tout, par excès de qualités. Il avait fait d'innombrables passions.

Il demanda, comme ils arrivaient devant le Vaudeville[1] :

« As-tu prévenu cette dame que tu allais me présenter chez elle ? »

Servigny se mit à rire.

« Prévenir la marquise Obardi ! Fais-tu prévenir un cocher d'omnibus que tu monteras dans sa voiture au coin du boulevard ? »

Saval, alors, un peu perplexe, demanda :

« Qu'est-ce donc au juste que cette personne ? »

Et son ami répondit :

« Une parvenue, une rastaquouère[2], une drôlesse charmante, sortie on ne sait d'où, apparue un jour, on ne sait comment, dans le monde des aventuriers, et sachant y faire figure. Que nous importe d'ailleurs. On dit que son vrai nom, son nom de fille, car elle est restée fille à tous les titres, sauf au titre innocence, est Octavie Bardin, d'où Obardi, en conservant la première lettre du prénom, et en supprimant la dernière du nom.

« C'est d'ailleurs une aimable femme, dont tu seras inévitablement l'amant, toi, de par ton physique. On n'introduit pas Hercule[3] chez Messaline[4], sans qu'il se produise quelque chose. J'ajoute cependant que si l'entrée est libre en cette demeure, comme dans les bazars, on n'est pas strictement forcé d'acheter ce qui se débite dans la maison. On y tient l'amour et les cartes, mais on ne vous contraint ni à l'un ni aux autres. La sortie aussi est libre.

1. Théâtre parisien situé, depuis 1868, au coin de la Chaussée-d'Antin et du boulevard des Capucines.
2. Dans l'argot du Boulevard (1881), désigne une étrangère au type exotique marqué, à l'élégance voyante et aux moyens d'existence suspects. Plus largement : aventurière.
3. Demi-dieu romain (l'Héraklès des Grecs), célèbre pour ses douze travaux, symbole de la force virile.
4. Impératrice romaine qui poussa la débauche jusqu'à se livrer à la prostitution.

« Elle s'installa dans le quartier de l'Étoile[1], quartier suspect, voici trois ans, et ouvrit ses salons à cette écume des continents qui vient exercer à Paris ses talents divers, redoutables et criminels.

« J'allai chez elle ! Comment ? Je ne le sais plus. J'y allai, comme nous allons tous là-dedans, parce qu'on y joue, parce que les femmes sont faciles et les hommes malhonnêtes. J'aime ce monde de flibustiers à décorations variées, tous étrangers, tous nobles, tous titrés, tous inconnus à leurs ambassades, à l'exception des espions. Tous parlent de l'honneur à propos de bottes, citent leurs ancêtres à propos de rien, racontent leur vie à propos de tout, hâbleurs, menteurs, filous, dangereux comme leurs cartes, trompeurs comme leurs noms, braves parce qu'il le faut, à la façon des assassins qui ne peuvent dépouiller les gens qu'à la condition d'exposer leur vie. C'est l'aristocratie du bagne, enfin.

« Je les adore. Ils sont intéressants à pénétrer, intéressants à connaître, amusants à entendre, souvent spirituels, jamais banals comme des fonctionnaires français. Leurs femmes sont toujours jolies, avec une petite saveur de coquinerie étrangère, avec le mystère de leur existence passée, passée peut-être à moitié dans une maison de correction. Elles ont en général des yeux superbes et des cheveux incomparables, le vrai physique de l'emploi, une grâce qui grise, une séduction qui pousse aux folies, un charme malsain, irrésistible ! Ce sont des conquérantes à la façon des routiers d'autrefois, des rapaces, de vraies femelles d'oiseaux de proie. Je les adore aussi.

« La marquise Obardi est le type de ces drôlesses élégantes. Mûre et toujours belle, charmeuse et féline, on la sent vicieuse jusque dans les moelles. On s'amuse beaucoup chez elle, on y joue, on y danse, on y soupe… on y fait enfin tout ce qui constitue les plaisirs de la vie mondaine. »

1. Quartier d'urbanisation alors récente où s'étaient installées quelques-unes des courtisanes les plus en vue de l'époque, la Belle Otéro par exemple.

Léon Saval demanda : « As-tu été ou es-tu son amant ? »

Servigny répondit : « Je ne l'ai pas été, je ne le suis pas et je ne le serai point. Moi, je vais surtout dans la maison pour la fille.

— Ah ! Elle a une fille ?

— Si elle a une fille ! Une merveille, mon cher. C'est aujourd'hui la principale attraction de cette caverne. Grande, magnifique, mûre à point, dix-huit ans, aussi blonde que sa mère est brune, toujours joyeuse, toujours prête pour les fêtes, toujours riant à pleine bouche et dansant à corps perdu. Qui l'aura ? ou qui l'a eue ? On ne sait pas. Nous sommes dix qui attendons, qui espérons.

« Une fille comme ça, entre les mains d'une femme comme la marquise, c'est une fortune. Et elles jouent serré, les deux gaillardes. On n'y comprend rien. Elles attendent peut-être une occasion... meilleure... que moi. Mais, moi, je te réponds bien que je la saisirai... l'occasion, si je la rencontre.

« Cette fille, Yvette, me déconcerte absolument, d'ailleurs. C'est un mystère. Si elle n'est pas le monstre d'astuce et de perversité le plus complet que j'aie jamais vu, elle est certes le phénomène d'innocence le plus merveilleux qu'on puisse trouver. Elle vit dans ce milieu infâme avec une aisance tranquille et triomphante, admirablement scélérate ou naïve.

« Merveilleux rejeton d'aventurière, poussé sur le fumier de ce monde-là, comme une plante magnifique nourrie de pourritures, ou bien fille de quelque homme de haute race, de quelque grand artiste ou de quelque grand seigneur, de quelque prince ou de quelque roi tombé, un soir, dans le lit de la mère, on ne peut comprendre ce qu'elle est ni ce qu'elle pense. Mais tu vas la voir. »

Saval se mit à rire et dit :

« Tu en es amoureux.

— Non. Je suis sur les rangs, ce qui n'est pas la même chose. Je te présenterai d'ailleurs mes copréten-

dants les plus sérieux. Mais j'ai des chances marquées.
J'ai de l'avance, on me montre quelque faveur. »

Saval répéta :

« Tu es amoureux.

— Non. Elle me trouble, me séduit et m'inquiète,
m'attire et m'effraye. Je me méfie d'elle comme d'un
piège, et j'ai envie d'elle comme on a envie d'un sorbet
quand on a soif. Je subis son charme et je ne l'approche
qu'avec l'appréhension qu'on aurait d'un homme soupçonné d'être un adroit voleur. Près d'elle j'éprouve un
entraînement irraisonné vers sa candeur possible et une
méfiance très raisonnable contre sa rouerie non moins
probable. Je me sens en contact avec un être anormal,
en dehors des règles naturelles, exquis ou détestable. Je
ne sais pas. »

Saval prononça pour la troisième fois :

« Je te dis que tu es amoureux. Tu parles d'elle avec
une emphase de poète et un lyrisme de troubadour.
Allons, descends en toi, tâte ton cœur et avoue. »

Servigny fit quelques pas sans rien répondre, puis
reprit :

« C'est possible, après tout. Dans tous les cas, elle
me préoccupe beaucoup. Oui, je suis peut-être amoureux. J'y songe trop. Je pense à elle en m'endormant et
aussi en me réveillant... c'est assez grave. Son image me
suit, me poursuit, m'accompagne sans cesse, toujours
devant moi, autour de moi, en moi. Est-ce de l'amour,
cette obsession physique ? Sa figure est entrée si profondément dans mon regard que je la vois sitôt que je
ferme les yeux. J'ai un battement de cœur chaque fois
que je l'aperçois, je ne le nie point. Donc je l'aime, mais
drôlement. Je la désire avec violence, et l'idée d'en faire
ma femme me semblerait une folie, une stupidité, une
monstruosité. J'ai un peu peur d'elle aussi, une peur
d'oiseau sur qui plane un épervier. Et je suis jaloux
d'elle encore, jaloux de tout ce que j'ignore dans ce
cœur incompréhensible. Et je me demande toujours :
"Est-ce une gamine charmante ou une abominable
coquine ?" Elle dit des choses à faire frémir une armée ;

mais les perroquets aussi. Elle est parfois imprudente ou impudique à me faire croire à sa candeur immaculée, et parfois naïve, d'une naïveté invraisemblable, à me faire douter qu'elle ait jamais été chaste. Elle me provoque, m'excite comme une courtisane et se garde en même temps comme une vierge. Elle paraît m'aimer et se moque de moi ; elle s'affiche en public comme si elle était ma maîtresse et me traite dans l'intimité comme si j'étais son frère ou son valet.

« Parfois je m'imagine qu'elle a autant d'amants que sa mère. Parfois je me figure qu'elle ne soupçonne rien de la vie, mais rien, entends-tu ?

« C'est d'ailleurs une liseuse de romans enragée. Je suis, en attendant mieux, son fournisseur de livres. Elle m'appelle son "bibliothécaire".

« Chaque semaine, la Librairie Nouvelle[1] lui adresse, de ma part, tout ce qui a paru, et je crois qu'elle lit tout, pêle-mêle.

« Ça doit faire dans sa tête une étrange salade.

« Cette bouillie de lecture est peut-être pour quelque chose dans les allures singulières de cette fille. Quand on contemple l'existence à travers quinze mille romans, on doit la voir sous un drôle de jour et se faire, sur les choses, des idées assez baroques.

« Quant à moi, j'attends. Il est certain, d'un côté, que je n'ai jamais eu pour aucune femme le béguin que j'ai pour celle-là.

« Il est encore certain que je ne l'épouserai pas.

« Donc, si elle a eu des amants, j'augmenterai l'addition. Si elle n'en a pas eu, je prends le numéro un, comme au tramway.

« Le cas est simple. Elle ne se mariera pas, assurément. Qui donc épouserait la fille de la marquise Obardi, d'Octavie Bardin ? Personne, pour mille raisons.

« Où trouverait-on un mari ? Dans le monde ? Jamais. La maison de la mère est une maison publique

---

1. Cette librairie du boulevard des Italiens, fondée en 1849, était spécialisée dans les nouveautés littéraires.

dont la fille attire la clientèle. On n'épouse pas dans ces conditions-là.

« Dans la bourgeoisie ? Encore moins. Et d'ailleurs la marquise n'est pas une femme à faire de mauvaises opérations ; elle ne donnerait définitivement Yvette qu'à un homme de grande position, qu'elle ne découvrira pas.

« Dans le peuple, alors ? Encore moins. Donc, pas d'issue. Cette demoiselle-là n'est ni du monde, ni de la bourgeoisie, ni du peuple, elle ne peut entrer par une union dans aucune de ces classes de la société.

« Elle appartient par sa mère, par sa naissance, par son éducation, par son hérédité, par ses manières, par ses habitudes, à la prostitution dorée.

« Elle ne peut lui échapper, à moins de se faire religieuse, ce qui n'est guère probable, étant donné ses manières et ses goûts. Elle n'a donc qu'une profession possible : l'amour. Elle y viendra, à moins qu'elle ne l'exerce déjà. Elle ne saurait fuir sa destinée. De jeune fille elle deviendra fille, tout simplement. Et je voudrais bien être le pivot de cette transformation.

« J'attends. Les amateurs sont nombreux. Tu verras là un Français, M. de Belvigne ; un Russe, appelé le prince Kravalow, et un Italien, le chevalier Valréali, qui ont posé nettement leurs candidatures et qui manœuvrent en conséquence. Nous comptons, en outre, autour d'elle, beaucoup de maraudeurs de moindre importance.

« La marquise guette. Mais je crois qu'elle a des vues sur moi. Elle me sait fort riche et elle possède moins les autres.

« Son salon est d'ailleurs le plus étonnant que je connaisse dans ce genre d'expositions. On y rencontre même des hommes fort bien, puisque nous y allons, et nous ne sommes pas les seuls. Quant aux femmes, elle a trouvé, ou plutôt elle a trié ce qu'il y a de mieux dans la hotte aux pilleuses de bourses. Où les a-t-elle découvertes ? on l'ignore. C'est un monde à côté de celui des vraies drôlesses, à côté de la bohème, à côté de tout.

Elle a eu d'ailleurs une inspiration de génie, c'est de choisir spécialement les aventurières en possession d'enfants, de filles principalement. De sorte qu'un imbécile se croirait là chez des honnêtes femmes ! »

Ils avaient atteint l'avenue des Champs-Élysées. Une brise légère passait doucement dans les feuilles, glissait par moments sur les visages, comme les souffles doux d'un éventail géant balancé quelque part dans le ciel. Des ombres muettes erraient sous les arbres ; d'autres, sur les bancs, faisaient une tache sombre. Et ces ombres parlaient très bas, comme si elles se fussent confié des secrets importants ou honteux :

Servigny reprit :

« Tu ne te figures pas la collection de titres de fantaisie qu'on rencontre dans ce repaire.

« A ce propos, tu sais que je vais te présenter sous le nom de comte Saval, Saval tout court serait mal vu, très mal vu. »

Son ami s'écria :

« Ah ! mais non, par exemple. Je ne veux pas qu'on me suppose, même un soir, même chez ces gens-là, le ridicule de vouloir m'affubler d'un titre. Ah ! mais non. »

Servigny se mit à rire.

« Tu es stupide. Moi, là-dedans, on m'a baptisé le duc de Servigny. Je ne sais ni comment ni pourquoi. Toujours est-il que je suis et que je demeure M. le duc de Servigny, sans me plaindre et sans protester. Ça ne me gêne pas. Sans cela je serais affreusement méprisé. »

Mais Saval ne se laissait pas convaincre.

« Toi, tu es noble, ça peut aller. Pour moi, non, je resterai le seul roturier du salon. Tant pis, ou tant mieux. Ce sera mon signe de distinction... et... ma supériorité. »

Servigny s'entêtait.

« Je t'assure que ce n'est pas possible, mais pas possible, entends-tu ? Cela paraîtrait presque mons-trueux. Tu ferais l'effet d'un chiffonnier dans une réunion d'empereurs. Laisse-moi faire, je te présenterai comme le vice-roi du Haut-Mississippi[1], et personne ne s'étonnera. Quand on prend des grandeurs, on n'en saurait trop prendre.

— Non, encore une fois, je ne veux pas.

— Soit. Mais, en vérité, je suis bien sot de vouloir te convaincre. Je te défie d'entrer là-dedans sans qu'on te décore d'un titre comme on donne aux dames un bouquet de violettes au seuil de certains magasins. »

Ils tournèrent à droite dans la rue de Berri, montèrent au premier étage d'un bel hôtel moderne et laissèrent aux mains de quatre domestiques en culotte courte leurs pardessus et leurs cannes. Une odeur chaude de fête, une odeur de fleurs, de parfums, de femmes, alourdissait l'air ; et un grand murmure confus et continu venait des pièces voisines qu'on sentait pleines de monde.

Une sorte de maître des cérémonies, haut, droit, ventru, sérieux, la face encadrée de favoris blancs, s'approcha du nouveau venu en demandant avec un court et fier salut :

« Qui dois-je annoncer ? »

Servigny répondit : « Monsieur Saval. »

Alors, d'une voix sonore, l'homme ouvrant la porte, cria dans la foule des invités :

« Monsieur le duc de Servigny.

« Monsieur le baron Saval. »

Le premier salon était peuplé de femmes. Ce qu'on apercevait d'abord, c'était un étalage de seins nus, au-dessus d'un flot d'étoffes éclatantes.

La maîtresse de maison, debout, causant avec trois amies, se retourna et s'en vint d'un pas majestueux, avec une grâce dans la démarche et un sourire sur les lèvres.

Son front étroit, très bas, était couvert d'une masse de cheveux d'un noir luisant, pressés comme une toison, mangeant même un peu des tempes.

1. On peut penser ici à un aventurier comme Achille Laviarde qui, sous le nom d'Aquillès Ier, s'était proclamé roi d'Araucanie-Patagonie…

Elle était grande, un peu trop forte, un peu trop grasse, un peu mûre, mais très belle, d'une beauté lourde, chaude, puissante. Sous ce casque de cheveux, qui faisait rêver, qui faisait sourire, qui la rendait mystérieusement désirable, s'ouvraient des yeux énormes, noirs aussi. Le nez était un peu mince, la bouche grande, infiniment séduisante, faite pour parler et pour conquérir.

Son charme le plus vif était d'ailleurs dans sa voix. Elle sortait de cette bouche comme l'eau sort d'une source, si naturelle, si légère, si bien timbrée, si claire, qu'on éprouvait une jouissance physique à l'entendre.

C'était une joie pour l'oreille d'écouter les paroles souples couler de là avec une grâce de ruisseau qui s'échappe, et c'était une joie pour le regard de voir s'ouvrir, pour leur donner passage, ces belles lèvres un peu trop rouges.

Elle tendit une main à Servigny, qui la baisa, et, laissant tomber son éventail au bout d'une chaînette d'or travaillé, elle donna l'autre à Saval, en lui disant :

« Soyez le bienvenu, Baron, tous les amis du duc sont chez eux ici. »

Puis, elle fixa son regard brillant sur le colosse qu'on lui présentait. Elle avait sur la lèvre supérieure un petit duvet noir, un soupçon de moustache, plus sombre quand elle parlait. Elle sentait bon, une odeur forte, grisante, quelque parfum d'Amérique ou des Indes.

D'autres personnes entraient, marquis, comtes ou princes. Elle dit à Servigny, avec une gracieuseté de mère :

« Vous trouverez ma fille dans l'autre salon. Amusez-vous, Messieurs, la maison vous appartient. »

Et elle les quitta pour aller aux derniers venus, en jetant à Saval ce coup d'œil souriant et fuyant qu'ont les femmes pour faire comprendre qu'on leur a plu.

Servigny saisit le bras de son ami.

« Je vais te piloter, dit-il. Ici, dans le salon où nous sommes, les femmes, c'est le temple de la Chair, fraîche ou non. Objets d'occasion valant le neuf, et même

mieux, cotés cher, à prendre à bail. A gauche, le jeu.
C'est le temple de l'Argent. Tu connais ça. Au fond, on
danse, c'est le temple de l'Innocence, le sanctuaire, le
marché aux jeunes filles. C'est là qu'on expose, sous
tous les rapports, les produits de ces dames. On consen-
tirait même à des unions légitimes! C'est l'avenir,
l'espérance... de nos nuits. Et c'est aussi ce qu'il y a de
plus curieux dans ce musée des maladies morales, ces
fillettes dont l'âme est disloquée comme les membres
des petits clowns issus de saltimbanques. Allons les
voir. »

Il saluait à droite, à gauche, galant, un compliment
aux lèvres, couvrant d'un regard vif d'amateur chaque
femme décolletée qu'il connaissait.

Un orchestre, au fond du second salon, jouait une
valse ; et ils s'arrêtèrent sur la porte pour regarder. Une
quinzaine de couples tournaient ; les hommes graves,
les danseuses avec un sourire figé sur les lèvres. Elles
montraient beaucoup de peau, comme leurs mères ; et
le corsage de quelques-unes n'étant soutenu que par un
mince ruban qui contournait la naissance du bras, on
croyait apercevoir, par moments, une tache sombre
sous les aisselles.

Soudain, du fond de l'appartement, une grande fille
s'élança, traversant tout, heurtant les danseurs, et relevant de sa main gauche la queue démesurée de sa robe.
Elle courait à petits pas rapides comme courent les
femmes dans les foules, et elle cria :

« Ah! voilà Muscade. Bonjour, Muscade! »

Elle avait sur les traits un épanouissement de vie, une
illumination de bonheur. Sa chair blanche, dorée, une
chair de rousse, semblait rayonner. Et l'amas de ses
cheveux, tordus sur sa tête, des cheveux cuits au feu,
des cheveux flambants, pesait sur son front, chargeait
son cou flexible encore un peu mince.

Elle paraissait faite pour se mouvoir comme sa mère
était faite pour parler, tant ses gestes étaient naturels,
nobles et simples. Il semblait qu'on éprouvait une joie
morale et un bien-être physique à la voir marcher,
remuer, pencher la tête, lever le bras.

Elle répétait :

« Ah! Muscade, bonjour, Muscade. »

Servigny lui secoua la main violemment comme à un homme, et il lui présenta :

« Mam'zelle Yvette, mon ami le baron Saval. »

Elle salua l'inconnu, puis le dévisagea :

« Bonjour, Monsieur. Êtes-vous tous les jours aussi grand que ça? »

Servigny répondit de ce ton gouailleur qu'il avait avec elle, pour cacher ses méfiances et ses incertitudes :

« Non, Mam'zelle. Il a pris ses plus fortes dimensions pour plaire à votre maman qui aime les masses. »

Et la jeune fille prononça avec un sérieux comique :

« Très bien alors! Mais quand vous viendrez pour moi, vous diminuerez un peu, s'il vous plaît; je préfère les entre-deux. Tenez, Muscade est bien dans mes proportions. »

Et elle tendit au dernier venu sa petite main grande ouverte.

Puis, elle demanda :

« Est-ce que vous dansez, Muscade? voyons, un tour de valse. »

Sans répondre, d'un mouvement rapide, emporté, Servigny lui enlaça la taille, et ils disparurent aussitôt avec une furie de tourbillon.

Ils allaient plus vite que tous, tournaient, tournaient, couraient en pivotant éperdument, liés à ne plus faire qu'un, et le corps droit, les jambes presque immobiles, comme si une mécanique invisible, cachée sous leurs pieds, les eût fait voltiger ainsi.

Ils paraissaient infatigables. Les autres danseurs s'arrêtaient peu à peu. Ils restèrent seuls, valsant indéfi-niment. Ils avaient l'air de ne plus savoir où ils étaient, ni ce qu'ils faisaient, d'être partis bien loin du bal, dans l'extase. Et les musiciens de l'orchestre allaient tou-jours, les regards fixés sur ce couple forcené; et tout le monde le contemplait, et quand il s'arrêta enfin, on applaudit.

Elle était un peu rouge, à présent, avec des yeux

étranges, des yeux ardents et timides, moins hardis que tout à l'heure, des yeux troublés, si bleus avec une pupille si noire qu'ils ne semblaient point naturels.

Servigny paraissait gris. Il s'appuya contre une porte pour reprendre son aplomb.

Elle lui dit :

« Pas de tête, mon pauvre Muscade, je suis plus solide que vous. »

Il souriait d'un rire nerveux et il la dévorait du regard avec des convoitises bestiales dans l'œil et dans le pli des lèvres.

Elle demeurait devant lui, laissant en plein, sous la vue du jeune homme, sa gorge découverte que soulevait son souffle.

Elle reprit :

« Dans certains moments, vous avez l'air d'un chat qui va sauter sur les gens. Voyons, donnez-moi votre bras, et allons retrouver votre ami. »

Sans dire un mot, il offrit son bras, et ils traversèrent le grand salon.

Saval n'était plus seul. La marquise Obardi l'avait rejoint. Elle lui parlait de choses mondaines, de choses banales avec cette voix ensorcelante qui grisait. Et, le regardant au fond de la pensée, elle semblait lui dire d'autres paroles que celles prononcées par sa bouche. Quand elle aperçut Servigny, son visage aussitôt prit une expression souriante et, se tournant vers lui :

« Vous savez, mon cher duc, que je viens de louer une villa à Bougival pour y passer deux mois. Je compte que vous viendrez m'y voir. Amenez votre ami. Tenez, je m'y installe lundi, voulez-vous venir dîner tous les deux samedi prochain ? Je vous garderai toute la journée du lendemain. »

Servigny tourna brusquement la tête vers Yvette. Elle souriait, tranquille, sereine, et elle dit avec une assurance qui n'autorisait aucune hésitation :

« Mais certainement que Muscade viendra dîner samedi. Ce n'est pas la peine de le lui demander. Nous ferons un tas de bêtises, à la campagne. »

Il crut voir une promesse naître dans son sourire et saisir une intention dans sa voix.

Alors la marquise releva ses grands yeux noirs sur Saval.

« Et vous aussi, Baron? »

Et son sourire à elle n'était point douteux. Il s'inclina :

« Je serai trop heureux, Madame. »

Yvette murmura, avec une malice naïve ou perfide :

« Nous allons scandaliser tout le monde, là-bas, n'est-ce pas, Muscade? et faire rager mon régiment. »

Et d'un coup d'œil elle désignait quelques hommes qui les observaient de loin.

Servigny lui répondit :

« Tant que vous voudrez, Mam'zelle. »

En lui parlant, il ne prononçait jamais mademoiselle, par suite d'une camaraderie familière.

Et Saval demanda :

« Pourquoi donc Mlle Yvette appelle-t-elle toujours mon ami Servigny "Muscade"? »

La jeune fille prit un air candide :

« C'est parce qu'il vous glisse toujours dans la main, Monsieur. On croit le tenir, on ne l'a jamais. »

La marquise prononça d'un ton nonchalant, suivant visiblement une autre pensée et sans quitter les yeux de Saval :

« Ces enfants sont-ils drôles! »

Yvette se fâcha :

« Je ne suis pas drôle; je suis franche! Muscade me plaît, et il me lâche toujours, c'est embêtant, cela. »

Servigny fit un grand salut.

« Je ne vous quitte plus, Mam'zelle, ni jour ni nuit. »

Elle eut un geste de terreur :

« Ah! mais non! par exemple! Dans le jour, je veux bien, mais la nuit, vous me gêneriez. »

Il demanda avec impertinence :

« Pourquoi ça? »

Elle répondit avec une audace tranquille :

« Parce que vous ne devez pas être aussi bien en déshabillé. »

La marquise, sans paraître émue, s'écria :

« Mais ils disent des énormités. On n'est pas innocent à ce point. »

Et Servigny, d'un ton railleur, ajouta :

« C'est aussi mon avis, Marquise. »

Yvette fixa les yeux sur lui, et, d'un ton hautain, blessé :

« Vous, vous venez de commettre une grossièreté, ça vous arrive trop souvent depuis quelque temps. »

Et s'étant retournée, elle appela :

« Chevalier, venez me défendre, on m'insulte. »

Un homme maigre, brun, lent dans ses allures, s'approcha :

« Quel est le coupable ? » dit-il, avec un sourire contraint.

Elle désigna Servigny d'un coup de tête :

« C'est lui ; mais je l'aime tout de même plus que vous tous, parce qu'il est moins ennuyeux. »

Le chevalier Valréali s'inclina :

« On fait ce qu'on peut. Nous avons peut-être moins de qualités, mais non moins de dévouement. »

Un homme s'en venait, ventru, de haute taille, à favoris gris, parlant fort.

« Mademoiselle Yvette, je suis votre serviteur. »

Elle s'écria :

« Ah ! Monsieur de Belvigne. »

Puis, se tournant vers Saval, elle présenta :

« Mon prétendant en titre, grand, gros, riche et bête. C'est comme ça que je les aime. Un vrai tambour-major... de table d'hôte. Tiens, mais vous êtes encore plus grand que lui. Comment est-ce que je vous baptiserai ?... Bon ! je vous appellerai M. de Rhodes[1] fils, à cause du colosse qui était certainement votre père. Mais vous devez avoir des choses intéressantes à vous dire, vous deux, par-dessus la tête des autres, bonsoir. »

Et elle s'en alla vers l'orchestre, vivement, pour prier les musiciens de jouer un quadrille.

1. Île de la mer Égée dont le port était gardé par une gigantesque statue du dieu du Soleil (le Colosse) considérée comme une des Sept Merveilles du monde.

Mme Obardi semblait distraite. Elle dit à Servigny d'une voix lente, pour parler :

« Vous la taquinez toujours, vous lui donnerez mauvais caractère, et un tas de vilains défauts. »

Il répliqua :

« Vous n'avez donc pas terminé son éducation ? »

Elle eut l'air de ne pas comprendre et elle continuait à sourire avec bienveillance.

Mais elle aperçut, venant vers elle, un monsieur solennel et constellé de croix, et elle courut à lui :

« Ah ! Prince, Prince, quel bonheur ! »

Servigny reprit le bras de Saval, et l'entraînant :

« Voilà le dernier prétendant sérieux, le prince Kravalow. N'est-ce pas qu'elle est superbe ? »

Et Saval répondit :

« Moi, je les trouve superbes toutes les deux. La mère me suffirait parfaitement. »

Servigny le salua :

« A ta disposition, mon cher. »

Les danseurs les bousculaient, se mettant en place pour le quadrille, deux par deux et sur deux lignes, face à face.

« Maintenant, allons donc voir un peu les grecs[1] », dit Servigny.

Et ils entrèrent dans le salon de jeu.

Autour de chaque table un cercle d'hommes debout regardait. On parlait peu, et parfois un petit bruit d'or jeté sur le tapis ou ramassé brusquement mêlait un léger murmure métallique au murmure des joueurs, comme si la voix de l'argent eût dit son mot au milieu des voix humaines.

Tous ces hommes étaient décorés d'ordres divers, de rubans bizarres, et ils avaient une même allure sévère avec des visages différents. On les distinguait surtout à la barbe.

L'Américain roide avec son fer à cheval, l'Anglais hautain avec son éventail de poils ouverts sur la poitrine, l'Espagnol avec sa toison noire lui montant

_____

1. Tricheurs professionnels.

jusqu'aux yeux, le Romain avec cette énorme moustache dont Victor-Emmanuel a doté l'Italie[1], l'Autrichien avec ses favoris et son menton rasé, un général
russe dont la lèvre semblait armée de deux lances de
poils roulés, et des Français à la moustache galante
révélaient la fantaisie de tous les barbiers du monde.

« Tu ne joues pas ? demanda Servigny

— Non, et toi ?

— Jamais ici. Veux-tu partir, nous reviendrons un
jour plus calme. Il y a trop de monde aujourd'hui, on ne
peut rien faire.

— Allons ! »

Et ils disparurent sous une portière qui conduisait au
vestibule.

Dès qu'ils furent dans la rue, Servigny prononça :
« Eh bien ! qu'en dis-tu ?

— C'est intéressant, en effet. Mais j'aime mieux le
côté femmes que le côté hommes.

— Parbleu. Ces femmes-là sont ce qu'il y a de mieux
pour nous dans la race. Ne trouves-tu pas qu'on sent
l'amour chez elles, comme on sent les parfums chez un
coiffeur ? En vérité, ce sont les seules maisons où on
s'amuse vraiment pour son argent. Et quelles prati-
ciennes, mon cher ! Quelles artistes ! As-tu quelquefois
mangé des gâteaux de boulanger ? Ça a l'air bon, et ça
ne vaut rien. L'homme qui les a pétris ne sait faire que
du pain. Eh bien ! l'amour d'une femme du monde
ordinaire me rappelle toujours ces friandises de mitron,
tandis que l'amour qu'on trouve chez les marquises
Obardi, vois-tu, c'est du nanan[2]. Oh ! elles savent faire
les gâteaux, ces pâtissières-là ! On paie cinq sous chez
elles ce qui coûte deux sous ailleurs, et voilà tout. »

Saval demanda :
« Quel est le maître de céans, en ce moment ? »

1. Victor-Emmanuel II (1820-1870), le « roi gentilhomme »,
régna sur la Sardaigne, puis sur l'Italie (1861) dont il favorisa
activement l'unification.
2. Langage enfantin : *friandise*. Familier : quelque chose
d'agréable.

Servigny haussa les épaules avec un geste d'ignorance.

« Je n'en sais rien. Le dernier connu était un pair
d'Angleterre, parti depuis trois mois. Aujourd'hui, elle
doit vivre sur le commun, sur le jeu peut-être et sur les
joueurs, car elle a des caprices. Mais, dis-moi, il est bien
entendu que nous allons dîner samedi chez elle à
Bougival, n'est-ce pas ? A la campagne, on est plus libre
et je finirai bien par savoir ce qu'Yvette a dans la tête ! »

Saval répondit :

« Moi, je ne demande pas mieux, je n'ai rien à faire
ce jour-là. »

En redescendant les Champs-Élysées sous le champ
de feu des étoiles, ils dérangèrent un couple étendu sur
un banc, et Servigny murmura :

« Quelle bêtise et quelle chose considérable en
même temps. Comme c'est banal, amusant, toujours
pareil et toujours varié, l'amour ! Et le gueux qui paye
vingt sous cette fille ne lui demande pas autre chose que
ce que je payerais dix mille francs à une Obardi quelconque, pas plus jeune et pas moins bête que cette
rouleuse, peut-être ? Quelle niaiserie ! »

Il ne dit rien pendant quelques minutes, puis il
prononça de nouveau :

« C'est égal, ce serait une rude chance d'être le
premier amant d'Yvette. Oh ! pour cela je donnerais…
je donnerais… »

Il ne trouva pas ce qu'il donnerait. Et Saval lui dit
bonsoir, comme ils arrivaient au coin de la rue Royale.

II

On avait mis le couvert sur la véranda qui dominait la
rivière. La villa Printemps, louée par la marquise
Obardi, se trouvait à mi-hauteur du coteau, juste à la

courbe de la Seine qui venait tourner devant le mur du jardin, coulant vers Marly.

En face de la demeure, l'île de Croissy formait un horizon de grands arbres, une masse de verdure, et on voyait un long bout du large fleuve jusqu'au café flottant de la Grenouillère, caché sous les feuillages.

Le soir tombait, un de ces soirs calmes du bord de l'eau, colorés et doux, un de ces soirs tranquilles qui donnent la sensation du bonheur. Aucun souffle d'air ne remuait les branches, aucun frisson de vent ne passait sur la surface unie et claire de la Seine. Il ne faisait pas trop chaud cependant, il faisait tiède, il faisait bon vivre. La fraîcheur bienfaisante des berges de la Seine montait vers le ciel serein.

Le soleil s'en allait derrière les arbres, vers d'autres contrées, et on aspirait, semblait-il, le bien-être de la terre endormie déjà, on aspirait dans la paix de l'espace la vie nonchalante du monde.

Quand on sortit du salon pour s'asseoir à table, chacun s'extasia. Une gaieté attendrie envahit les cœurs ; on sentait qu'on serait si bien à dîner là, dans cette campagne, avec cette grande rivière et cette fin de jour pour décors, en respirant cet air limpide et savoureux.

La marquise avait pris le bras de Saval, Yvette celui de Servigny.

Ils étaient seuls tous les quatre.

Les deux femmes semblaient tout autres qu'à Paris, Yvette surtout.

Elle ne parlait plus guère, paraissait alanguie, grave.

Saval, ne la reconnaissant plus, lui demanda :

« Qu'avez-vous donc, Mademoiselle ? je vous trouve changée depuis l'autre semaine. Vous êtes devenue une personne toute raisonnable. »

Elle répondit :

« C'est la campagne qui m'a fait ça. Je ne suis plus la même. Je me sens toute drôle. Moi, d'ailleurs, je ne me ressemble jamais deux jours de suite. Aujourd'hui, j'aurai l'air d'une folle, et demain d'une élégie ; je change comme le temps, je ne sais pas pourquoi. Voyez-vous, je suis capable de tout, suivant les moments. Il y a des jours où je tuerais des gens, pas des bêtes, jamais je ne tuerais des bêtes, mais des gens, oui, et puis d'autres jours où je pleure pour un rien. Il me passe dans la tête un tas d'idées différentes. Ça dépend aussi comment on se lève. Chaque matin, en m'éveillant, je pourrais dire ce que je serai jusqu'au soir. Ce sont peut-être nos rêves qui nous disposent comme ça. Ça dépend aussi du livre que je viens de lire. »

Elle était vêtue d'une toilette complète de flanelle blanche qui l'enveloppait délicatement dans la mollesse flottante de l'étoffe. Son corsage large, à grands plis, indiquait, sans la montrer, sans la serrer, sa poitrine libre, ferme et déjà mûre. Et son cou fin sortait d'une mousse de grosses dentelles, se penchant par mouvements adoucis, plus blond que sa robe, un bijou de chair, qui portait le lourd paquet de ses cheveux d'or.

Servigny la regardait longuement. Il prononça :

« Vous êtes adorable ce soir, Mam'zelle. Je voudrais vous voir toujours ainsi. »

Elle lui dit, avec un peu de sa malice ordinaire :

« Ne me faites pas de déclaration, Muscade. Je la prendrai au sérieux aujourd'hui, et ça pourrait vous coûter cher ! »

La marquise paraissait heureuse, très heureuse. Tout en noir, noblement drapée dans une robe sévère qui dessinait ses lignes pleines et fortes, un peu de rouge au corsage, une guirlande d'œillets rouges tombant de la ceinture, comme une chaîne, et remontant s'attacher sur la hanche, une rose rouge dans ses cheveux sombres, elle portait dans toute sa personne, dans cette toilette simple où ces fleurs semblaient saigner, dans son regard qui pesait, ce soir-là, sur les gens, dans sa voix lente, dans ses gestes rares, quelque chose d'ardent.

Saval aussi semblait sérieux, absorbé. De temps en temps, il prenait dans sa main, d'un geste familier, sa barbe brune qu'il portait taillée en pointe, à la Henri III, et il paraissait songer à des choses profondes.

Personne ne dit rien pendant quelques minutes.

Puis, comme on passait une truite, Servigny déclara :

« Le silence a quelquefois du bon. On est souvent plus près les uns des autres quand on se tait que quand on parle ; n'est-ce pas, Marquise ? »

Elle se retourna un peu vers lui, et répondit :

« Ça c'est vrai. C'est si doux de penser ensemble à des choses agréables. »

Et elle leva son regard chaud vers Saval ; et ils restèrent quelques secondes à se contempler, l'œil dans l'œil.

Un petit mouvement presque invisible eut lieu sous la table.

Servigny reprit :

« Mam'zelle Yvette, vous allez me faire croire que vous êtes amoureuse si vous continuez à être aussi sage que ça. Or, de qui pouvez-vous être amoureuse ? cherchons ensemble, si vous voulez. Je laisse de côté l'armée des soupirants vulgaires, je ne prends que les principaux : du prince Kravalow ? »

A ce nom, Yvette se réveilla :

« Mon pauvre Muscade, y songez-vous ! Mais le prince a l'air d'un Russe de musée de cire, qui aurait obtenu des médailles dans des concours de coiffure.

— Bon. Supprimons le prince ; vous avez donc distingué le vicomte Pierre de Belvigne. »

Cette fois, elle se mit à rire et demanda :

« Me voyez-vous pendue au cou de Raisiné (elle le baptisait, selon les jours, Raisiné, Malvoisie, Argenteuil, car elle donnait des surnoms à tout le monde) et lui murmurer dans le nez : « Mon cher petit Pierre, ou mon divin Pédro, mon adoré Piétri, mon mignon Pierrot, donne ta bonne grosse tête de toutou à ta chère petite femme qui veut l'embrasser. »

Servigny annonça :

« Enlevez le deux. Reste le chevalier Valréali, que la marquise semble favoriser. »

Yvette retrouva toute sa joie :

« Larme-à-l'Œil ? mais il est pleureur à la Madeleine. Il suit les enterrements de première classe. Je me crois morte toutes les fois qu'il me regarde.

— Et de trois. Alors vous avez eu le coup de foudre pour le baron Saval, ici présent.

— Pour M. de Rhodes fils, non, il est trop fort. Il me semblerait que j'aime l'arc de triomphe de l'Étoile.

— Alors, Mam'zelle, il est indubitable que vous êtes amoureuse de moi, car je suis le seul de vos adorateurs dont nous n'ayons point encore parlé. Je m'étais réservé, par modestie, et par prudence. Il me reste à vous remercier. »

Elle répondit, avec une grâce joyeuse :

« De vous, Muscade ? Ah ! mais non. Je vous aime bien... Mais je ne vous aime pas... attendez, je ne veux pas vous décourager. Je ne vous aime pas... encore. Vous avez des chances... peut-être... Persévérez, Muscade, soyez dévoué, empressé, soumis, plein de soins, de prévenances, docile à mes moindres caprices, prêt à tout pour me plaire... et nous verrons... plus tard.

— Mais, Mam'zelle, tout ce que vous réclamez là, j'aimerais mieux vous le fournir après qu'avant, si ça ne vous faisait rien. »

Elle demanda d'un air ingénu de soubrette :

« Après quoi ?... Muscade ?

— Après que vous m'aurez montré que vous m'aimez, parbleu !

— Eh bien ! faites comme si je vous aimais, et croyez-le si vous voulez...

— Mais, c'est que...

— Silence, Muscade, en voilà assez sur ce sujet. »

Il fit le salut militaire et se tut.

Le soleil s'était enfoncé derrière l'île, mais tout le ciel demeurait flamboyant comme un brasier, et l'eau calme du fleuve semblait changée en sang. Les reflets de l'horizon rendaient rouges les maisons, les objets, les gens. Et la rose écarlate dans les cheveux de la marquise avait l'air d'une goutte de pourpre tombée des nuages sur sa tête.

Yvette regardant au loin, sa mère posa, comme par

mégarde, sa main nue sur la main de Saval; mais la jeune fille alors ayant fait un mouvement, la main de la marquise s'envola d'un geste rapide et vint rajuster quelque chose dans les replis de son corsage.

Servigny, qui les regardait, prononça :

« Si vous voulez, Mam'zelle, nous irons faire un tour dans l'île après dîner ? »

Elle fut joyeuse de cette idée :

« Oh ! oui ; ce sera charmant ; nous irons tout seuls, n'est-ce pas, Muscade ?

— Oui, tout seuls, Mam'zelle. »

Puis on se tut de nouveau.

Le large silence de l'horizon, le somnolent repos du soir engourdissaient les cœurs, les corps, les voix. Il est des heures tranquilles, des heures recueillies où il devient presque impossible de parler.

Les valets servaient sans bruit. L'incendie du firmament s'éteignait, et la nuit lente déployait ses ombres sur la terre. Saval demanda :

« Avez-vous l'intention de demeurer longtemps dans ce pays ? »

Et la marquise répondit en appuyant sur chaque parole :

« Oui. Tant que j'y serai heureuse. »

Comme on n'y voyait plus, on apporta les lampes. Elles jetèrent sur la table une étrange lumière pâle sous la grande obscurité de l'espace ; et aussitôt une pluie de mouches tomba sur la nappe. C'étaient de toutes petites mouches qui se brûlaient en passant sur les cheminées de verre, puis, les ailes et les pattes grillées, poudraient le linge, les plats, les coupes, d'une sorte de poussière grise et sautillante.

On les avalait dans le vin, on les mangeait dans les sauces, on les voyait remuer sur le pain. Et toujours on avait le visage et les mains chatouillés par la foule innombrable et volante de ces insectes menus.

Il fallait jeter sans cesse les boissons, couvrir les assiettes, manger en cachant les mets avec des précautions infinies.

Ce jeu amusait Yvette, Servigny prenant soin d'abriter ce qu'elle portait à sa bouche, de garantir son verre, d'étendre sur sa tête, comme un toit, sa serviette déployée. Mais la marquise, dégoûtée, devint nerveuse, et la fin du dîner fut courte.

Yvette, qui n'avait point oublié la proposition de Servigny, lui dit :

« Nous allons dans l'île, maintenant. »

Sa mère recommanda d'un ton languissant :

« Surtout, ne soyez pas longtemps. Nous allons, d'ailleurs, vous conduire jusqu'au passeur. »

Et on partit, toujours deux par deux, la jeune fille et son ami allant devant, sur le chemin de halage. Ils entendaient, derrière eux, la marquise et Saval qui parlaient bas, très bas, très vite. Tout était noir, d'un noir épais, d'un noir d'encre. Mais le ciel fourmillant de grains de feu, semblait les semer dans la rivière, car l'eau sombre était sablée d'astres.

Les grenouilles maintenant coassaient, poussant, tout le long des berges, leurs notes roulantes et monotones.

Et d'innombrables rossignols jetaient leur chant léger dans l'air calme.

Yvette, tout à coup, demanda :

« Tiens ! mais on ne marche plus, derrière nous. Où sont-ils ? »

Et elle appela :

« Maman ! »

Aucune voix ne répondit. La jeune fille reprit :

« Ils ne peuvent pourtant pas être loin, je les entendais tout de suite. »

Servigny murmura :

« Ils ont dû retourner. Votre mère avait froid, peut-être. »

Et il l'entraîna.

Devant eux, une lumière brillait. C'était l'auberge de Martinet, restaurateur et pêcheur. A l'appel des promeneurs, un homme sortit de la maison et ils montèrent dans un gros bateau amarré au milieu des herbes de la rive.

Le passeur prit ses avirons, et la lourde barque, avançant, réveillait les étoiles endormies sur l'eau, leur faisait danser une danse éperdue qui se calmait peu à peu derrière eux.

Ils touchèrent l'autre rivage et descendirent sous les grands arbres.

Une fraîcheur de terre humide flottait sous les branches hautes et touffues, qui paraissaient porter autant de rossignols que de feuilles.

Un piano lointain se mit à jouer une valse populaire. Servigny avait pris le bras d'Yvette, et, tout doucement, il glissa la main derrière sa taille et la serra d'une pression douce.

« A quoi pensez-vous ? dit-il.

— Moi ? à rien. Je suis très heureuse !

— Alors vous ne m'aimez point ?

— Mais oui, Muscade, je vous aime, je vous aime beaucoup ; seulement, laissez-moi tranquille avec ça. Il fait trop beau pour écouter vos balivernes. »

Il la serrait contre lui, bien qu'elle essayât, par petites secousses, de se dégager, et à travers la flanelle moelleuse et douce au toucher, il sentait la tiédeur de sa chair. Il balbutia :

« Yvette !

— Eh bien, quoi ?

— C'est que je vous aime, moi.

— Vous n'êtes pas sérieux, Muscade.

— Mais oui : voilà longtemps que je vous aime. »

Elle tentait toujours de se séparer de lui, s'efforçant de retirer son bras écrasé entre leurs deux poitrines. Et ils marchaient avec peine, gênés par ce lien et par ces mouvements, zigzaguant comme des gens gris.

Il ne savait plus que lui dire, sentant bien qu'on ne parle pas à une jeune fille comme à une femme, troublé, cherchant ce qu'il devait faire, se demandant si elle consentait ou si elle ne comprenait pas, et se courbaturant l'esprit pour trouver les paroles tendres, justes, décisives qu'il fallait.

Il répétait de seconde en seconde :

« Yvette! Dites, Yvette! »

Puis, brusquement, à tout hasard, il lui jeta un baiser sur la joue. Elle fit un petit mouvement d'écart, et, d'un air fâché :

« Oh! que vous êtes ridicule. Allez-vous me laisser tranquille? »

Le ton de sa voix ne révélait point ce qu'elle pensait, ce qu'elle voulait; et, ne la voyant pas trop irritée, il appliqua ses lèvres à la naissance du cou, sur le premier duvet doré des cheveux à cet endroit charmant qu'il convoitait depuis si longtemps.

Alors elle se débattit avec de grands sursauts pour s'échapper. Mais il la tenait vigoureusement, et lui jetant son autre main sur l'épaule, il lui fit de force tourner la tête vers lui, et lui vola sur la bouche une caresse affolante et profonde.

Elle glissa entre ses bras par une rapide ondulation de tout le corps, plongea le long de sa poitrine, et, sortie vivement de son étreinte, elle disparut dans l'ombre avec un grand froissement de jupes, pareil au bruit d'un oiseau qui s'envole.

Il demeura d'abord immobile, surpris par cette souplesse et par cette disparition, puis n'entendant plus rien, il appela à mi-voix :

« Yvette! »

Elle ne répondit pas. Il se mit à marcher, fouillant les ténèbres de l'œil, cherchant dans les buissons la tache blanche que devait faire sa robe. Tout était noir. Il cria de nouveau plus fort :

« Mam'zelle Yvette! »

Les rossignols se turent.

Il hâtait le pas, vaguement inquiet, haussant toujours le ton :

« Mam'zelle Yvette! Mam'zelle Yvette! »

Rien; il s'arrêta, écouta. Toute l'île était silencieuse; à peine un frémissement de feuilles sur sa tête. Seules, les grenouilles continuaient leurs coassements sonores sur les rives.

Alors il erra de taillis en taillis, descendant aux berges

droites et broussailleuses du bras rapide, puis retournant aux berges plates et nues du bras mort. Il s'avança jusqu'en face de Bougival, revint à l'établissement de la Grenouillère, fouilla tous les massifs, répétant toujours :

« Mam'zelle Yvette, où êtes-vous ? Répondez ! C'était une farce ! Voyons, répondez ! Ne me faites pas chercher comme ça ! »

Une horloge lointaine se mit à sonner. Il compta les coups : minuit. Il parcourait l'île depuis deux heures. Alors il pensa qu'elle était peut-être rentrée, et il revint très anxieux, faisant le tour par le pont.

Un domestique, endormi sur un fauteuil, attendait dans le vestibule.

Servigny, l'ayant réveillé, lui demanda :

« Y a-t-il longtemps que Mlle Yvette est revenue ? Je l'ai quittée au bout du pays parce que j'avais une visite à faire. »

Et le valet répondit :

« Oh ! oui, monsieur le Duc. Mademoiselle est rentrée avant dix heures. »

Il gagna sa chambre et se mit au lit.

Il demeurait les yeux ouverts, sans pouvoir dormir. Ce baiser volé l'avait agité. Et il songeait. Que voulait-elle ? que pensait-elle ? que savait-elle ? Comme elle était jolie, enfiévrante !

Ses désirs, fatigués par la vie qu'il menait, par toutes les femmes obtenues, par toutes les amours explorées, se réveillaient devant cette enfant singulière, si fraîche, irritante et inexplicable.

Il entendit sonner une heure, puis deux heures. Il ne dormirait pas, décidément. Il avait chaud, il suait, il sentait son cœur rapide battre à ses tempes, et il se leva pour ouvrir la fenêtre.

Un souffle frais entra, qu'il but d'une longue aspiration. L'ombre épaisse était muette, toute noire, immobile. Mais soudain, il aperçut devant lui, dans les ténèbres du jardin, un point luisant ; on eût dit un petit charbon rouge. Il pensa : « Tiens, un cigare. — Ça ne peut être que Saval », et il l'appela doucement :

« Léon! »

Une voix répondit :

« C'est toi, Jean?

— Oui. Attends-moi, je descends. »

Il s'habilla, sortit et, rejoignant son ami qui fumait, à cheval sur une chaise de fer :

« Qu'est-ce que tu fais là, à cette heure? »

Saval répondit :

« Moi, je me repose! »

Et il se mit à rire.

Servigny lui serra la main :

« Tous mes compliments, mon cher. Et moi je... je m'embête.

— Ça veut dire que...

— Ça veut dire que... Yvette et sa mère ne se ressemblent pas.

— Que s'est-il passé ? Dis-moi ça! »

Servigny raconta ses tentatives et leur insuccès, puis il reprit :

« Décidément, cette petite me trouble. Figure-toi que je n'ai pas pu m'endormir. Que c'est drôle, une fillette. Ça a l'air simple comme tout et on ne sait rien d'elle. Une femme qui a vécu, qui a aimé, qui connaît la vie, on la pénètre très vite. Quand il s'agit d'une vierge, au contraire, on ne devine plus rien. Au fond, je commence à croire qu'elle se moque de moi. »

Saval se balançait sur son siège. Il prononça très lentement :

« Prends garde, mon cher, elle te mène au mariage. Rappelle-toi d'illustres exemples. C'est par le même procédé que Mlle de Montijo[1], qui était au moins de bonne race, devint l'impératrice. Ne joue pas les Napoléon. »

Servigny murmura.

« Quant à ça, ne crains rien, je ne suis ni un naïf, ni

---

1. Eugénie de Montijo de Guzmán (1826-1920), de bonne famille espagnole, rencontrée par Louis-Napoléon Bonaparte au cours d'une partie de chasse, devint, le 29 janvier 1853, l'impératrice Eugénie.

un empereur. Il faut être l'un ou l'autre pour faire de ces coups de tête. Mais dis-moi : as-tu sommeil, toi?

— Non, pas du tout.

— Veux-tu faire un tour au bord de l'eau?

— Volontiers. »

Ils ouvrirent la grille et se mirent à descendre le long de la rivière, vers Marly.

C'était l'heure fraîche qui précède le jour, l'heure du grand sommeil, du grand repos, du calme profond. Les bruits légers de la nuit eux-mêmes s'étaient tus. Les rossignols ne chantaient plus; les grenouilles avaient fini leur vacarme; seule, une bête inconnue, un oiseau peut-être, faisait quelque part une sorte de grincement de scie, faible, monotone, régulier comme un travail mécanique.

Servigny, qui avait par moments de la poésie et aussi de la philosophie, dit tout à coup :

« Voilà. Cette fille me trouble tout à fait. En arith-métique, un et un font deux. En amour, un et un devraient faire un, et ça fait deux tout de même. As-tu jamais senti cela, toi? Ce besoin d'absorber une femme en soi ou de disparaître en elle? Je ne parle pas du besoin bestial d'étreinte, mais de ce tourment moral et mental de ne faire qu'un avec un être, d'ouvrir à lui toute son âme, tout son cœur et de pénétrer toute sa pensée jusqu'au fond. Et jamais on ne sait rien de lui, jamais on ne découvre toutes les fluctuations de ses volontés, de ses désirs, de ses opinions. Jamais on ne devine, même un peu, tout l'inconnu, tout le mystère d'une âme qu'on sent si proche, d'une âme cachée derrière deux yeux qui vous regardent, clairs comme de l'eau, transparents comme si rien de secret n'était dessous, d'une âme qui vous parle par une bouche aimée, qui semble à vous, tant on la désire; d'une âme qui vous jette une à une, par des mots, ses pensées, et qui reste cependant plus loin de vous que ces étoiles ne sont loin l'une de l'autre, plus impénétrables que ces astres! C'est drôle, tout ça? »

Saval répondit :

« Je n'en demande pas tant. Je ne regarde pas derrière les yeux. Je me préoccupe peu du contenu, mais beaucoup du contenant. »

Et Servigny murmura :

« C'est que Yvette est une singulière personne. Comment va-t-elle me recevoir ce matin ? »

Comme ils arrivaient à la Machine de Marly[1], ils s'aperçurent que le ciel pâlissait.

Des coqs commençaient à chanter dans les poulaillers ; et leur voix arrivait, un peu voilée par l'épaisseur des murs. Un oiseau pépiait dans un parc, à gauche, répétant sans cesse une petite ritournelle d'une simplicité naïve et comique.

« Il serait temps de rentrer », déclara Saval.

Ils revinrent. Et comme Servigny pénétrait dans sa chambre, il aperçut l'horizon tout rose par sa fenêtre demeurée ouverte.

Alors il ferma sa persienne, tira et croisa ses lourds rideaux, se coucha et s'endormit enfin.

Il rêva d'Yvette tout le long de son sommeil.

Un bruit singulier le réveilla. Il s'assit en son lit, écouta, n'entendit plus rien. Puis, ce fut tout à coup contre ses auvents un crépitement pareil à celui de la grêle qui tombe.

Il sauta du lit, courut à sa fenêtre, l'ouvrit et aperçut Yvette, debout dans l'allée et qui lui jetait à pleine main des poignées de sable dans la figure.

Elle était habillée de rose, coiffée d'un chapeau de paille à larges bords surmonté d'une plume à la mousquetaire, et elle riait d'une façon sournoise et maligne :

« Eh bien ! Muscade, vous dormez ? Qu'est-ce que vous avez bien pu faire cette nuit pour vous réveiller si tard ? Est-ce que vous avez couru les aventures, mon pauvre Muscade ? »

Il demeurait ébloui par la clarté violente du jour entrée brusquement dans son œil, encore engourdi de fatigue, et surpris de la tranquillité railleuse de la jeune fille.

1. Mécanisme servant à alimenter l'aqueduc qui fournissait les eaux du parc de Versailles.

Il répondit :

« Me v'là, me v'là, Mam'zelle. Le temps de me mettre le nez dans l'eau et je descends. »

Elle cria :

« Dépêchez-vous, il est dix heures. Et puis j'ai un grand projet à vous communiquer, un complot que nous allons faire. Vous savez qu'on déjeune à onze heures. »

Il la trouva assise sur un banc, avec un livre sur les genoux, un roman quelconque. Elle lui prit le bras familièrement, amicalement, d'une façon franche et gaie comme si rien ne s'était passé la veille, et l'entraînant au bout du jardin :

« Voilà mon projet. Nous allons désobéir à maman, et vous me mènerez tantôt à la Grenouillère. Je veux voir ça, moi. Maman dit que les honnêtes femmes ne peuvent pas aller dans cet endroit-là. Moi, ça m'est bien égal, qu'on puisse y aller ou pas y aller. Vous m'y conduirez, n'est-ce pas, Muscade ? et nous ferons beaucoup de tapage avec les canotiers. »

Elle sentait bon, sans qu'il pût déterminer quelle odeur vague et légère voltigeait autour d'elle. Ce n'était pas un des lourds parfums de sa mère, mais un souffle discret où il croyait saisir un soupçon de poudre d'iris, peut-être aussi un peu de verveine.

D'où venait cette senteur insaisissable ? de la robe, des cheveux ou de la peau ? Il se demandait cela, et, comme elle lui parlait de très près, il recevait en plein visage son haleine fraîche qui lui semblait aussi délicieuse à respirer. Alors il pensa que ce fuyant parfum qu'il cherchait à reconnaître n'existait peut-être qu'évoqué par ses yeux charmés et n'était qu'une sorte d'émanation trompeuse de cette grâce jeune et séduisante.

Elle disait :

« C'est entendu, n'est-ce pas, Muscade ?... Comme il fera très chaud après déjeuner, maman ne voudra pas sortir. Elle est très molle quand il fait chaud. Nous la laisserons avec votre ami et vous m'emmènerez. Nous serons censés monter dans la forêt. Si vous saviez comme ça m'amusera de voir la Grenouillère ! »

Ils arrivaient devant la grille, en face de la Seine. Un flot de soleil tombait sur la rivière endormie et luisante. Une légère brume de chaleur s'en élevait, une fumée d'eau évaporée qui mettait sur la surface du fleuve une petite vapeur miroitante.

De temps en temps, un canot passait, yole rapide ou lourd bachot, et on entendait au loin des sifflets courts ou prolongés, ceux des trains qui versent, chaque dimanche, le peuple de Paris dans la campagne des environs, et ceux des bateaux à vapeur qui préviennent de leur approche pour passer l'écluse de Marly.

Mais une petite cloche sonna.

On annonçait le déjeuner. Ils rentrèrent.

Le repas fut silencieux. Un pesant midi de juillet écrasait la terre, oppressait les êtres. La chaleur semblait épaisse, paralysait les esprits et les corps. Les paroles engourdies ne sortaient point des lèvres, et les mouvements semblaient pénibles comme si l'air fût devenu résistant, plus difficile à traverser.

Seule, Yvette, bien que muette, paraissait animée, nerveuse d'impatience.

Dès qu'on eut fini le dessert elle demanda :

« Si nous allions nous promener dans la forêt. Il ferait joliment bon sous les arbres. »

La marquise, qui avait l'air exténué, murmura :

« Es-tu folle ? Est-ce qu'on peut sortir par un temps pareil ? »

Et la jeune fille, ravie, reprit :

« Eh bien ! nous allons te laisser le baron, pour te tenir compagnie. Muscade et moi, nous grimperons la côte et nous assoirons sur l'herbe pour lire. »

Et se tournant vers Servigny :

« Hein ? C'est entendu ? »

Il répondit :

« A votre service, Mam'zelle. »

Et elle courut prendre son chapeau.

La marquise haussa les épaules en soupirant :

« Elle est folle, vraiment. »

Puis elle tendit avec une paresse, une fatigue dans

son geste amoureux et las, sa belle main pâle au baron qui la baisa lentement.

Yvette et Servigny partirent. Ils suivirent d'abord la rive, passèrent le pont, entrèrent dans l'île, puis s'assirent sur la berge, du côté du bras rapide sous les saules, car il était trop tôt encore pour aller à la Grenouillère.

La jeune fille aussitôt tira un livre de sa poche et dit en riant :

« Muscade, vous allez me faire la lecture. »

Et elle lui tendit le volume.

Il eut un mouvement de fuite.

« Moi, Mam'zelle ? mais je ne sais pas lire ! »

Elle reprit avec gravité :

« Allons, pas d'excuses, pas de raisons. Vous me faites encore l'effet d'un joli soupirant, vous ? Tout pour rien, n'est-ce pas ? C'est votre devise ? »

Il reçut le livre, l'ouvrit, resta surpris. C'était un traité d'entomologie. Une histoire des fourmis par un auteur anglais[1]. Et comme il demeurait immobile, croyant qu'elle se moquait de lui, elle s'impatienta : « Voyons, lisez », dit-elle.

Il demanda :

« Est-ce une gageure ou bien une simple toquade ?

— Non, mon cher, j'ai vu ce livre-là chez un libraire. On m'a dit que c'était ce qu'il y avait de mieux sur les fourmis et j'ai pensé que ce serait amusant d'apprendre la vie de ces petites bêtes en les regardant courir dans l'herbe, lisez. »

Elle s'étendit tout du long, sur le ventre, les coudes appuyés sur le sol et la tête entre les mains, les yeux fixés dans le gazon.

Il lut :

« Sans doute les singes anthropoïdes sont, de tous les animaux, ceux qui se rapprochent le plus de l'homme

1. Maupassant cite ici les premières lignes d'un livre anglais paru en 1883 (*Fourmis, Abeilles et Guêpes, études expérimentales sur l'organisation et les mœurs des sociétés d'insectes hyménoptères*) et en résume les têtes de chapitre.

par leur structure anatomique ; mais si nous considérons les mœurs des fourmis, leur organisation en sociétés, leurs vastes communautés, les maisons et les routes qu'elles construisent, leur habitude de domestiquer des animaux, et même parfois de faire des esclaves, nous sommes forcés d'admettre qu'elles ont droit à réclamer une place près de l'homme dans l'échelle de l'intelligence... »

Et il continua d'une voix monotone, s'arrêtant de temps en temps pour demander :

« Ce n'est pas assez ? »

Elle faisait « non » de la tête ; et ayant cueilli à la pointe d'un brin d'herbe arraché, une fourmi errante, elle s'amusait à la faire aller d'un bout à l'autre de cette tige, qu'elle renversait dès que la bête atteignait une des extrémités. Elle écoutait avec une attention concentrée et muette tous les détails surprenants sur la vie de ces frêles animaux, sur leurs installations souterraines, sur la manière dont elles élèvent, enferment et nourrissent des pucerons pour boire la liqueur sucrée qu'ils sécrètent, comme nous élevons des vaches en nos étables, sur leur coutume de domestiquer des petits insectes aveugles qui nettoient les fourmilières, et d'aller en guerre pour ramener des esclaves qui prendront soin des vainqueurs, avec tant de sollicitude que ceux-ci perdront même l'habitude de manger tout seuls.

Et peu à peu, comme si une tendresse maternelle s'était éveillée en son cœur pour la bestiole si petiote et si intelligente, Yvette la faisait grimper sur son doigt, la regardant d'un œil ému, avec une envie de l'embrasser.

Et comme Servigny lisait la façon dont elles vivent en communauté, dont elles jouent entre elles en des luttes amicales de force et d'adresse, la jeune fille enthousiasmée voulut baiser l'insecte qui lui échappa et se mit à courir sur sa figure. Alors elle poussa un cri perçant comme si elle eût été menacée d'un danger terrible, et, avec des gestes affolés, elle se frappait la joue pour rejeter la bête. Servigny, pris d'un fou rire, la cueillit près des cheveux et mit à la place où il l'avait prise un long baiser sans qu'Yvette éloignât son front.

Puis elle déclara en se levant :

« J'aime mieux ça qu'un roman. Allons à la Grenouillère maintenant. »

Ils arrivèrent à la partie de l'île plantée en parc et
ombragée d'arbres immenses. Des couples erraient
sous les hauts feuillages, le long de la Seine, où glis-
saient les canots. C'étaient des filles avec des jeunes
gens, des ouvrières avec leurs amants qui allaient en
manches de chemise, la redingote sur le bras, le haut
chapeau en arrière, d'un air pochard et fatigué, des
bourgeois avec leurs familles, les femmes endiman-
chées et les enfants trottinant comme une couvée de
poussins autour de leurs parents.

Une rumeur lointaine et continue de voix humaines,
une clameur sourde et grondante annonçait l'établissement cher aux canotiers.

Ils l'aperçurent tout à coup. Un immense bateau,
coiffé d'un toit, amarré contre la berge, portait un
peuple de femelles et de mâles attablés et buvant, ou
bien debout, criant, chantant, gueulant, dansant,
cabriolant au bruit d'un piano geignard, faux et vibrant
comme un chaudron.

De grandes filles en cheveux roux, étalant, par-
devant et par-derrière, la double provocation de leur
gorge et de leur croupe, circulaient, l'œil accrochant, la
lèvre rouge, aux trois quarts grises, des mots obscènes à
la bouche.

D'autres dansaient éperdument en face de gaillards à
moitié nus, vêtus d'une culotte de toile et d'un maillot
de coton, et coiffés d'une toque de couleur, comme des
jockeys.

Et tout cela exhalait une odeur de sueur et de poudre
de riz, des émanations de parfumerie et d'aisselles.

Les buveurs, autour des tables, engloutissaient des
liquides blancs, rouges, jaunes, verts, et criaient, vociféraient sans raison, cédant à un besoin violent de faire du
tapage, à un besoin de brutes d'avoir les oreilles et le
cerveau pleins de vacarme.

De seconde en seconde un nageur, debout sur le toit,

sautait à l'eau, jetant une pluie d'éclaboussures sur les consommateurs les plus proches, qui poussaient des hurlements de sauvages.

Et sur le fleuve une flotte d'embarcations passait. Les yoles longues et minces filaient, enlevées à grands coups d'aviron par les rameurs aux bras nus, dont les muscles roulaient sous la peau brûlée. Les canotières en robe de flanelle bleue ou de flanelle rouge, une ombrelle, rouge ou bleue aussi, ouverte sur la tête, éclatante sous l'ardent soleil, se renversaient dans leur fauteuil à l'arrière des barques et semblaient courir sur l'eau, dans une pose immobile et endormie.

Des bateaux plus lourds s'en venaient lentement, chargés de monde. Un collégien en goguette, voulant faire le beau, ramait avec des mouvements d'ailes de moulin, et se heurtait à tous les canots, dont tous les canotiers l'engueulaient, puis il disparaissait éperdu, après avoir failli noyer deux nageurs, poursuivi par les vociférations de la foule entassée dans le grand café flottant.

Yvette, radieuse, passait au bras de Servigny au milieu de cette foule bruyante et mêlée, semblait heureuse de ces coudoiements suspects, dévisageait les filles d'un œil tranquille et bienveillant.

« Regardez celle-là, Muscade, quels jolis cheveux elle a ! Elles ont l'air de s'amuser beaucoup. »

Comme le pianiste, un canotier vêtu de rouge et coiffé d'une sorte de colossal chapeau parasol en paille, attaquait une valse, Yvette saisit brusquement son compagnon par les reins et l'enleva avec cette furie qu'elle mettait à danser. Ils allèrent si longtemps et si frénétiquement que tout le monde les regardait. Les consommateurs, debout sur les tables, battaient une sorte de mesure avec leurs pieds ; d'autres heurtaient les verres ; et le musicien semblait devenir enragé, tapait les touches d'ivoire avec des bondissements de la main, des gestes fous de tout le corps, en balançant éperdument sa tête abritée de son immense couvre-chef.

Tout à coup il s'arrêta, et, se laissant glisser par terre,

s'affaissa tout du long sur le sol, enseveli sous sa coiffure, comme s'il était mort de fatigue. Un grand rire éclata dans le café, et tout le monde applaudit.

Quatre amis se précipitèrent comme on fait dans les accidents, et, ramassant leur camarade, l'emportèrent par les quatre membres, après avoir posé sur son ventre l'espèce de toit dont il se coiffait.

Un farceur, les suivant, entonna le *De Profundis*[1], et une procession se forma derrière le faux mort, se déroulant par les chemins de l'île, entraînant à la suite les consommateurs, les promeneurs, tous les gens qu'on rencontrait.

Yvette s'élança, ravie, riant de tout son cœur, causant avec tout le monde, affolée par le mouvement et le bruit. Des jeunes gens la regardaient au fond des yeux, se pressaient contre elle, très allumés, semblaient la flairer, la dévêtir du regard; et Servigny commençait à craindre que l'aventure ne tournât mal à la fin.

La procession allait toujours, accélérant son allure, car les quatre porteurs avaient pris le pas de course, suivis par la foule hurlante. Mais, tout à coup, ils se dirigèrent vers la berge, s'arrêtèrent net en arrivant au bord, balancèrent un instant leur camarade, puis, le lâchant tous les quatre en même temps, le lancèrent dans la rivière.

Un immense cri de joie jaillit de toutes les bouches, tandis que le pianiste, étourdi, barbotait, jurait, toussait, crachait de l'eau, et, embourbé dans la vase, s'efforçait de remonter au rivage.

Son chapeau, qui s'en allait au courant, fut rapporté par une barque.

Yvette dansait de plaisir en battant des mains et répétant :

« Oh! Muscade, comme je m'amuse, comme je m'amuse! »

Servigny l'observait, redevenu sérieux, un peu gêné, un peu froissé de la voir si bien à son aise dans ce milieu

---

1. Latin : *Des Profondeurs...* Premiers mots du sixième psaume de la Pénitence, qui fait partie des prières pour les morts.

canaille. Une sorte d'instinct se révoltait en lui, cet instinct du comme il faut qu'un homme bien né garde toujours, même quand il s'abandonne, cet instinct qui l'écarte des familiarités trop viles et des contacts trop salissants.

Il se disait, s'étonnant :

« Bigre, tu as de la race, toi ! »

Et il avait envie de la tutoyer vraiment, comme il la tutoyait dans sa pensée, comme on tutoie, la première fois qu'on les voit, les femmes qui sont à tous. Il ne la distinguait plus guère des créatures à cheveux roux qui les frôlaient et qui criaient, de leurs voix enrouées, des mots obscènes. Ils couraient dans cette foule, ces mots grossiers, courts et sonores, semblaient voltiger au-dessus, nés là-dedans comme des mouches sur un fumier. Ils ne semblaient ni choquer, ni surprendre personne. Yvette ne paraissait point les remarquer.

« Muscade, je veux me baigner, dit-elle, nous allons faire une pleine eau. »

Il répondit :

« A vot' service. » Et ils allèrent au bureau des bains pour se procurer des costumes. Elle fut déshabillée la première et elle l'attendit, debout, sur la rive, souriante sous tous les regards. Puis ils s'en allèrent côte à côte, dans l'eau tiède.

Elle nageait avec bonheur, avec ivresse, toute caressée par l'onde, frémissant d'un plaisir sensuel, soulevée à chaque brasse, comme si elle allait s'élancer hors du fleuve. Il la suivait avec peine, essoufflé, mécontent de se sentir médiocre. Mais elle ralentit son allure, puis, se tournant brusquement, elle fit la planche, les bras croisés, les yeux ouverts dans le bleu du ciel. Il regardait, allongée ainsi à la surface de la rivière, la ligne onduleuse de son corps, les seins fermes, collés contre l'étoffe légère, montrant leur forme ronde et leurs sommets saillants, le ventre doucement soulevé, la cuisse un peu noyée, le mollet nu, miroitant à travers l'eau et le pied mignon qui émergeait.

Il la voyait tout entière, comme si elle se fût montrée

exprès, pour le tenter, pour s'offrir ou pour se jouer encore de lui. Et il se mit à la désirer avec une ardeur passionnée et un énervement exaspéré. Tout à coup elle se retourna, le regarda, se mit à rire.

« Vous avez une bonne tête », dit-elle.

Il fut piqué, irrité de cette raillerie, saisi par une colère méchante d'amoureux bafoué; alors, cédant brusquement à un obscur besoin de représailles, à un désir de se venger, de la blesser :

« Ça vous irait, cette vie-là? »

Elle demanda, avec son grand air naïf :

« Quoi donc?

— Allons, ne vous fichez pas de moi. Vous savez bien ce que je veux dire !

— Non, parole d'honneur.

— Voyons, finissons cette comédie. Voulez-vous ou ne voulez-vous pas?

— Je ne vous comprends point.

— Vous n'êtes pas si bête que ça. D'ailleurs, je vous l'ai dit hier soir.

— Quoi donc? j'ai oublié.

— Que je vous aime.

— Vous?

— Moi.

— Quelle blague !

— Je vous jure.

— Eh bien, prouvez-le.

— Je ne demande que ça !

— Quoi, ça?

— A le prouver.

— Eh bien, faites.

— Vous n'en disiez pas autant hier soir !

— Vous ne m'avez rien proposé.

— C'te bêtise !

— Et puis d'abord ce n'est pas à moi qu'il faut vous adresser.

— Elle est bien bonne! A qui donc?

— Mais à maman, bien entendu. »

Il poussa un éclat de rire.

« A votre mère ? non, c'est trop fort ! »

Elle était devenue soudain très sérieuse, et, le regardant au fond des yeux :

« Écoutez, Muscade, si vous m'aimez vraiment assez pour m'épouser, parlez à maman d'abord, moi je vous répondrai après. »

Il crut qu'elle se moquait encore de lui, et, rageant tout à fait :

« Mam'zelle, vous me prenez pour un autre. »

Elle le regardait toujours, de son œil doux et clair.

Elle hésita, puis elle dit :

« Je ne vous comprends toujours pas ! »

Alors, il prononça vivement, avec quelque chose de brusque et de mauvais dans la voix :

« Voyons, Yvette, finissons cette comédie ridicule qui dure depuis trop longtemps. Vous jouez à la petite fille niaise, et ce rôle ne vous va point, croyez-moi. Vous savez bien qu'il ne peut pas s'agir de mariage entre nous... mais d'amour. Je vous ai dit que je vous aimais, — c'est la vérité, — je le répète, je vous aime. Ne faites plus semblant de ne pas comprendre et ne me traitez pas comme un sot. »

Ils étaient debout dans l'eau, face à face, se soutenant seulement par de petits mouvements des mains. Elle demeura quelques secondes encore immobile, comme si elle ne pouvait se décider à pénétrer le sens de ses paroles, puis elle rougit tout à coup, elle rougit jusqu'aux cheveux. Toute sa figure s'empourpra brusquement depuis son cou jusqu'à ses oreilles qui devinrent presque violettes, et, sans répondre un mot, elle se sauva vers la terre, nageant de toute sa force, par grandes brasses précipitées. Il ne la pouvait rejoindre et il soufflait de fatigue en la suivant.

Il la vit sortir de l'eau, ramasser son peignoir et gagner sa cabine sans s'être retournée.

Il fut longtemps à s'habiller, très perplexe sur ce qu'il avait à faire, cherchant ce qu'il allait lui dire, se demandant s'il devait s'excuser ou persévérer.

Quand il fut prêt, elle était partie, partie toute seule. Il rentra lentement, anxieux et troublé.

La marquise se promenait au bras de Saval dans l'allée ronde, autour du gazon.

En voyant Servigny, elle prononça, de cet air nonchalant qu'elle gardait depuis la veille :

« Qu'est-ce que j'avais dit, qu'il ne fallait point sortir par une chaleur pareille. Voilà Yvette avec un coup de soleil. Elle est partie se coucher. Elle était comme un coquelicot, la pauvre enfant, elle a une migraine atroce. Vous vous serez promenés en plein soleil, vous aurez fait des folies. Que sais-je, moi ? Vous êtes aussi peu raisonnable qu'elle. »

La jeune fille ne descendit point pour dîner. Comme on voulait lui porter à manger, elle répondit à travers la porte qu'elle n'avait pas faim, car elle s'était enfermée, et elle pria qu'on la laissât tranquille. Les deux jeunes gens partirent par le train de dix heures, en promettant de revenir, le jeudi suivant, et la marquise s'assit devant sa fenêtre ouverte pour rêver, écoutant au loin l'orchestre du bal des canotiers jeter sa musique sautillante dans le grand silence solennel de la nuit.

Entraînée pour l'amour et par l'amour, comme on l'est pour le cheval ou l'aviron, elle avait de subites tendresses qui l'envahissaient comme une maladie. Ces passions la saisissaient brusquement, la pénétraient tout entière, l'affolaient, l'énervaient ou l'accablaient, selon qu'elles avaient un caractère exalté, violent, dramatique ou sentimental.

Elle était une de ces femmes créées pour aimer et pour être aimées. Partie de très bas, arrivée par l'amour dont elle avait fait une profession presque sans le savoir, agissant par instinct, par adresse innée, elle acceptait l'argent comme les baisers, naturellement, sans distinguer, employant son flair remarquable d'une façon irraisonnée et simple, comme font les animaux, que rendent subtils les nécessités de l'existence. Beaucoup d'hommes avaient passé dans ses bras sans qu'elle éprouvât pour eux aucune tendresse, sans qu'elle ressentît non plus aucun dégoût de leurs étreintes.

Elle subissait les enlacements quelconques avec une

indifférence tranquille, comme on mange, en voyage, de toutes les cuisines, car il faut bien vivre. Mais, de temps en temps, son cœur ou sa chair s'allumait, et elle tombait alors dans une grande passion qui durait quelques semaines ou quelques mois, selon les qualités physiques ou morales de son amant.

C'étaient les moments délicieux de sa vie. Elle aimait de toute son âme, de tout son corps, avec emportement, avec extase. Elle se jetait dans l'amour comme on se jette dans un fleuve pour se noyer et se laissait emporter, prête à mourir s'il le fallait, enivrée, affolée, infiniment heureuse. Elle s'imaginait chaque fois n'avoir jamais ressenti pareille chose auparavant, et elle se serait fort étonnée si on lui eût rappelé de combien d'hommes différents elle avait rêvé éperdument pendant des nuits entières, en regardant les étoiles.

Saval l'avait captivée, capturée corps et âme. Elle songeait à lui, bercée par son image et par son souvenir, dans l'exaltation calme du bonheur accompli, du bonheur présent et certain.

Un bruit derrière elle la fit se retourner. Yvette venait d'entrer, encore vêtue comme dans le jour, mais pâle maintenant et les yeux luisants comme on les a après de grandes fatigues.

Elle s'appuya au bord de la fenêtre ouverte, en face de sa mère.

« J'ai à te parler », dit-elle.

La marquise, étonnée, la regardait. Elle l'aimait en mère égoïste, fière de sa beauté, comme on l'est d'une fortune, trop belle encore elle-même pour devenir jalouse, trop indifférente pour faire les projets qu'on lui prêtait, trop subtile cependant pour ne pas avoir la conscience de cette valeur.

Elle répondit :

« Je t'écoute, mon enfant, qu'y a-t-il ? »

Yvette la pénétrait du regard comme pour lire au fond de son âme, comme pour saisir toutes les sensations qu'allaient éveiller ses paroles.

« Voilà. Il s'est passé tantôt quelque chose d'extraordinaire.

— Quoi donc?

— M. de Servigny m'a dit qu'il m'aimait. »

La marquise, inquiète, attendait. Comme Yvette ne parlait plus, elle demanda :

« Comment t'a-t-il dit cela? Explique-toi! »

Alors la jeune fille, s'asseyant aux pieds de sa mère dans une pose câline qui lui était familière, et pressant ses mains, ajouta :

« Il m'a demandée en mariage. »

Mme Obardi fit un geste brusque de stupéfaction, et s'écria :

« Servigny? mais tu es folle! »

Yvette n'avait point détourné les yeux du visage de sa mère, épiant sa pensée et sa surprise. Elle demanda d'une voix grave :

« Pourquoi suis-je folle? Pourquoi M. de Servigny ne m'épouserait-il pas? »

La marquise, embarrassée, balbutia :

« Tu t'es trompée, ce n'est pas possible. Tu as mal entendu ou mal compris. M. de Servigny est trop riche pour toi... et trop... trop... parisien pour se marier. »

Yvette s'était levée lentement. Elle ajouta :

« Mais s'il m'aime comme il le dit, maman? »

Sa mère reprit avec un peu d'impatience :

« Je te croyais assez grande et assez instruite de la vie pour ne pas te faire ces idées-là. Servigny est un viveur et un égoïste. Il n'épousera qu'une femme de son monde et de sa fortune. S'il t'a demandée en mariage... c'est qu'il veut... c'est qu'il veut... »

La marquise, incapable de dire ses soupçons, se tut une seconde, puis reprit :

« Tiens, laisse-moi tranquille, et va te coucher. »

Et la jeune fille, comme si elle savait maintenant ce qu'elle désirait, répondit d'une voix docile :

« Oui, maman. »

Elle baisa sa mère au front et s'éloigna d'un pas très calme.

Comme elle allait franchir la porte, la marquise la rappela :

« Et ton coup de soleil ? dit-elle.

— Je n'avais rien. C'était ça qui m'avait rendue toute chose. »

Et la marquise ajouta :

« Nous en reparlerons. Mais, surtout, ne reste plus seule avec lui d'ici quelque temps, et sois bien sûre qu'il ne t'épousera pas, entends-tu, et qu'il veut seulement te... compromettre. »

Elle n'avait point trouvé mieux pour exprimer sa pensée. Et Yvette rentra chez elle.

Mme Obardi se mit à songer.

Vivant depuis des années dans une quiétude amoureuse et opulente, elle avait écarté avec soin de son esprit toutes les réflexions qui pouvaient la préoccuper, l'inquiéter ou l'attrister. Jamais elle n'avait voulu se demander ce que deviendrait Yvette; il serait toujours assez tôt d'y songer quand les difficultés arriveraient. Elle sentait bien, avec son flair de courtisane, que sa fille ne pourrait épouser un homme riche et du vrai monde que par un hasard tout à fait improbable, par une de ces surprises de l'amour qui placent des aventurières sur les trônes. Elle n'y comptait point, d'ailleurs, trop occupée d'elle-même pour combiner des projets qui ne la concernaient pas directement.

Yvette ferait comme sa mère, sans doute. Elle serait une femme d'amour. Pourquoi pas ? Mais jamais la marquise n'avait osé se demander quand ni comment cela arriverait.

Et voilà que sa fille, tout d'un coup, sans préparation, lui posait une de ces questions auxquelles on ne pouvait pas répondre, la forçait à prendre une attitude dans une affaire si difficile, si délicate, si dangereuse à tous égards et si troublante pour sa conscience, pour la conscience qu'on doit montrer quand il s'agit de son enfant et de ces choses.

Elle avait trop d'astuce naturelle, astuce sommeillante, mais jamais endormie, pour s'être trompée une minute sur les intentions de Servigny, car elle connaissait les hommes, par expérience, et surtout les hommes de cette race-là. Aussi, dès les premiers mots prononcés par Yvette, s'était-elle écriée presque malgré elle :

« Servigny, t'épouser ? Mais tu es folle ! »

Comment avait-il employé ce vieux moyen, lui, ce malin, ce roué, cet homme à fêtes et à femmes. Qu'allait-il faire à présent ? Et elle, la petite, comment la prévenir plus clairement, la défendre même ? car elle pouvait se laisser aller à de grosses bêtises.

Aurait-on jamais cru que cette grande fille était demeurée aussi naïve, aussi peu instruite et peu rusée ?

Et la marquise, fort perplexe et fatiguée déjà de réfléchir, cherchait ce qu'il fallait faire, sans trouver rien, car la situation lui semblait vraiment embarrassante.

Et, lasse de ces tracas, elle pensa :

« Bah ! je les surveillerai de près, j'agirai suivant les circonstances. S'il le faut même, je parlerai à Servigny, qui est fin et qui me comprendra à demi-mot. »

Elle ne se demanda pas ce qu'elle lui dirait ni ce qu'il répondrait, ni quel genre de convention pourrait s'établir entre eux, mais heureuse d'être soulagée de ce souci sans avoir eu à prendre de résolution, elle se remit à songer au beau Saval et, les yeux perdus dans la nuit, tournés vers la droite, vers cette lueur brumeuse qui plane sur Paris, elle envoya de ses deux mains des baisers vers la grande ville, des baisers rapides qu'elle jetait dans l'ombre, l'un sur l'autre, sans compter ; et tout bas, comme si elle lui eût parlé encore, elle murmurait :

« Je t'aime, je t'aime ! »

III

Yvette aussi ne dormait point. Comme sa mère, elle s'accouda à la fenêtre ouverte, et des larmes, ses premières larmes tristes, lui emplirent les yeux.

Jusque-là elle avait vécu, elle avait grandi dans cette confiance étourdie et sereine de la jeunesse heureuse. Pourquoi aurait-elle songé, réfléchi, cherché ? Pourquoi n'aurait-elle pas été une jeune fille comme toutes les jeunes filles ? Pourquoi un doute, pourquoi une crainte, pourquoi des soupçons pénibles lui seraient-ils venus ?

Elle semblait instruite de tout parce qu'elle avait l'air de parler de tout, parce qu'elle avait pris le ton, l'allure, les mots osés des gens qui vivaient autour d'elle. Mais elle n'en savait guère plus qu'une fillette élevée en un couvent, ses audaces de parole venant de sa mémoire, de cette faculté d'imitation et d'assimilation qu'ont les femmes, et non d'une pensée instruite et devenue hardie.

Elle parlait de l'amour comme le fils d'un peintre ou d'un musicien parlerait peinture ou musique à dix ou douze ans. Elle savait ou plutôt elle soupçonnait bien quel genre de mystère cachait ce mot — trop de plaisanteries avaient été chuchotées devant elle pour que son innocence n'eût pas été un peu éclairée — mais comment aurait-elle pu conclure de là que toutes les familles ne ressemblaient pas à la sienne ?

On baisait la main de sa mère avec un respect apparent ; tous leurs amis portaient des titres ; tous étaient ou paraissaient riches ; tous nommaient familièrement des princes de lignée royale. Deux fils de rois étaient même venus plusieurs fois, le soir, chez la marquise ! Comment aurait-elle su ?

Et puis, elle était naturellement naïve. Elle ne cherchait pas, elle ne flairait point les gens comme faisait sa mère. Elle vivait tranquille, trop joyeuse de vivre pour s'inquiéter de ce qui aurait peut-être paru suspect à des êtres plus calmes, plus réfléchis, plus enfermés, moins expansifs et moins triomphants.

Mais voilà que tout d'un coup, Servigny, par quelques mots dont elle avait senti la brutalité sans la comprendre, venait d'éveiller en elle une inquiétude subite, irraisonnée d'abord, puis une appréhension harcelante.

Elle était rentrée, elle s'était sauvée à la façon d'une bête blessée, blessée en effet profondément par ces paroles qu'elle se répétait sans cesse pour en pénétrer tout le sens, pour en deviner toute la portée : « Vous savez bien qu'il ne peut pas s'agir de mariage entre nous... mais d'amour ? »

Qu'avait-il voulu dire ? Et pourquoi cette injure ? Elle ignorait donc quelque chose, quelque secret, quelque honte ? Elle était seule à l'ignorer sans doute ? Mais quoi ? Elle demeurait effarée, atterrée, comme lorsqu'on découvre une infamie cachée, la trahison d'un être aimé, un de ces désastres du cœur qui vous affolent.

Et elle avait songé, réfléchi, cherché, pleuré, mordue de craintes et de soupçons. Puis, son âme jeune et joyeuse se rassérénant, elle s'était mise à arranger une aventure, à combiner une situation anormale et dramatique faite de tous les souvenirs des romans poétiques qu'elle avait lus. Elle se rappelait des péripéties émouvantes, des histoires sombres et attendrissantes qu'elle mêlait, dont elle faisait sa propre histoire, dont elle embellissait le mystère entrevu, enveloppant sa vie.

Elle ne se désolait déjà plus, elle rêvait, elle soulevait des voiles, elle se figurait des complications invraisemblables, mille choses singulières, terribles, séduisantes quand même par leur étrangeté.

Serait-elle, par hasard, la fille naturelle d'un prince ? Sa pauvre mère, séduite et délaissée, faite marquise par un roi, par le roi Victor-Emmanuel peut-être, avait dû fuir devant la colère de sa famille ?

N'était-elle pas plutôt une enfant abandonnée par ses parents, par des parents très nobles et très illustres, fruit d'un amour coupable, recueillie par la marquise, qui l'avait adoptée et élevée ?

D'autres suppositions encore lui traversaient l'esprit. Elle les acceptait ou les rejetait au gré de sa fantaisie. Elle s'attendrissait sur elle-même, heureuse au fond et triste aussi, satisfaite surtout de devenir une sorte d'héroïne de livre qui aurait à se montrer, à se poser, à prendre une attitude noble et digne d'elle. Et elle pensait au rôle qu'il lui faudrait jouer, selon les événements devinés. Elle le voyait vaguement, ce rôle, pareil à celui d'un personnage de M. Scribe ou de Mme Sand[1]. Il serait fait de dévouement, de fierté, d'abnégation, de grandeur d'âme, de tendresse et de belles paroles. Sa nature mobile se réjouissait presque de cette attitude nouvelle.

Elle était demeurée jusqu'au soir à méditer sur ce qu'elle allait faire, cherchant comment elle s'y prendrait pour arracher la vérité à la marquise.

Et quand fut venue la nuit, favorable aux situations tragiques, elle avait enfin combiné une ruse simple et subtile pour obtenir ce qu'elle voulait; c'était de dire brusquement à sa mère que Servigny l'avait demandée en mariage.

A cette nouvelle, Mme Obardi, surprise, laisserait certainement échapper un mot, un cri qui jetterait une lumière dans l'esprit de sa fille.

Et Yvette avait aussitôt accompli son projet.

Elle s'attendait à une explosion d'étonnement, à une expansion d'amour, à une confidence pleine de gestes et de larmes.

Mais, voilà que sa mère, sans paraître stupéfaite ou désolée, n'avait semblé qu'ennuyée; et, au ton gêné, mécontent et troublé qu'elle avait pris pour lui répondre, la jeune fille, chez qui s'éveillaient subitement toute l'astuce, la finesse et la rouerie féminines, comprenant qu'il ne fallait pas insister, que le mystère était d'autre nature, qu'il lui serait plus pénible à apprendre, et qu'elle le devait deviner toute seule, était

---

1. Eugène Scribe (1791-1861), auteur dramatique prolifique dont les œuvres — exaltant la réussite sociale et l'argent — connurent un grand succès auprès de la bourgeoisie de son temps.

Aurore Dupin, baronne Dudevant, dite *George Sand* (1804-1876), auteur de romans lyriques où la passion se heurte aux conventions mondaines et aux préjugés sociaux et de romans champêtres d'un optimisme sentimental. On venait, en 1884, de publier sa correspondance avec Flaubert, dont Maupassant avait écrit la préface.

rentrée dans sa chambre, le cœur serré, l'âme en détresse, accablée maintenant sous l'appréhension d'un vrai malheur, sans savoir au juste d'où ni pourquoi lui venait cette émotion. Et elle pleurait, accoudée à sa fenêtre.

Elle pleura longtemps, sans songer à rien maintenant, sans chercher à rien découvrir de plus; et peu à peu, la lassitude l'accablant, elle ferma les yeux. Elle s'assoupissait alors quelques minutes, de ce sommeil fatigant des gens éreintés qui n'ont point l'énergie de se dévêtir et de gagner leur lit, de ce sommeil lourd et coupé par des réveils brusques, quand la tête glisse entre les mains.

Elle ne se coucha qu'aux premières lueurs du jour, lorsque le froid du matin, la glaçant, la contraignit à quitter la fenêtre.

Elle garda le lendemain et le jour suivant une attitude réservée et mélancolique. Un travail incessant et rapide se faisait en elle, un travail de réflexion; elle apprenait à épier, à deviner, à raisonner. Une lueur, vague encore, lui semblait éclairer d'une nouvelle manière les hommes et les choses autour d'elle; et une suspicion lui venait contre tous, contre tout ce qu'elle avait cru, contre sa mère. Toutes les suppositions, elle les fit en ces deux jours. Elle envisagea toutes les possibilités, se jetant dans les résolutions les plus extrêmes avec la brusquerie de sa nature changeante et sans mesure. Le mercredi, elle arrêta un plan, toute une règle de tenue et un système d'espionnage. Elle se leva le jeudi matin avec la résolution d'être plus rouée qu'un policier, et armée en guerre contre tout le monde.

Elle se résolut même à prendre pour devise ces deux mots : « Moi seule », et elle chercha pendant plus d'une heure de quelle manière il les fallait disposer pour qu'ils fissent bon effet, gravés autour de son chiffre, sur son papier à lettres.

Saval et Servigny arrivèrent à dix heures. La jeune fille tendit la main avec réserve, sans embarras, et d'un ton familier, bien que grave :

« Bonjour, Muscade, ça va bien ?

— Bonjour, Mam'zelle, pas mal, et vous ? »

Il la guettait.

« Quelle comédie va-t-elle me jouer ? » se disait-il.

La marquise ayant pris le bras de Saval, il prit celui
d'Yvette et ils se mirent à tourner autour du gazon,
paraissant et disparaissant à tout moment derrière les
massifs et les bouquets d'arbres.

Yvette allait d'un air sage et réfléchi, regardant le
sable de l'allée, paraissant à peine écouter ce que disait
son compagnon et n'y répondant guère.

Tout à coup, elle demanda :

« Êtes-vous vraiment mon ami, Muscade ?

— Parbleu, Mam'zelle.

— Mais là, vraiment, vraiment, bien vraiment de
vraiment.

— Tout entier votre ami, Mam'zelle, corps et âme.

— Jusqu'à ne pas mentir une fois, une fois seulement.

— Même deux fois, s'il le faut.

— Jusqu'à me dire toute la vérité, la sale vérité tout
entière.

— Oui, Mam'zelle.

— Eh bien, qu'est-ce que vous pensez, au fond, tout
au fond, du prince Kravalow ?

— Ah ! diable !

— Vous voyez bien que vous vous préparez déjà à
mentir !

— Non pas, mais je cherche mes mots, des mots
justes. Mon Dieu, le prince Kravalow est un Russe... un
vrai Russe, qui parle russe, qui est né en Russie, qui a
eu peut-être un passeport pour venir en France, et qui
n'a de faux que son nom et que son titre. »

Elle le regardait au fond des yeux.

« Vous voulez dire que c'est... ? »

Il hésita, puis, se décidant :

« Un aventurier, Mam'zelle.

— Merci. Et le chevalier Valréali ne vaut pas mieux,
n'est-ce pas ?

— Vous l'avez dit.

— Et M. de Belvigne ?

— Celui-là, c'est autre chose. C'est un homme du
monde... de province, honorable... jusqu'à un certain
point... mais seulement un peu brûlé... pour avoir trop
rôti le balai[1]...

— Et vous ? »

Il répondit sans hésiter :

« Moi, je suis ce qu'on appelle un fêtard, un garçon
de bonne famille, qui avait de l'intelligence et qui l'a
gâchée à faire des mots, qui avait de la santé et qui l'a
perdue à faire la noce, qui avait de la valeur, peut-être,
et qui l'a semée à ne rien faire. Il me reste en tout et
pour tout de la fortune, une certaine pratique de la vie,
une absence de préjugés assez complète, un large
mépris pour les hommes, y compris les femmes, un
sentiment très profond de l'inutilité de mes actes et une
vaste tolérance pour la canaillerie générale. J'ai cependant, par moments, encore de la franchise, comme vous
le voyez, et je suis même capable d'affection, comme
vous le pourriez voir. Avec ces défauts et ces qualités je
me mets à vos ordres, Mam'zelle, moralement et phy-
siquement, pour que vous disposiez de moi à votre gré,
voilà. »

Elle ne riait pas ; elle écoutait, scrutant les mots et les
intentions.

Elle reprit :

« Qu'est-ce que vous pensez de la comtesse de
Lammy ? »

Il prononça avec vivacité :

« Vous me permettrez de ne pas donner mon avis sur
les femmes.

— Sur aucune ?

— Sur aucune.

— Alors, c'est que vous les jugez fort mal... toutes.
Voyons, cherchez, vous ne faites pas une exception ? »

Il ricana de cet air insolent qu'il gardait presque
constamment ; et avec cette audace brutale dont il se
faisait une force, une arme :

1. Familier : mener une vie déréglée.

« On excepte toujours les personnes présentes. »

Elle rougit un peu, mais demanda avec un grand calme :

« Eh bien, qu'est-ce que vous pensez de moi ?

— Vous le voulez ? soit. Je pense que vous êtes une personne de grand sens, de grande pratique, ou, si vous aimez mieux, de grand sens pratique, qui sait fort bien embrouiller son jeu, s'amuser des gens, cacher ses vues, tendre ses fils, et qui attend, sans se presser... l'événement. »

Elle demanda : « C'est tout ?

— C'est tout. »

Alors elle dit, avec une sérieuse gravité :

« Je vous ferai changer cette opinion-là, Muscade. »

Puis elle se rapprocha de sa mère, qui marchait à tout petits pas, la tête baissée, de cette allure alanguie qu'on prend lorsqu'on cause tout bas, en se promenant, de choses très intimes et très douces. Elle dessinait, tout en avançant, des figures sur le sable, des lettres peut-être, avec la pointe de son ombrelle, et elle parlait sans regarder Saval, elle parlait longuement, lentement, appuyée à son bras, serrée contre lui. Yvette, tout à coup, fixa les yeux sur elle, et un soupçon, si vague qu'elle ne le formula pas, plutôt même une sensation qu'un doute, lui passa dans la pensée comme passe sur la terre l'ombre d'un nuage que chasse le vent.

La cloche sonna le déjeuner.

Il fut silencieux et presque morne.

Il y avait, comme on dit, de l'orage dans l'air. De grosses nuées immobiles semblaient embusquées au fond de l'horizon, muettes et lourdes, mais chargées de tempête.

Dès qu'on eut pris le café sur la terrasse, la marquise demanda :

« Eh bien ! mignonne, vas-tu faire une promenade aujourd'hui avec ton ami Servigny ? C'est un vrai temps pour prendre le frais sous les arbres. »

Yvette lui jeta un regard rapide, vite détourné :

« Non, maman, aujourd'hui je ne sors pas. »

La marquise parut contrariée, elle insista :

« Va donc faire un tour, mon enfant, c'est excellent pour toi. »

Alors Yvette prononça d'une voix brusque :

« Non, maman, aujourd'hui je reste à la maison, et tu sais bien pourquoi, puisque je te l'ai dit l'autre soir. »

Mme Obardi n'y songeait plus, toute préoccupée du désir de demeurer seule avec Saval. Elle rougit, se troubla, et, inquiète pour elle-même, ne sachant comment elle pourrait se trouver libre une heure ou deux, elle balbutia :

« C'est vrai, je n'y pensais point, tu as raison. Je ne sais pas où j'avais la tête. »

Et Yvette, prenant un ouvrage de broderie qu'elle appelait le « salut public », et dont elle occupait ses mains cinq ou six fois l'an, aux jours de calme plat, s'assit sur une chaise basse auprès de sa mère, tandis que les deux jeunes gens, à cheval sur des pliants, fumaient des cigares.

Les heures passaient dans une causerie paresseuse et sans cesse mourante. La marquise, énervée, jetait à Saval des regards éperdus, cherchait un prétexte, un moyen d'éloigner sa fille. Elle comprit enfin qu'elle ne réussirait pas, et ne sachant de quelle ruse user, elle dit à Servigny :

« Vous savez, mon cher duc, que je vous garde tous deux ce soir. Nous irons déjeuner demain au restaurant Fournaise, à Chatou. »

Il comprit, sourit, et s'inclinant :

« Je suis à vos ordres, Marquise. »

Et la journée s'écoula lentement, péniblement sous les menaces de l'orage.

L'heure du dîner vint peu à peu. Le ciel pesant s'emplissait de nuages lents et lourds. Aucun frisson d'air ne passait sur la peau.

Le repas du soir aussi fut silencieux. Une gêne, un embarras, une sorte de crainte vague semblaient rendre muets les deux hommes et les deux femmes.

Quand le couvert fut enlevé, ils demeurèrent sur la

terrasse, ne parlant qu'à de longs intervalles. La nuit
tombait, une nuit étouffante. Tout à coup, l'horizon fut
déchiré par un immense crochet de feu, qui illumina
d'une flamme éblouissante et blafarde les quatre
visages déjà ensevelis dans l'ombre. Puis un bruit sourd
et faible, pareil au roulement d'une voiture sur un pont,
passa sur la terre ; et il sembla que la chaleur de
l'atmosphère augmentait, que l'air devenait brusquement encore plus accablant, le silence du soir plus
profond.

Yvette se leva :

« Je vais me coucher, dit-elle, l'orage me fait mal. »

Elle tendit son front à la marquise, offrit sa main aux
deux jeunes hommes, et s'en alla.

Comme elle avait sa chambre juste au-dessus de la
terrasse, les feuilles d'un grand marronnier planté
devant la porte s'éclairèrent bientôt d'une clarté verte,
et Servigny restait les yeux fixés sur cette lueur pâle
dans le feuillage, où il croyait parfois voir passer une
ombre. Mais soudain, la lumière s'éteignit.
Mme Obardi poussa un grand soupir :

« Ma fille est couchée », dit-elle.

Servigny se leva :

« Je vais en faire autant, Marquise, si vous le permettez. »

Il baisa la main qu'elle lui tendait et disparut à son
tour.

Et elle demeura seule avec Saval, dans la nuit.

Aussitôt, elle fut dans ses bras, l'enlaçant, l'étreignant. Puis, bien qu'il tentât de l'en empêcher, elle
s'agenouilla devant lui en murmurant : « Je veux te
regarder à la lueur des éclairs. »

Mais Yvette, sa bougie soufflée, était revenue sur son
balcon, nu-pieds, glissant comme une ombre, et elle
écoutait, rongée par un soupçon douloureux et confus.

Elle ne pouvait voir, se trouvant au-dessus d'eux, sur
le toit même de la terrasse.

Elle n'entendait rien qu'un murmure de voix ; et son
cœur battait si fort qu'il emplissait de bruit ses oreilles.

Une fenêtre se ferma sur sa tête, Servigny venait de remonter. Sa mère était seule avec l'autre.

Un second éclair, fendant le ciel en deux, fit surgir pendant une seconde tout ce paysage qu'elle connaissait, dans une clarté violente et sinistre ; et elle aperçut la grande rivière, couleur de plomb fondu, comme on rêve des fleuves en des pays fantastiques. Aussitôt, une voix, au-dessous d'elle, prononça : « Je t'aime ! »

Et elle n'entendit plus rien. Un étrange frisson lui avait passé sur le corps, et son esprit flottait dans un trouble affreux.

Un silence pesant, infini, qui semblait le silence éternel, planait sur le monde. Elle ne pouvait plus respirer, la poitrine oppressée par quelque chose d'inconnu et d'horrible. Un autre éclair enflamma l'espace, illumina un instant l'horizon, puis un autre presque aussitôt le suivit, puis d'autres encore.

Et la voix qu'elle avait entendue déjà, s'élevant plus forte, répétait : « Oh ! comme je t'aime ! comme je t'aime ! » Et Yvette la reconnaissait bien, cette voix-là, celle de sa mère.

Une large goutte d'eau tiède lui tomba sur le front, et une petite agitation presque imperceptible courut dans les feuilles, le frémissement de la pluie qui commence.

Puis, une rumeur accourut venue de loin, une rumeur confuse, pareille au bruit du vent dans les branches ; c'était l'averse lourde s'abattant en nappe sur la terre, sur le fleuve, sur les arbres. En quelques instants l'eau ruissela autour d'elle, la couvrant, l'éclaboussant, la pénétrant comme un bain. Elle ne remuait point, songeant seulement à ce qu'on faisait sur la terrasse.

Elle les entendit qui se levaient et qui montaient dans leurs chambres. Des portes se fermèrent à l'intérieur de la maison ; et la jeune fille, obéissant à un désir de savoir irrésistible, qui l'affolait et la torturait, se jeta dans l'escalier, ouvrit doucement la porte du dehors, et, traversant le gazon sous la tombée furieuse de la pluie, courut se cacher dans un massif pour regarder les fenêtres.

Une seule était éclairée, celle de sa mère. Et, tout à coup, deux ombres apparurent dans le carré lumineux, deux ombres côte à côte. Puis, se rapprochant, elles n'en firent plus qu'une ; et un nouvel éclair projetant sur la façade un rapide et éblouissant jet de feu, elle les vit qui s'embrassaient, les bras serrés autour du cou.

Alors, éperdue, sans réfléchir, sans savoir ce qu'elle faisait, elle cria de toute sa force, d'une voix suraiguë : « Maman ! » comme on crie pour avertir les gens d'un danger de mort.

Son appel désespéré se perdit dans le clapotement de l'eau, mais le couple enlacé se sépara, inquiet. Et une des ombres disparut, tandis que l'autre cherchait à distinguer quelque chose à travers les ténèbres du jardin.

Alors, craignant d'être surprise, de rencontrer sa mère en cet instant, Yvette s'élança vers la maison, remonta précipitamment l'escalier en laissant derrière elle une traînée d'eau qui coulait de marche en marche, et elle s'enferma dans sa chambre, résolue à n'ouvrir sa porte à personne.

Et sans ôter sa robe ruisselante et collée à sa chair, elle tomba sur les genoux en joignant les mains, implorant dans sa détresse quelque protection surhumaine, le secours mystérieux du ciel, l'aide inconnue qu'on réclame aux heures de larmes et de désespoir.

Les grands éclairs jetaient d'instant en instant leurs reflets livides dans sa chambre, et elle se voyait brusquement dans la glace de son armoire, avec ses cheveux déroulés et trempés, tellement étrange qu'elle ne se reconnaissait pas.

Elle demeura là longtemps, si longtemps que l'orage s'éloigna sans qu'elle s'en aperçût. La pluie cessa de tomber, une lueur envahit le ciel encore obscurci de nuages, et une fraîcheur tiède, savoureuse, délicieuse, une fraîcheur d'herbes et de feuilles mouillées entrait par la fenêtre ouverte.

Yvette se releva, ôta ses vêtements flasques et froids, sans songer même à ce qu'elle faisait, et se mit au lit.

Puis elle demeura les yeux fixés sur le jour qui naissait. Puis elle pleura encore, puis elle songea.

Sa mère! un amant! quelle honte! Mais elle avait lu tant de livres où des femmes, même des mères, s'abandonnaient ainsi, pour renaître à l'honneur aux pages du dénouement, qu'elle ne s'étonnait pas outre mesure de se trouver enveloppée dans un drame pareil à tous les drames de ses lectures. La violence de son premier chagrin, l'effarement cruel de la surprise, s'atténuaient un peu déjà dans le souvenir confus de situations analogues. Sa pensée avait rôdé en des aventures si tragiques, poétiquement amenées par les romanciers, que l'horrible découverte lui apparaissait peu à peu comme la continuation naturelle de quelque feuilleton commencé la veille.

Elle se dit :

« Je sauverai ma mère. »

Et, presque rassérénée par cette résolution d'héroïne, elle se sentit forte, grandie, prête tout à coup pour le dévouement et pour la lutte. Et elle réfléchit aux moyens qu'il lui faudrait employer. Un seul lui parut bon, qui était en rapport avec sa nature romanesque. Et elle prépara, comme un acteur prépare la scène qu'il va jouer, l'entretien qu'elle aurait avec la marquise.

Le soleil s'était levé. Les serviteurs circulaient dans la maison. La femme de chambre vint avec le chocolat. Yvette fit poser le plateau sur la table et prononça :

« Vous direz à ma mère que je suis souffrante, que je vais rester au lit jusqu'au départ de ces messieurs, que je n'ai pas pu dormir de la nuit, et que je prie qu'on ne me dérange pas, parce que je veux essayer de me reposer. »

La domestique, surprise, regardait la robe trempée et tombée comme une loque sur le tapis.

« Mademoiselle est donc sortie ? dit-elle.

— Oui, j'ai été me promener sous la pluie pour me rafraîchir. »

Et la bonne ramassa les jupes, les bas, les bottines

sales ; puis elle s'en alla portant sur un bras, avec des
précautions dégoûtées, ces vêtements trempés comme
des hardes de noyé.

Et Yvette attendit, sachant bien que sa mère allait
venir.

La marquise entra, ayant sauté du lit aux premiers
mots de la femme de chambre, car un doute lui était
resté depuis ce cri : « Maman », entendu dans l'ombre.

« Qu'est-ce que tu as ? » dit-elle.

Yvette la regarda, bégaya :

« J'ai... j'ai... » Puis, saisie par une émotion subite et
terrible, elle se mit à suffoquer.

La marquise, étonnée, demanda de nouveau :

« Qu'est-ce que tu as donc ? »

Alors, oubliant tous ses projets et ses phrases prépa-
rées, la jeune fille cacha sa figure dans ses deux mains
en balbutiant :

« Oh ! maman, oh ! maman ! »

Mme Obardi demeura debout devant le lit, trop
émue pour bien comprendre, mais devinant presque
tout, avec cet instinct subtil d'où venait sa force.

Comme Yvette ne pouvait parler, étranglée par les
larmes, sa mère énervée à la fin et sentant approcher
une explication redoutable, demanda brusquement :

« Voyons, me diras-tu ce qui te prend ? »

Yvette put à peine prononcer :

« Oh ! cette nuit... j'ai vu... ta fenêtre. »

La marquise, très pâle, articula :

« Eh bien ! quoi ? »

Sa fille répéta, toujours en sanglotant :

« Oh ! maman, oh ! maman ! »

Mme Obardi, dont la crainte et l'embarras se chan-
geaient en colère, haussa les épaules et se retourna pour
s'en aller.

« Je crois vraiment que tu es folle. Quand ce sera fini,
tu me le feras dire. »

Mais la jeune fille, tout à coup, dégagea de ses mains
son visage ruisselant de pleurs.

« Non !... écoute... il faut que je te parle... écoute...

Tu vas me promettre... nous allons partir toutes les deux, bien loin, dans une campagne, et nous vivrons comme des paysannes : et personne ne saura ce que nous serons devenues! Dis, veux-tu, maman, je t'en prie, je t'en supplie, veux-tu? »

La marquise, interdite, demeurait au milieu de la chambre. Elle avait aux veines du sang de peuple, du sang irascible. Puis une honte, une pudeur de mère se mêlant à un vague sentiment de peur et à une exaspération de femme passionnée dont l'amour est menacé, elle frémissait, prête à demander pardon ou à se jeter dans quelque violence.

« Je ne te comprends pas », dit-elle.

Yvette reprit :

« Je t'ai vue... maman... cette nuit... Il ne faut plus... si tu savais... nous allons partir toutes les deux... je t'aimerai tant que tu oublieras... »

Mme Obardi prononça d'une voix tremblante :

« Écoute, ma fille, il y a des choses que tu ne comprends pas encore. Eh bien... n'oublie point... n'oublie point... que je te défends... de me parler jamais... de... de... de ces choses. »

Mais la jeune fille, prenant brusquement le rôle de sauveur qu'elle s'était imposé, prononça :

« Non, maman, je ne suis plus une enfant, et j'ai le droit de savoir. Eh bien, je sais que nous recevons des gens mal famés, des aventuriers, je sais aussi qu'on ne nous respecte pas à cause de cela. Je sais autre chose encore. Eh bien, il ne faut plus, entends-tu? je ne veux pas. Nous allons partir; tu vendras tes bijoux; nous travaillerons s'il le faut, et nous vivrons comme des honnêtes femmes, quelque part, bien loin. Et si je trouve à me marier, tant mieux. »

Sa mère la regardait de son œil noir, irrité. Elle répondit :

« Tu es folle. Tu vas me faire le plaisir de te lever et de venir déjeuner avec tout le monde.

— Non, maman. Il y a quelqu'un que je ne reverrai pas, tu me comprends. Je veux qu'il sorte, ou bien c'est moi qui sortirai. Tu choisiras entre lui et moi. »

Elle s'était assise dans son lit, et elle haussait la voix, parlant comme on parle sur la scène, entrant enfin dans le drame qu'elle avait rêvé, oubliant presque son chagrin pour ne se souvenir que de sa mission.

La marquise, stupéfaite, répéta encore une fois :

« Mais tu es folle... » ne trouvant rien autre chose à dire.

Yvette reprit avec une énergie théâtrale :

« Non, maman, cet homme quittera la maison, ou c'est moi qui m'en irai, car je ne faiblirai pas.

— Et où iras-tu?... Que feras-tu?...

— Je ne sais pas, peu m'importe... Je veux que nous soyons des honnêtes femmes. »

Ce mot qui revenait « honnêtes femmes » soulevait la marquise d'une fureur de fille et elle cria :

« Tais-toi! je ne te permets pas de me parler comme ça. Je vaux autant qu'une autre, entends-tu? Je suis une courtisane, c'est vrai, et j'en suis fière; les honnêtes femmes ne me valent pas. »

Yvette, atterrée, la regardait; elle balbutia :

« Oh! maman! »

Mais la marquise, s'exaltant, s'excitant :

« Eh bien! oui, je suis une courtisane. Après? Si je n'étais pas une courtisane, moi, tu serais aujourd'hui une cuisinière, toi, comme j'étais autrefois, et tu ferais des journées de trente sous, et tu laverais la vaisselle, et ta maîtresse t'enverrait à la boucherie, entends-tu, et elle te ficherait à la porte si tu flânais, tandis que tu flânes toute la journée parce que je suis une courtisane. Voilà. Quand on n'est rien qu'une bonne, une pauvre fille avec cinquante francs d'économies, il faut savoir se tirer d'affaire, si on ne veut pas crever dans la peau d'une meurt-de-faim; et il n'y a pas deux moyens pour nous, il n'y en a pas deux, entends-tu, quand on est servante! Nous ne pouvons pas faire fortune, nous, avec des places, ni avec des tripotages de bourse. Nous n'avons rien que notre corps, rien que notre corps. »

Elle se frappait la poitrine, comme un pénitent qui se confesse, et, rouge, exaltée, avançant vers le lit :

« Tant pis quand on est belle fille, faut vivre de ça, ou bien souffrir de misère toute sa vie... pas de choix. »

Puis revenant brusquement à son idée :

« Avec ça qu'elles s'en privent, les honnêtes femmes. C'est elles qui sont des gueuses, entends-tu, parce que rien ne les force. Elles ont de l'argent, de quoi vivre et s'amuser, et elles prennent des hommes par vice. C'est elles qui sont des gueuses. »

Elle était debout près de la couche d'Yvette éperdue, qui avait envie de crier « au secours », de se sauver, et qui pleurait tout haut comme les enfants qu'on bat.

La marquise se tut, regarda sa fille, et la voyant affolée de désespoir, elle se sentit elle-même pénétrée de douleur, de remords, d'attendrissement, de pitié, et s'abattant sur le lit en ouvrant les bras, elle se mit aussitôt à sangloter, et elle balbutia :

« Ma pauvre petite, ma pauvre petite, si tu savais comme tu me fais mal. »

Et elles pleurèrent toutes deux, très longtemps.

Puis la marquise, chez qui le chagrin ne tenait pas, se releva doucement. Et elle dit tout bas :

« Allons, mignonne, c'est comme ça, que veux-tu. On n'y peut rien changer maintenant. Il faut prendre la vie comme elle vient. »

Yvette continuait de pleurer. Le coup avait été trop rude et trop inattendu pour qu'elle pût réfléchir et se remettre.

Sa mère reprit :

« Voyons, lève-toi et viens déjeuner, pour qu'on ne s'aperçoive de rien. »

La jeune fille faisait « non » de la tête, sans pouvoir parler ; enfin, elle prononça d'une voix lente, pleine de sanglots :

« Non, maman, tu sais ce que je t'ai dit, je ne changerai pas d'avis. Je ne sortirai pas de ma chambre avant qu'ils soient partis. Je ne veux plus voir personne de ces gens-là, jamais, jamais. S'ils reviennent, je... je... tu ne me reverras plus. »

La marquise avait essuyé ses yeux et, fatiguée d'émotion, elle murmura :

« Voyons, réfléchis, sois raisonnable. » — Puis, après une minute de silence :

« Oui, il vaut mieux que tu te reposes ce matin. Je viendrai te voir dans l'après-midi. »

Et ayant embrassé sa fille sur le front, elle sortit pour s'habiller, calmée déjà.

Yvette, dès que sa mère eut disparu, se leva, et courut pousser le verrou pour être seule, bien seule, puis elle se mit à réfléchir.

La femme de chambre frappa vers onze heures et demanda à travers la porte :

« Madame la Marquise fait demander si Mademoiselle n'a besoin de rien et ce qu'elle veut pour son déjeuner ? »

Yvette répondit :

« Je n'ai pas faim. Je prie seulement qu'on ne me dérange pas. »

Et elle demeura au lit comme si elle eût été fort malade.

Vers trois heures, on frappa de nouveau. Elle demanda :

« Qui est là ? »

Ce fut la voix de sa mère.

« C'est moi, mignonne, je viens voir comment tu vas. »

Elle hésita. Que ferait-elle ? Elle ouvrit, puis se recoucha.

La marquise s'approcha, et parlant à mi-voix comme auprès d'une convalescente :

« Eh bien, te trouves-tu mieux ? Tu ne veux pas manger un œuf ?

— Non, merci, rien du tout. »

Mme Obardi s'était assise près du lit. Elles demeurèrent sans rien dire, puis, enfin, comme sa fille restait immobile, les mains inertes sur les draps :

« Ne vas-tu pas te lever ? »

Yvette répondit :

« Oui, tout à l'heure. »

Puis d'un ton grave et lent :

« J'ai beaucoup réfléchi, maman, et voici... voici ma résolution. Le passé est le passé, n'en parlons plus. Mais l'avenir sera différent... ou bien... ou bien je sais ce qui me resterait à faire. Maintenant, que ce soit fini là-dessus. »

La marquise, qui croyait terminée l'explication, sentit un peu d'impatience la gagner. C'était trop maintenant. Cette grande bécasse de fille aurait dû savoir depuis longtemps. Mais elle ne répondit rien et répéta :

« Te lèves-tu ?

— Oui, je suis prête. »

Alors sa mère lui servit de femme de chambre, lui apportant ses bas, son corset, ses jupes ; puis elle l'embrassa.

« Veux-tu faire un tour avant dîner ?

— Oui, maman. »

Et elles allèrent se promener le long de l'eau, sans guère parler que de choses très banales.

IV

Le lendemain, dès le matin, Yvette s'en alla toute seule s'asseoir à la place où Servigny lui avait lu l'histoire des fourmis. Elle se dit :

« Je ne m'en irai pas de là avant d'avoir pris une résolution. »

Devant elle, à ses pieds, l'eau coulait, l'eau rapide du bras vif, pleine de remous, de larges bouillons qui passaient dans une fuite muette avec des tournoiements profonds.

Elle avait déjà envisagé toutes les faces de la situation et tous les moyens d'en sortir.

Que ferait-elle si sa mère ne tenait pas scrupuleusement la condition qu'elle avait posée, ne renonçait pas à sa vie, à son monde, à tout, pour aller se cacher avec elle dans un pays lointain ?

Elle pouvait partir seule... fuir. Mais où ? Comment ?
De quoi vivrait-elle ?

En travaillant ? A quoi ? A qui s'adresserait-elle pour
trouver de l'ouvrage ? Et puis l'existence morne et
humble des ouvrières, des filles du peuple, lui semblait
un peu honteuse, indigne d'elle. Elle songea à se faire
institutrice, comme les jeunes personnes des romans, et
à être aimée, puis épousée par le fils de la maison. Mais
il aurait fallu qu'elle fût de grande race, qu'elle pût,
quand le père exaspéré lui reprocherait d'avoir volé
l'amour de son fils, dire d'une voix fière :

« Je m'appelle Yvette Obardi. »

Elle ne le pouvait pas. Et puis c'eût été même encore
là un moyen banal, usé.

Le couvent ne valait guère mieux. Elle ne se sentait
d'ailleurs aucune vocation pour la vie religieuse,
n'ayant qu'une piété intermittente et fugace. Personne
ne pouvait la sauver en l'épousant, étant ce qu'elle
était ! Aucun secours n'était acceptable d'un homme,
aucune issue possible, aucune ressource définitive !

Et puis, elle voulait quelque chose d'énergique, de
vraiment grand, de vraiment fort, qui servirait
d'exemple ; et elle se résolut à la mort.

Elle s'y décida tout d'un coup, tranquillement,
comme s'il s'agissait d'un voyage, sans réfléchir, sans
voir la mort, sans comprendre que c'est la fin sans
recommencement, le départ sans retour, l'adieu éternel
à la terre, à la vie.

Elle fut disposée immédiatement à cette détermination extrême, avec la légèreté des âmes exaltées et
jeunes.

Et elle songea au moyen qu'elle emploierait. Mais
tous lui apparaissaient d'une exécution pénible et hasar-
deuse et demandaient en outre une action violente qui
lui répugnait.

Elle renonça bien vite au poignard et au revolver qui
peuvent blesser seulement, estropier ou défigurer, et
qui exigent une main exercée et sûre — à la corde qui
est commune, suicide de pauvre, ridicule et laid — à

l'eau parce qu'elle savait nager. Restait donc le poison,
mais lequel? Presque tous font souffrir et provoquent
des vomissements. Elle ne voulait ni souffrir, ni vomir.
Alors elle songea au chloroforme, ayant lu dans un fait
divers comment avait fait une jeune femme pour
s'asphyxier par ce procédé.

Et elle éprouva aussitôt une sorte de joie de sa
résolution, un orgueil intime, une sensation de fierté.
On verrait ce qu'elle était, ce qu'elle valait.

Elle rentra dans Bougival, et elle se rendit chez le
pharmacien, à qui elle demanda un peu de chloroforme
pour une dent dont elle souffrait. L'homme, qui la
connaissait, lui donna une toute petite bouteille de
narcotique.

Alors elle partit à pied pour Croissy, où elle se
procura une seconde fiole de poison. Elle en obtint une
troisième à Chatou, une quatrième à Rueil, et elle
rentra en retard pour déjeuner. Comme elle avait
grand-faim après cette course, elle mangea beaucoup,
avec ce plaisir des gens que l'exercice a creusés.

Sa mère, heureuse de la voir affamée ainsi, se sentant
tranquille enfin, lui dit, comme elles se levaient de
table :

« Tous nos amis viendront passer la journée de
dimanche. J'ai invité le prince, le chevalier et M. de
Belvigne. »

Yvette pâlit un peu, mais ne répondit rien.

Elle sortit presque aussitôt, gagna la gare et prit un
billet pour Paris.

Et pendant tout l'après-midi, elle alla de pharmacie
en pharmacie, achetant dans chacune quelques gouttes
de chloroforme.

Elle revint le soir, les poches pleines de petites
bouteilles.

Elle recommença le lendemain ce manège, et étant
entrée par hasard chez un droguiste, elle put obtenir,
d'un seul coup, un quart de litre.

Elle ne sortit pas le samedi ; c'était un jour couvert et
tiède ; elle le passa tout entier sur la terrasse, étendue
sur une chaise longue en osier.

Elle ne pensait presque à rien, très résolue et très tranquille.

Elle mit, le lendemain, une toilette bleue qui lui allait fort bien, voulant être belle.

En se regardant dans la glace, elle se dit tout d'un coup : « Demain, je serai morte. » Et un singulier frisson lui passa le long du corps. « Morte ! Je ne parlerai plus, je ne penserai plus, personne ne me verra plus. Et moi, je ne verrai plus rien de tout cela ! »

Elle contemplait attentivement son visage, comme si elle ne l'avait jamais aperçu, examinant surtout ses yeux, découvrant mille choses en elle, un caractère secret de sa physionomie qu'elle ne connaissait pas, s'étonnant de se voir comme si elle avait en face d'elle une personne étrangère, une nouvelle amie.

Elle se disait : « C'est moi, c'est moi que voilà dans cette glace. Comme c'est étrange de se regarder soi-même. Sans le miroir pourtant, nous ne nous connaîtrions jamais. Tous les autres sauraient comment nous sommes, et nous ne le saurions point, nous. »

Elle prit ses grands cheveux tressés en nattes et les ramena sur sa poitrine, suivant de l'œil tous ses gestes, toutes ses poses, tous ses mouvements.

« Comme je suis jolie ! pensa-t-elle. Demain, je serai morte, là, sur mon lit. »

Elle regarda son lit, et il lui sembla qu'elle se voyait étendue, blanche comme ses draps.

« Morte. Dans huit jours cette figure, ces yeux, ces joues ne seront plus qu'une pourriture noire, dans une boîte, au fond de la terre. »

Une horrible angoisse lui serra le cœur.

Le clair soleil tombait à flots sur la campagne et l'air doux du matin entrait par la fenêtre.

Elle s'assit, pensant à cela : « Morte. » C'était comme si le monde allait disparaître pour elle ; mais non, puisque rien ne serait changé dans ce monde, pas même sa chambre. Oui, sa chambre resterait toute pareille avec le même lit, les mêmes chaises, la même toilette, mais elle serait partie pour toujours, elle, et personne ne serait triste, que sa mère peut-être.

On dirait : « Comme elle était jolie! cette petite
Yvette », voilà tout. Et comme elle regardait sa main
appuyée sur le bras de son fauteuil, elle songea de
nouveau à cette pourriture, à cette bouillie noire et
puante que ferait sa chair. Et de nouveau un grand
frisson d'horreur lui courut dans tout le corps, et elle ne
comprenait pas bien comment elle pourrait disparaître
sans que la terre tout entière s'anéantît, tant il lui
semblait qu'elle faisait partie de tout, de la campagne,
de l'air, du soleil, de la vie.

Des rires éclatèrent dans le jardin, un grand bruit de
voix, des appels, cette gaieté bruyante des parties de
campagne qui commencent, et elle reconnut l'organe
sonore de M. de Belvigne qui chantait :

> *Je suis sous ta fenêtre,*
> *Ah! daigne enfin paraître*[1].

Elle se leva sans réfléchir et vint regarder. Tous
applaudirent. Ils étaient là tous les cinq, avec deux
autres messieurs qu'elle ne connaissait pas.

Elle se recula brusquement, déchirée par la pensée
que ces hommes venaient s'amuser chez sa mère, chez
une courtisane.

La cloche sonna le déjeuner.

« Je vais leur montrer comment on meurt », se
dit-elle.

Et elle descendit d'un pas ferme, avec quelque chose
de la résolution des martyres chrétiennes entrant dans
le cirque où les lions les attendaient.

Elle serra les mains en souriant d'une manière
affable, mais un peu hautaine. Servigny lui demanda :

« Êtes-vous   moins   grognon,   aujourd'hui,
Mam'zelle ? »

Elle répondit d'un ton sévère et singulier :

« Aujourd'hui, je veux faire des folies. Je suis dans
mon humeur de Paris. Prenez garde. »

---

1. Les deux premiers vers de la sérénade du *Don Giovanni* de
Mozart (1787) qui venait d'être repris avec un très grand succès à
l'Opéra de Paris (4 février 1884).

Puis, se tournant vers M. de Belvigne :

« C'est vous qui serez mon patito, mon petit Malvoisie. Je vous emmène tous, après le déjeuner, à la fête de Marly. »

C'était la fête, en effet, à Marly. On lui présenta les deux nouveaux venus, le comte de Tamine et le marquis de Briquetot.

Pendant le repas, elle ne parla guère, tendant sa volonté pour être gaie dans l'après-midi, pour qu'on ne devinât rien, pour qu'on s'étonnât davantage, pour qu'on dît : « Qui l'aurait pensé ? Elle semblait si heureuse, si contente ! Que se passe-t-il dans ces têtes-là ? »

Elle s'efforçait de ne point songer au soir, à l'heure choisie, alors qu'ils seraient tous sur la terrasse.

Elle but du vin le plus qu'elle put, pour se monter, et deux petits verres de fine champagne, et elle était rouge en sortant de table, un peu étourdie, ayant chaud dans le corps et chaud dans l'esprit, lui semblait-il, devenue hardie maintenant et résolue à tout.

« En route ! » cria-t-elle.

Elle prit le bras de M. de Belvigne et régla la marche des autres :

« Allons, vous allez former mon bataillon ! Servigny, je vous nomme sergent ; vous vous tiendrez en dehors, sur la droite. Puis, vous ferez marcher en tête la garde étrangère, les deux Exotiques, le prince et le chevalier, puis, derrière, les deux recrues qui prennent les armes aujourd'hui. Allons ! »

Ils partirent. Et Servigny se mit à imiter le clairon, tandis que les deux nouveaux venus faisaient semblant de jouer du tambour. M. de Belvigne, un peu confus, disait tout bas :

« Mademoiselle Yvette, voyons, soyez raisonnable, vous allez vous compromettre. »

Elle répondit :

« C'est vous que je compromets, Raisiné. Quant à moi, je m'en fiche un peu. Demain, il n'y paraîtra plus. Tant pis pour vous, il ne faut pas sortir avec des filles comme moi. »

Ils traversèrent Bougival, à la stupéfaction des promeneurs. Tous se retournaient ; les habitants venaient sur leurs portes ; les voyageurs du petit chemin de fer qui va de Rueil à Marly les huèrent ; les hommes, debout sur les plates-formes, criaient :

« A l'eau !... à l'eau !... »

Yvette marchait d'un pas militaire, tenant par le bras Belvigne comme on mène un prisonnier. Elle ne riait point, gardant sur le visage une gravité pâle, une sorte d'immobilité sinistre. Servigny interrompait son clairon pour hurler des commandements. Le prince et le chevalier s'amusaient beaucoup, trouvaient ça très drôle et de haut goût. Les deux jeunes gens jouaient du tambour d'une façon ininterrompue.

Quand ils arrivèrent sur le lieu de la fête, ils soulevèrent une émotion. Des filles applaudirent ; des jeunes gens ricanaient ; un gros monsieur, qui donnait le bras à sa femme, déclara, avec une envie dans la voix :

« En voilà qui ne s'embêtent pas. »

Elle aperçut des chevaux de bois et força Belvigne à monter à sa droite tandis que son détachement escaladait par-derrière les bêtes tournantes. Quand le divertissement fut terminé, elle refusa de descendre, contraignant son escorte à demeurer cinq fois de suite sur le dos de ces montures d'enfants, à la grande joie du public qui criait des plaisanteries. M. de Belvigne, livide, avait mal au cœur en descendant.

Puis elle se mit à vagabonder à travers les baraques. Elle força tous ses hommes à se faire peser au milieu d'un cercle de spectateurs. Elle leur fit acheter des jouets ridicules qu'ils durent porter dans leurs bras. Le prince et le chevalier commençaient à trouver la plaisanterie trop forte. Seuls, Servigny et les deux tambours ne se décourageaient point.

Ils arrivèrent enfin au bout du pays. Alors elle contempla ses suivants d'une manière singulière, d'un œil sournois et méchant ; et une étrange fantaisie lui passant par la tête, elle les fit ranger sur la berge droite qui domine le fleuve.

« Que celui qui m'aime le plus se jette à l'eau »,
dit-elle.

Personne ne sauta. Un attroupement se forma derrière eux. Des femmes, en tablier blanc, regardaient
avec stupeur. Deux troupiers, en culotte rouge, riaient
d'un air bête.

Elle répéta :

« Donc, il n'y a pas un de vous capable de se jeter à
l'eau sur un désir de moi ? »

Servigny murmura :

« Ma foi, tant pis. » Et il s'élança, debout, dans la
rivière.

Sa chute jeta des éclaboussures jusqu'aux pieds
d'Yvette. Un murmure d'étonnement et de gaieté
s'éleva dans la foule.

Alors la jeune fille ramassa par terre un petit morceau de bois, et, le lançant dans le courant :

« Apporte ! » cria-t-elle.

Le jeune homme se mit à nager, et saisissant dans sa
bouche, à la façon d'un chien, la planche qui flottait, il
la rapporta, puis remontant la berge, il mit un genou
par terre pour la présenter.

Yvette la prit.

« T'es beau », dit-elle.

Et, d'une tape amicale, elle caressa ses cheveux.

Une grosse dame, indignée, déclara :

« Si c'est possible ! »

Une autre dit :

« Peut-on s'amuser comme ça ! »

Un homme prononça :

« C'est pas moi qui me serais baigné pour une
donzelle ! »

Elle reprit le bras de Belvigne, en lui jetant dans la
figure :

« Vous n'êtes qu'un oison, mon ami ; vous ne savez
pas ce que vous avez raté. »

Ils revinrent. Elle jetait aux passants des regards
irrités.

« Comme tous ces gens ont l'air bête », dit-elle.

Puis, levant les yeux sur le visage de son compagnon :

« Vous aussi, d'ailleurs. »

M. de Belvigne salua. S'étant retournée, elle vit que
le prince et le chevalier avaient disparu. Servigny,
morne et ruisselant, ne jouait plus du clairon et marchait, d'un air triste, à côté des deux jeunes gens
fatigués, qui ne jouaient plus du tambour.

Elle se mit à rire sèchement :

« Vous en avez assez, paraît-il. Voilà pourtant ce que
vous appelez vous amuser, n'est-ce pas ? Vous êtes
venus pour ça ; je vous en ai donné pour votre argent. »

Puis elle marcha sans plus rien dire ; et, tout d'un
coup, Belvigne s'aperçut qu'elle pleurait. Effaré, il
demanda :

« Qu'avez-vous ? »

Elle murmura :

« Laissez-moi, cela ne vous regarde pas. »

Mais il insistait, comme un sot :

« Oh ! Mademoiselle, voyons, qu'est-ce que vous
avez ? Vous a-t-on fait de la peine ? »

Elle répéta, avec impatience :

« Taisez-vous donc ! »

Puis, brusquement, ne résistant plus à la tristesse
désespérée qui lui noyait le cœur, elle se mit à sangloter
si violemment qu'elle ne pouvait plus avancer.

Elle couvrait sa figure sous ses deux mains et haletait
avec des râles dans la gorge, étranglée, étouffée par la
violence de son désespoir.

Belvigne demeurait debout, à côté d'elle, tout à fait
éperdu, répétant :

« Je n'y comprends rien. »

Mais Servigny s'avança brusquement :

« Rentrons, Mam'zelle, qu'on ne vous voie pas pleurer dans la rue. Pourquoi faites-vous des folies comme
ça, puisque ça vous attriste ? »

Et, lui prenant le coude, il l'entraîna. Mais, dès qu'ils
arrivèrent à la grille de la villa, elle se mit à courir,
traversa le jardin, monta l'escalier et s'enferma chez
elle.

Elle ne reparut qu'à l'heure du dîner, très pâle, très grave. Tout le monde était gai cependant. Servigny avait acheté chez un marchand du pays des vêtements d'ouvrier, un pantalon de velours, une chemise à fleurs, un tricot, une blouse, et il parlait à la façon des gens du peuple.

Yvette avait hâte qu'on eût fini, sentant son courage défaillir. Dès que le café fut pris, elle remonta chez elle.

Elle entendait sous sa fenêtre les voix joyeuses. Le chevalier faisait des plaisanteries lestes, des jeux de mots d'étranger, grossiers et maladroits.

Elle écoutait, désespérée. Servigny, un peu gris, imitait l'ouvrier pochard, appelait la marquise la patronne. Et, tout d'un coup, il dit à Saval :

« Hé ! patron. »

Ce fut un rire général.

Alors, Yvette se décida. Elle prit d'abord une feuille de son papier à lettres et écrivit :

« *Bougival, ce dimanche, neuf heures du soir.*

Je meurs pour ne point devenir une fille entretenue.

YVETTE. »

Puis en post-scriptum :

« Adieu, chère maman, pardon. »

Elle cacheta l'enveloppe, adressée à Mme la marquise Obardi.

Puis elle roula sa chaise longue auprès de la fenêtre, attira une petite table à portée de sa main et plaça dessus la grande bouteille de chloroforme à côté d'une poignée de ouate.

Un immense rosier couvert de fleurs qui, parti de la terrasse, montait jusqu'à sa fenêtre, exhalait dans la nuit un parfum doux et faible passant par souffles légers ; et elle demeura quelques instants à le respirer. La lune, à son premier quartier, flottait dans le ciel noir, un peu rongée à gauche, et voilée parfois par de petites brumes.

Yvette pensait :

« Je vais mourir ! je vais mourir ! » Et son cœur gonflé de sanglots, crevant de peine, l'étouffait. Elle sentait en elle un besoin de demander grâce à quelqu'un, d'être sauvée, d'être aimée.

La voix de Servigny s'éleva. Il racontait une histoire graveleuse que des éclats de rire interrompaient à tout instant. La marquise elle-même avait des gaietés plus fortes que les autres. Elle répétait sans cesse :

« Il n'y a que lui pour dire de ces choses-là ! ah ! ah ! ah ! »

Yvette prit la bouteille, la déboucha et versa un peu de liquide sur le coton. Une odeur puissante, sucrée, étrange, se répandit ; et comme elle approchait de ses lèvres le morceau de ouate, elle avala brusquement cette saveur forte et irritante qui la fit tousser.

Alors, fermant la bouche, elle se mit à l'aspirer. Elle buvait à longs traits cette vapeur mortelle, fermant les yeux et s'efforçant d'éteindre en elle toute pensée pour ne plus réfléchir, pour ne plus savoir.

Il lui sembla d'abord que sa poitrine s'élargissait, s'agrandissait, et que son âme tout à l'heure pesante, alourdie de chagrin, devenait légère, légère comme si le poids qui l'accablait se fût soulevé, allégé, envolé.

Quelque chose de vif et d'agréable la pénétrait jusqu'au bout des membres, jusqu'au bout des pieds et des mains, entrait dans sa chair, une sorte d'ivresse vague, de fièvre douce.

Elle s'aperçut que le coton était sec, et elle s'étonna de n'être pas encore morte. Ses sens lui semblaient aiguisés, plus subtils, plus alertes.

Elle entendait jusqu'aux moindres paroles prononcées sur la terrasse. Le prince Kravalow racontait comment il avait tué en duel un général autrichien.

Puis, très loin, dans la campagne, elle écoutait les bruits dans la nuit, les aboiements interrompus d'un chien, le cri court des crapauds, le frémissement imperceptible des feuilles.

Elle reprit la bouteille, et imprégna de nouveau le petit morceau de ouate, puis elle se remit à respirer.

Pendant quelques instants, elle ne ressentit plus rien ; puis ce lent et charmant bien-être qui l'avait envahie déjà, la ressaisit.

Deux fois elle versa du chloroforme dans le coton, avide maintenant de cette sensation physique et de cette sensation morale, de cette torpeur rêvante où s'égarait son âme.

Il lui semblait qu'elle n'avait plus d'os, plus de chair, plus de jambes, plus de bras. On lui avait ôté tout cela, doucement, sans qu'elle s'en aperçût. Le chloroforme avait vidé son corps, ne lui laissant que sa pensée plus éveillée, plus vivante, plus large, plus libre qu'elle ne l'avait jamais sentie.

Elle se rappelait mille choses oubliées, des petits détails de son enfance, des riens qui lui faisaient plaisir. Son esprit, doué tout à coup d'une agilité inconnue, sautait aux idées les plus diverses, parcourait mille aventures, vagabondait dans le passé, et s'égarait dans les événements espérés de l'avenir. Et sa pensée active et nonchalante avait un charme sensuel ; elle éprouvait, à songer ainsi, un plaisir divin.

Elle entendait toujours les voix, mais elle ne distinguait plus les paroles, qui prenaient pour elle d'autres sens. Elle s'enfonçait, elle s'égarait dans une espèce de féerie étrange et variée.

Elle était sur un grand bateau qui passait le long d'un beau pays tout couvert de fleurs. Elle voyait des gens sur la rive, et ces gens parlaient très fort, puis elle se trouvait à terre, sans se demander comment ; et Servigny, habillé en prince, venait la chercher pour la conduire à un combat de taureaux.

Les rues étaient pleines de passants qui causaient, et elle écoutait ces conversations qui ne l'étonnaient point, comme si elle eût connu les personnes, car à travers son ivresse rêvante elle entendait toujours rire et causer les amis de sa mère sur la terrasse.

Puis tout devint vague.

Puis elle se réveilla, délicieusement engourdie, et elle eut quelque peine à se souvenir.

Donc, elle n'était pas morte encore.

Mais elle se sentait si reposée, dans un tel bien-être physique, dans une telle douceur d'esprit, qu'elle ne se hâtait point d'en finir ! elle eût voulu faire durer toujours cet état d'assoupissement exquis.

Elle respirait lentement et regardait la lune, en face d'elle, sur les arbres. Quelque chose était changé dans son esprit. Elle ne pensait plus comme tout à l'heure. Le chloroforme, en amollissant son corps et son âme, avait calmé sa peine, et endormi sa volonté de mourir.

Pourquoi ne vivrait-elle pas ? Pourquoi ne serait-elle pas aimée ? Pourquoi n'aurait-elle pas une vie heureuse ? Tout lui paraissait possible maintenant, et facile, et certain. Tout était doux, tout était bon, tout était charmant dans la vie. Mais comme elle voulait songer toujours, elle versa encore cette eau de rêve sur le coton, et se remit à respirer, en écartant parfois le poison de sa narine, pour n'en pas absorber trop, pour ne pas mourir.

Elle regardait la lune et voyait une figure dedans, une figure de femme. Elle recommençait à battre la campagne dans la griserie imagée de l'opium. Cette figure se balançait au milieu du ciel ; puis elle chantait ; elle chantait, avec une voix bien connue, l'*Alléluia d'amour*[1].

C'était la marquise qui venait de rentrer pour se mettre au piano.

Yvette avait des ailes maintenant. Elle volait la nuit, par une belle nuit claire, au-dessus des bois et des fleuves. Elle volait avec délices, ouvrant les ailes, battant des ailes, portée par le vent comme on serait porté par des caresses. Elle se roulait dans l'air qui lui baisait la peau, et elle filait si vite, si vite qu'elle n'avait le temps de rien voir au-dessous d'elle, et elle se trouvait assise au bord d'un étang, une ligne à la main ; elle pêchait.

Quelque chose tirait sur le fil qu'elle sortait de l'eau,

---

1. Pièce pour piano dans *Les Aquarelles* de Gustave Lange (1875).

en amenant un magnifique collier de perles, dont elle avait eu envie quelque temps auparavant. Elle ne s'étonnait nullement de cette trouvaille, et elle regardait Servigny, venu à côté d'elle sans qu'elle sût comment, pêchant aussi et faisant sortir de la rivière un cheval de bois.

Puis elle eut de nouveau la sensation qu'elle se réveillait et elle entendit qu'on l'appelait en bas.

Sa mère avait dit :

« Éteins donc la bougie. »

Puis la voix de Servigny s'éleva claire et comique :

« Éteignez donc vot' bougie, Mam'zelle Yvette. »

Et tous reprirent en chœur :

« Mam'zelle Yvette, éteignez donc votre bougie. »

Elle versa de nouveau du chloroforme dans le coton, mais, comme elle ne voulait pas mourir, elle le tint assez loin de son visage pour respirer de l'air frais, tout en répandant en sa chambre l'odeur asphyxiante du narcotique, car elle comprit qu'on allait monter ; et, prenant une posture bien abandonnée, une posture de morte, elle attendit.

La marquise disait :

« Je suis un peu inquiète ! Cette petite folle s'est endormie en laissant sa lumière sur sa table. Je vais envoyer Clémence pour l'éteindre et pour fermer la fenêtre de son balcon qui est restée grande ouverte. »

Et bientôt la femme de chambre heurta la porte en appelant :

« Mademoiselle, Mademoiselle ! »

Après un silence elle reprit :

« Mademoiselle, Mme la marquise vous prie d'éteindre votre bougie et de fermer votre fenêtre. »

Clémence attendit encore un peu, puis frappa plus fort en criant :

« Mademoiselle, Mademoiselle ! »

Comme Yvette ne répondait pas, la domestique s'en alla et dit à la marquise :

« Mademoiselle est endormie sans doute ; son verrou est poussé et je ne peux pas la réveiller. »

Mme Obardi murmura :

« Elle ne va pourtant pas rester comme ça? »

Tous alors, sur le conseil de Servigny, se réunirent sous la fenêtre de la jeune fille, et hurlèrent en chœur :

« Hip — hip — hurra — Mam'zelle Yvette! »

Leur clameur s'éleva dans la nuit calme, s'envola sous la lune dans l'air transparent, s'en alla sur le pays dormant; et ils l'entendirent s'éloigner ainsi que fait le bruit d'un train qui fuit.

Comme Yvette ne répondit pas, la marquise prononça :

« Pourvu qu'il ne lui soit rien arrivé; je commence à avoir peur. »

Alors Servigny, cueillant les roses rouges du gros rosier poussé le long du mur et les boutons pas encore éclos, se mit à les lancer dans la chambre par la fenêtre.

Au premier qu'elle reçut, Yvette tressauta, faillit crier. D'autres tombaient sur sa robe, d'autres dans ses cheveux, d'autres, passant par-dessus sa tête, allaient jusqu'au lit, le couvraient d'une pluie de fleurs.

La marquise cria encore une fois, d'une voix étranglée :

« Voyons, Yvette, réponds-nous. »

Alors, Servigny déclara :

« Vraiment, ça n'est pas naturel, je vais grimper par le balcon. »

Mais le chevalier s'indigna.

« Permettez, permettez, c'est là une grosse faveur, je réclame; c'est un trop bon moyen... et un trop bon moment... pour obtenir un rendez-vous! »

Tous les autres qui croyaient à une farce de la jeune fille, s'écriaient :

« Nous protestons. C'est un coup monté. Montera pas, montera pas. »

Mais la marquise, émue, répétait :

« Il faut pourtant qu'on aille voir. »

Le prince déclara, avec un geste dramatique :

« Elle favorise le duc, nous sommes trahis.

— Jouons à pile ou face qui montera », demanda le chevalier.

Et il tira de sa poche une pièce d'or de cent francs.

Il commença avec le prince :

« Pile », dit-il.

Ce fut face.

Le prince jeta la pièce à son tour, en disant à Saval :

« Prononcez, Monsieur. »

Saval prononça :

« Face. »

Ce fut pile.

Le prince ensuite posa la même question à tous les autres. Tous perdirent.

Servigny, qui restait seul en face de lui, déclara de son air insolent :

« Parbleu, il triche ! »

Le Russe mit la main sur son cœur et tendit la pièce d'or à son rival, en disant :

« Jouez vous-même, mon cher duc. »

Servigny la prit et la lança en criant :

« Face ! »

Ce fut pile.

Il salua, et indiquant de la main le pilier du balcon :

« Montez, mon prince. »

Mais le prince regardait autour de lui d'un air inquiet.

« Que cherchez-vous ? demanda le chevalier.

— Mais... je... je voudrais bien... une échelle. »

Un rire général éclata. Et Saval, s'avançant :

« Nous allons vous aider. »

Il l'enleva dans ses bras d'hercule, en recommandant :

« Accrochez-vous au balcon. »

Le prince aussitôt s'accrocha, et Saval l'ayant lâché, il demeura suspendu, agitant ses pieds dans le vide. Alors, Servigny saisissant ces jambes affolées qui cherchaient un point d'appui, tira dessus de toute sa force ; les mains lâchèrent et le prince tomba comme un bloc sur le ventre de M. de Belvigne qui s'avançait pour le soutenir.

« A qui le tour ? » demanda Servigny.

Mais personne ne se présenta.

« Voyons, Belvigne, de l'audace.

— Merci, mon cher, je tiens à mes os.

— Voyons, chevalier, vous devez avoir l'habitude des escalades.

— Je vous cède la place, mon cher duc.

— Heu!... heu!... c'est que je n'y tiens plus tant que ça. »

Et Servigny, l'œil en éveil, tournait autour du pilier.

Puis, d'un saut, s'accrochant au balcon, il s'enleva par les poignets, fit un rétablissement comme un gymnase et franchit la balustrade.

Tous les spectateurs, le nez en l'air, applaudissaient. Mais il reparut aussitôt en criant :

« Venez vite! Venez vite! Yvette est sans connaissance! »

La marquise poussa un grand cri et s'élança dans l'escalier.

La jeune fille, les yeux fermés, faisait la morte. Sa mère entra, affolée, et se jeta sur elle.

« Dites, qu'est-ce qu'elle a? qu'est-ce qu'elle a? »

Servigny ramassait la bouteille de chloroforme tombée sur le parquet :

« Elle s'est asphyxiée », dit-il.

Et il colla son oreille sur le cœur, puis il ajouta :

« Mais elle n'est pas morte; nous la ranimerons. Avez-vous ici de l'ammoniaque? »

La femme de chambre, éperdue, répétait :

« De quoi... de quoi... Monsieur? »

— De l'eau sédative[1].

— Oui, Monsieur.

— Apportez tout de suite, et laissez la porte ouverte pour établir un courant d'air. »

La marquise, tombée sur les genoux, sanglotait.

« Yvette, Yvette! ma fille, ma petite fille, ma fille, écoute, réponds-moi, Yvette, mon enfant. Oh! mon Dieu! mon Dieu! qu'est-ce qu'elle a? »

Et les hommes effarés remuaient sans rien faire,

1. Médicament inventé par le biologiste Raspail (1794-1878) contre l'apoplexie, la fièvre, les palpitations...

apportaient de l'eau, des serviettes, des verres, du vinaigre.

Quelqu'un dit : « Il faut la déshabiller ! »

Et la marquise, qui perdait la tête, essaya de dévêtir sa fille ; mais elle ne savait plus ce qu'elle faisait. Ses mains tremblaient, s'embrouillaient, se perdaient et elle gémissait : « Je... je... je ne peux pas, je ne peux pas... »

La femme de chambre était rentrée apportant une bouteille de pharmacien que Servigny déboucha et dont il versa la moitié sur un mouchoir. Puis il le colla sous le nez d'Yvette, qui eut une suffocation.

« Bon, elle respire, dit-il. Ça ne sera rien. »

Et il lui lava les tempes, les joues, le cou avec le liquide à la rude senteur.

Puis il fit signe à la femme de chambre de délacer la jeune fille, et quand elle n'eut plus qu'une jupe sur sa chemise, il l'enleva dans ses bras, et la porta jusqu'au lit en frémissant, remué par l'odeur de ce corps presque nu, par le contact de cette chair, par la moiteur des seins à peine cachés qu'il faisait fléchir sous sa bouche.

Lorsqu'elle fut couchée, il se releva fort pâle. « Elle va revenir à elle, dit-il, ce n'est rien. » Car il l'avait entendue respirer d'une façon continue et régulière. Mais, apercevant tous les hommes, les yeux fixés sur Yvette étendue en son lit, une irritation jalouse le fit tressaillir, et s'avançant vers eux :

« Messieurs, nous sommes beaucoup trop dans cette chambre ; veuillez nous laisser seuls, M. Saval et moi, avec la marquise. »

Il parlait d'un ton sec et plein d'autorité. Les autres s'en allèrent aussitôt.

Mme Obardi avait saisi son amant à pleins bras, et, la tête levée vers lui, elle lui criait :

« Sauvez-la... Oh ! sauvez-la !... »

Mais Servigny s'étant retourné, vit une lettre sur la table. Il la saisit d'un mouvement rapide et lut l'adresse. Il comprit et pensa : « Peut-être ne faut-il pas que la marquise ait connaissance de cela. » Et, déchirant

l'enveloppe, il parcourut d'un regard les deux lignes
qu'elle contenait :

« *Je meurs pour ne pas devenir une fille entretenue.*
                                        YVETTE.
Adieu, ma chère maman. Pardon. »

« Diable, pensa-t-il, ça demande réflexion. »

Et il cacha la lettre dans sa poche.

Puis il se rapprocha du lit, et aussitôt la pensée lui
vint que la jeune fille avait repris connaissance, mais
qu'elle n'osait pas le montrer par honte, par humiliation, par crainte des questions.

La marquise était tombée à genoux, maintenant, et
elle pleurait, la tête sur le pied du lit. Tout à coup, elle
prononça : « Un médecin, il faut un médecin. »

Mais Servigny, qui venait de parler bas avec Saval, lui
dit : « Non, c'est fini. Tenez, allez-vous-en une minute,
rien qu'une minute, et je vous promets qu'elle vous
embrassera quand vous reviendrez. » Et le baron, soulevant Mme Obardi par le bras, l'entraîna.

Alors Servigny, s'asseyant près de la couche, prit la
main d'Yvette et prononça : « Mam'zelle, écoutez-
moi... »

Elle ne répondit pas. Elle se sentait si bien, si
doucement, si chaudement couchée, qu'elle aurait
voulu ne plus jamais remuer, ne plus jamais parler, et
vivre comme ça toujours. Un bien-être infini l'avait
envahie, un bien-être tel qu'elle n'en avait jamais senti
de pareil.

L'air tiède de la nuit entrant par souffles légers, par
souffles de velours, lui passait de temps en temps sur la
face d'une façon exquise, imperceptible. C'était une
caresse, quelque chose comme un baiser du vent,
comme l'haleine lente et rafraîchissante d'un éventail
qui aurait été fait de toutes les feuilles des bois et de
toutes les ombres de la nuit, de la brume des rivières, et
de toutes les fleurs aussi, car les roses jetées d'en bas

dans sa chambre et sur son lit, et les roses grimpées au balcon, mêlaient leur senteur languissante à la saveur saine de la brise nocturne.

Elle buvait cet air si bon, les yeux fermés, le cœur reposé dans l'ivresse encore persistante de l'opium, et elle n'avait plus du tout le désir de mourir, mais une envie forte, impérieuse, de vivre, d'être heureuse, n'importe comment, d'être aimée, oui, aimée.

Servigny répéta :

« Mam'zelle Yvette, écoutez-moi. »

Et elle se décida à ouvrir les yeux. Il reprit, la voyant ranimée :

« Voyons, voyons, qu'est-ce que c'est que des folies pareilles ? »

Elle murmura :

« Mon pauvre Muscade, j'avais tant de chagrin. »

Il lui serrait la main paternellement :

« C'est ça qui vous avançait à grand-chose, ah oui ! Voyons, vous allez me promettre de ne pas recommencer ? »

Elle ne répondit pas, mais elle fit un petit mouvement de tête qu'accentuait un sourire plutôt sensible que visible.

Il tira de sa poche la lettre trouvée sur la table :

« Est-ce qu'il faut montrer cela à votre mère ? »

Elle fit « non » d'un signe du front.

Il ne savait plus que dire, car la situation lui paraissait sans issue. Il murmura :

« Ma chère petite, il faut prendre son parti des choses les plus pénibles. Je comprends bien votre douleur, et je vous promets... »

Elle balbutia :

« Vous êtes bon... »

Ils se turent. Il la regardait. Elle avait dans l'œil quelque chose d'attendri, de défaillant ; et, tout d'un coup, elle souleva les deux bras, comme si elle eût voulu l'attirer. Il se pencha sur elle, sentant qu'elle l'appelait ; et leurs lèvres s'unirent.

Longtemps ils restèrent ainsi, les yeux fermés. Mais

lui, comprenant qu'il allait perdre la tête, se releva. Elle lui souriait maintenant d'un vrai sourire de tendresse ; et, de ses deux mains accrochées aux épaules, elle le retenait.

« Je vais chercher votre mère », dit-il.

Elle murmura : « Encore une seconde. Je suis si bien. » Puis, après un silence, elle prononça tout bas, si bas qu'il entendit à peine :

« Vous m'aimerez bien, dites ? »

Il s'agenouilla près du lit, et, baisant le poignet qu'elle lui avait laissé :

« Je vous adore. »

Mais on marchait près de la porte. Il se releva d'un bond et cria de sa voix ordinaire qui semblait toujours un peu ironique :

« Vous pouvez entrer. C'est fait maintenant. »

La marquise s'élança sur sa fille, les deux bras ouverts, et l'étreignit frénétiquement, couvrant de larmes son visage, tandis que Servigny, l'âme radieuse, la chair émue, s'avançait sur le balcon pour respirer le grand air frais de la nuit, en fredonnant :

> *Souvent femme varie,*
> *Bien fol est qui s'y fie[1].*

---

1. Les deux vers les plus célèbres de la chanson gravée par François Iᵉʳ avec son diamant sur une glace du château de Chambord (*cf.* V. Hugo : *Le Roi s'amuse*, IV, 2, et l'opéra de Verdi, *Rigoletto*).

L'ARMOIRE

On parlait de filles, après dîner, car de quoi parler, entre hommes ?

Un de nous dit :

— Tiens, il m'est arrivé une drôle d'histoire à ce sujet.

Et il conta.

— Un soir de l'hiver dernier, je fus pris soudain d'une de ces lassitudes désolées, accablantes, qui vous saisissent l'âme et le corps de temps en temps. J'étais chez moi, tout seul, et je sentis bien que si je demeurais ainsi j'allais avoir une effroyable crise de tristesse, de ces tristesses qui doivent mener au suicide quand elles reviennent souvent.

J'endossai mon pardessus, et je sortis sans savoir du tout ce que j'allais faire. Étant descendu jusqu'aux boulevards, je me mis à errer le long des cafés presque vides, car il pleuvait, il tombait une de ces pluies menues qui mouillent l'esprit autant que les habits, non pas une de ces bonnes pluies d'averse, s'abattant en cascade et jetant sous les portes cochères les passants essoufflés, mais une de ces pluies si fines qu'on ne sent point les gouttes, une de ces pluies humides qui déposent incessamment sur vous d'imperceptibles gouttelettes et couvrent bientôt les habits d'une mousse d'eau glacée et pénétrante.

Que faire ? J'allais, je revenais, cherchant où passer

deux heures, et découvrant pour la première fois qu'il n'y a pas un endroit de distraction, dans Paris, le soir. Enfin, je me décidai à entrer aux Folies-Bergère, cette amusante halle aux filles.

Peu de monde dans la grande salle. Le long promenoir en fer à cheval ne contenait que des individus de peu, dont la race commune apparaissait dans la démarche, dans le vêtement, dans la coupe des cheveux et de la barbe, dans le chapeau, dans le teint. C'est à peine si on apercevait de temps en temps un homme qu'on devinât lavé, parfaitement lavé, et dont tout l'habillement eût un air d'ensemble. Quant aux filles, toujours les mêmes, les affreuses filles que vous connaissez, laides, fatiguées, pendantes, et allant de leur pas de chasse, avec cet air de dédain imbécile qu'elles prennent, je ne sais pourquoi.

Je me disais que vraiment pas une de ces créatures avachies, graisseuses plutôt que grasses, bouffies d'ici et maigres de là, avec des bedaines de chanoines et des jambes d'échassiers cagneux, ne valait le louis qu'elles obtiennent à grand-peine après en avoir demandé cinq.

Mais soudain j'en aperçus une petite qui me parut gentille, pas toute jeune, mais fraîche, drôlette, provocante. Je l'arrêtai, et bêtement, sans réfléchir, je fis mon prix, pour la nuit. Je ne voulais pas rentrer chez moi, seul, tout seul ; j'aimais encore mieux la compagnie et l'étreinte de cette drôlesse.

Et je la suivis. Elle habitait une grande, grande maison, rue des Martyrs. Le gaz était éteint déjà dans l'escalier. Je montai lentement, allumant d'instant en instant une allumette-bougie[1], heurtant les marches du pied, trébuchant et mécontent, derrière la jupe dont j'entendais le bruit devant moi.

Elle s'arrêta au quatrième étage, et ayant refermé la porte du dehors, elle demanda :

1. Ces allumettes, dont le corps était fait de coton trempé dans de la cire fondue, avaient un temps d'éclairage plus long que les allumettes ordinaires.

— Alors tu restes jusqu'à demain?

— Mais oui. Tu sais bien que nous en sommes convenus.

— C'est bon, mon chat, c'était seulement pour savoir. Attends-moi ici une minute, je reviens tout à l'heure.

Et elle me laissa dans l'obscurité. J'entendis qu'elle fermait deux portes, puis il me sembla qu'elle parlait. Je fus surpris, inquiet. L'idée d'un souteneur m'effleura. Mais j'ai des poings et des reins solides. « Nous verrons bien », pensai-je.

J'écoutai de toute l'attention de mon oreille et de mon esprit. On remuait, on marchait doucement, avec de grandes précautions. Puis une autre porte fut ouverte, et il me sembla bien que j'entendais encore parler, mais tout bas.

Elle revint, portant une bougie allumée :

— Tu peux entrer, dit-elle.

Ce tutoiement était une prise de possession. J'entrai, et après avoir traversé une salle à manger où il était visible qu'on ne mangeait jamais, je pénétrai dans la chambre de toutes les filles, la chambre meublée, avec des rideaux de reps, et l'édredon de soie ponceau tigré de taches suspectes.

Elle reprit :

— Mets-toi à ton aise, mon chat.

J'inspectais l'appartement d'un œil soupçonneux. Rien cependant ne me paraissait inquiétant.

Elle se déshabilla si vite qu'elle fut au lit avant que j'eusse ôté mon pardessus. Elle se mit à rire :

— Eh bien, qu'est-ce que tu as? Es-tu changé en statue de sel? Voyons, dépêche-toi.

Je l'imitai et je la rejoignis.

Cinq minutes plus tard j'avais une envie folle de me rhabiller et de partir. Mais cette lassitude accablante qui m'avait saisi chez moi me retenait, m'enlevait toute force pour remuer, et je restais malgré le dégoût qui me prenait dans ce lit public. Le charme sensuel que j'avais cru voir en cette créature, là-bas, sous les lustres du théâtre, avait disparu entre mes bras, et je n'avais plus contre moi, chair à chair, que la fille vulgaire, pareille à toutes, dont le baiser indifférent et complaisant avait un arrière-goût d'ail.

Je me mis à lui parler.

— Y a-t-il longtemps que tu habites ici? lui dis-je.

— Voilà six mois passés au 15 janvier.

— Où étais-tu, avant ça?

— J'étais rue Clauzel. Mais la concierge m'a fait des misères et j'ai donné congé.

Et elle se mit à me raconter une interminable histoire de portière qui avait fait des potins sur elle.

Mais tout à coup j'entendis remuer tout près de nous. Ça avait été d'abord un soupir, puis un bruit léger, mais distinct, comme si quelqu'un s'était retourné sur une chaise.

Je m'assis brusquement dans le lit, et je demandai :

— Qu'est-ce que ce bruit-là?

Elle répondit avec assurance et tranquillité :

— Ne t'inquiète pas, mon chat, c'est la voisine. La cloison est si mince qu'on entend tout comme si c'était ici. En voilà des sales boîtes. C'est en carton.

Ma paresse était si forte que je me renfonçai sous les draps. Et nous nous remîmes à causer. Harcelé par la curiosité bête qui pousse tous les hommes à interroger ces créatures sur leur première aventure, à vouloir lever le voile de leur première faute, comme pour trouver en elles une trace lointaine d'innocence, pour les aimer peut-être dans le souvenir rapide, évoqué par un mot vrai, de leur candeur et de leur pudeur d'autrefois, je la pressai de questions sur ses premiers amants.

Je savais qu'elle mentirait. Qu'importe? Parmi tous ces mensonges je découvrirais peut-être une chose sincère et touchante.

— Voyons, dis-moi qui c'était.

— C'était un canotier, mon chat.

— Ah! Raconte-moi. Où étiez-vous?

— J'étais à Argenteuil.

— Qu'est-ce que tu faisais?

— J'étais bonne dans un restaurant.

— Quel restaurant?

— Au *Marin d'eau douce*. Le connais-tu?

— Parbleu, chez Bonanfan.

— Oui, c'est ça.

— Et comment t'a-t-il fait la cour, ce canotier?

— Pendant que je faisais son lit. Il m'a forcée.

Mais brusquement je me rappelai la théorie d'un médecin de mes amis[1], un médecin observateur et philosophe qu'un service constant dans un grand hôpital met en rapports quotidiens avec des filles-mères et des filles publiques, avec toutes les hontes et toutes les misères des femmes, des pauvres femmes devenues la proie affreuse du mâle errant avec de l'argent dans sa poche.

— Toujours, me disait-il, toujours une fille est débauchée par un homme de sa classe et de sa condition. J'ai des volumes d'observations là-dessus. On accuse les riches de cueillir la fleur d'innocence des enfants du peuple. Ça n'est pas vrai. Les riches payent le bouquet cueilli! Ils en cueillent aussi, mais sur les secondes floraisons; ils ne les coupent jamais sur la première.

Alors me tournant vers ma compagne, je me mis à rire.

— Tu sais que je la connais, ton histoire. Ce n'est pas le canotier qui t'a connue le premier.

— Oh! si, mon chat, je te le jure.

— Tu mens, ma chatte.

— Oh! non, je te promets!

— Tu mens. Allons, dis-moi tout.

Elle semblait hésiter, étonnée.

Je repris :

1. Maupassant s'inspire ici des théories des médecins du temps, spécialistes de la prostitution (Jeannel ou Parent-Duchatelet) qui considéraient que les prostituées, souvent d'anciennes domestiques, avaient été séduites avant d'être « placées » et non par leurs maîtres. (*Cf.* A. Corbin : *Les Filles de noce*, Bibliographie, p. 346.)

— Je suis sorcier, ma belle enfant, je suis somnam-
bule. Si tu ne me dis pas la vérité, je vais t'endormir et
je la saurai.

Elle eut peur, étant stupide comme ses pareilles.
Elle balbutia :

— Comment l'as-tu deviné ?

Je repris :

— Allons, parle.

— Oh ! la première fois, ça ne fut presque rien.
C'était à la fête du pays. On avait fait venir un chef
d'extra, M. Alexandre. Dès qu'il est arrivé, il a fait
tout ce qu'il a voulu dans la maison. Il commandait à
tout le monde, au patron, à la patronne, comme s'il
avait été un roi... C'était un grand bel homme qui ne
tenait pas en place devant son fourneau. Il criait
toujours : « Allons, du beurre, — des œufs, du
madère. » Et il fallait lui apporter ça tout de suite en
courant, ou bien il se fâchait et il vous en disait à vous
faire rougir jusque sous les jupes.

Quand la journée fut finie, il se mit à fumer sa pipe
devant la porte. Et comme je passais contre lui avec
une pile d'assiettes, il me dit comme ça : « Allons, la
gosse, viens-t'en jusqu'au bord de l'eau pour me
montrer le pays ! » Moi j'y allai comme une sotte ; et à
peine que nous avons été sur la rive, il m'a forcée si
vite, que je n'ai pas même su ce qu'il faisait. Et puis il
est parti par le train de neuf heures. Je ne l'ai pas revu
après ça.

Je demandai :

— C'est tout ?

Elle bégaya :

— Oh ! je crois bien que c'est à lui Florentin !

— Qui ça, Florentin ?

— C'est mon petit !

— Ah ! très bien. Et tu as fait croire au canotier
qu'il en était le père, n'est-ce pas ?

— Pardi !

— Il avait de l'argent, le canotier ?

— Oui, il m'a laissé une rente de trois cents francs
sur la tête de Florentin.

Je commençais à m'amuser. Je repris :

— Très bien ma fille, c'est très bien. Vous êtes toutes moins bêtes[1] qu'on ne croit, tout de même. Et quel âge a-t-il, Florentin, maintenant ?

Elle reprit :

— V'là qu'il a douze ans. Il fera sa première communion au printemps[2].

— C'est parfait, et depuis ça, tu fais ton métier en conscience ?

Elle soupira, résignée :

— On fait ce qu'on peut...

Mais un grand bruit, parti de la chambre même, me fit sauter du lit d'un bond, le bruit d'un corps tombant et se relevant avec des tâtonnements de mains sur un mur.

J'avais saisi la bougie et je regardais autour de moi, effaré et furieux. Elle s'était levée aussi, essayant de me retenir, de m'arrêter en murmurant :

— Ça n'est rien, mon chat, je t'assure que ça n'est rien.

Mais, j'avais découvert, moi, de quel côté était parti ce bruit étrange. J'allai droit vers une porte cachée à la tête de notre lit et je l'ouvris brusquement... et j'aperçus, tremblant, ouvrant sur moi des yeux effarés et brillants, un pauvre petit garçon pâle et maigre, assis à côté d'une grande chaise de paille, d'où il venait de tomber.

Dès qu'il m'aperçut, il se mit à pleurer, et ouvrant les bras vers sa mère :

— Ça n'est pas ma faute, maman, ça n'est pas ma faute. Je m'étais endormi et j'ai tombé. Faut pas me gronder, ça n'est pas ma faute.

Je me retournai vers la femme. Et je prononçai :

1. La bêtise congénitale des prostituées est à l'époque un véritable cliché, abondamment exploité par les romanciers (*cf.* Goncourt : *La Fille Élisa*), soutenus par la caution « scientifique » des spécialistes.
2. La religiosité sentimentale des prostituées est un autre cliché d'époque, admirablement orchestré par Maupassant dans *La Maison Tellier*, mais à des fins subversives.

— Qu'est-ce que ça veut dire ?

Elle semblait confuse et désolée. Elle articula, d'une voix entrecoupée :

— Qu'est-ce que tu veux ? Je ne gagne pas assez pour le mettre en pension, moi ! Il faut bien que je le garde, et je n'ai pas de quoi me payer une chambre de plus, pardi. Il couche avec moi quand j'ai personne. Quand on vient pour une heure ou deux, il peut bien rester dans l'armoire, il se tient tranquille ; il connaît ça. Mais quand on reste toute la nuit, comme toi, ça lui fatigue les reins de dormir sur une chaise, à cet enfant... Ça n'est pas sa faute non plus... Je voudrais bien t'y voir, toi... dormir toute la nuit sur une chaise... Tu m'en dirais des nouvelles...

Elle se fâchait, s'animait, criait.

L'enfant pleurait toujours. Un pauvre enfant chétif et timide, oui, c'était bien l'enfant de l'armoire, de l'armoire froide et sombre, l'enfant qui revenait de temps en temps reprendre un peu de chaleur dans la couche un instant vide.

Moi aussi, j'avais envie de pleurer.

Et je rentrai coucher chez moi.

L'INCONNUE

On parlait de bonnes fortunes et chacun en racontait d'étranges; rencontres surprenantes et délicieuses, en wagon, dans un hôtel, à l'étranger, sur une plage. Les plages, au dire de Roger des Annettes, étaient singulièrement favorables à l'amour.

Gontran, qui se taisait, fut consulté.

— C'est encore Paris qui vaut le mieux, dit-il. Il en est de la femme comme du bibelot, nous l'apprécions davantage dans les endroits où nous ne nous attendons point à en rencontrer; mais on n'en rencontre vraiment de rares qu'à Paris.

Il se tut quelques secondes, puis reprit :

— Cristi! c'est gentil! Allez un matin de printemps dans nos rues. Elles ont l'air d'éclore comme des fleurs, les petites femmes qui trottent le long des maisons. Oh! le joli, le joli, joli spectacle! On sent la violette au bord des trottoirs; la violette qui passe dans les voitures lentes poussées par les marchandes.

Il fait gai par la ville; et on regarde les femmes. Cristi de cristi, comme elles sont tentantes avec leurs toilettes claires, leurs toilettes légères qui montrent la peau. On flâne, le nez au vent et l'esprit allumé; on flâne, et on flaire et on guette. C'est rudement bon, ces matins-là!

On la voit venir de loin, on la distingue et on la reconnaît à cent pas, celle qui va nous plaire de tout près. A la fleur de son chapeau, au mouvement de sa

tête, à sa démarche, on la devine. Elle vient. On se
dit : « Attention, en voilà une », et on va au-devant
d'elle en la dévorant des yeux.

Est-ce une fillette qui fait les courses du magasin,
une jeune femme qui vient de l'église ou qui va chez
son amant ? Qu'importe ! La poitrine est ronde sous le
corsage transparent. — Oh ! si on pouvait mettre le
doigt dessus ? Le doigt ou la lèvre. — Le regard est
timide ou hardi, la tête brune ou blonde ?
Qu'importe ! L'effleurement de cette femme qui
trotte vous fait courir un frisson dans le dos. Et
comme on la désire jusqu'au soir, celle qu'on a
rencontrée ainsi ! Certes, j'ai bien gardé le souvenir
d'une vingtaine de créatures vues une fois ou dix fois
de cette façon et dont j'aurais été follement amoureux
si je les avais connues plus intimement.

Mais voilà, celles qu'on chérirait éperdument, on
ne les connaît jamais. Avez-vous remarqué ça ? c'est
assez drôle ! On aperçoit, de temps en temps, des
femmes dont la seule vue nous ravage de désirs. Mais
on ne fait que les apercevoir, celles-là. Moi, quand je
pense à tous les êtres adorables que j'ai coudoyés
dans les rues de Paris, j'ai des crises de rage à me
pendre. Où sont-elles ? Qui sont-elles ? Où pour-
rait-on les retrouver ? les revoir ? Un proverbe dit
qu'on passe souvent à côté du bonheur, eh bien ! moi
je suis certain que j'ai passé plus d'une fois à côté de
celle qui m'aurait pris comme un linot[1] avec l'appât
de sa chair fraîche.

Roger des Annettes avait écouté en souriant. Il
répondit :

— Je connais ça aussi bien que toi. Voilà même ce
qui m'est arrivé, à moi. Il y a cinq ans environ, je
rencontrai pour la première fois, sur le pont de la
Concorde, une grande jeune femme un peu forte qui
me fit un effet… mais un effet… étonnant. C'était une
brune, une brune grasse, avec des cheveux luisants,

---

1. Variante pour *linotte*, passereau, petit oiseau friand de
graines de *lin*.

mangeant le front, et des sourcils liant les deux yeux
sous leur grand arc allant d'une tempe à l'autre. Un
peu de moustache sur les lèvres faisait rêver…
rêver… comme on rêve à des bois aimés en voyant un
bouquet sur une table. Elle avait la taille très cambrée, la poitrine très saillante, présentée comme un
défi, offerte comme une tentation. L'œil était pareil à
une tache d'encre sur de l'émail blanc. Ce n'était pas
un œil, mais un trou noir, un trou profond ouvert
dans sa tête, dans cette femme, par où on voyait en
elle, on entrait en elle. Oh! l'étrange regard opaque
et vide, sans pensée et si beau!

J'imaginai que c'était une Juive. Je la suivis. Beaucoup d'hommes se retournaient. Elle marchait en se
dandinant d'une façon peu gracieuse, mais troublante. Elle prit un fiacre place de la Concorde. Et je
demeurai comme une bête, à côté de l'Obélisque, je
demeurai frappé par la plus forte émotion de désir qui
m'eût encore assailli.

J'y pensai pendant trois semaines au moins, puis je
l'oubliai.

Je la revis six mois plus tard, rue de la Paix; et je
sentis, en l'apercevant, une secousse au cœur comme
lorsqu'on retrouve une maîtresse follement aimée
jadis. Je m'arrêtai pour bien la voir venir. Quand elle
passa près de moi, à me toucher, il me sembla que
j'étais devant la bouche d'un four. Puis, lorsqu'elle se
fut éloignée, j'eus la sensation d'un vent frais qui me
courait sur le visage. Je ne la suivis pas. J'avais peur
de faire quelque sottise, peur de moi-même.

Elle hanta souvent mes rêves. Tu connais ces
obsessions-là.

Je fus un an sans la retrouver; puis, un soir, au
coucher du soleil, vers le mois de mai, je la reconnus
qui montait devant moi l'avenue des Champs-Élysées.

L'arc de l'Étoile se dessinait sur le rideau de feu du
ciel. Une poussière d'or, un brouillard de clarté rouge
voltigeait, c'était un de ces soirs délicieux qui sont les
apothéoses de Paris.

Je la suivais avec l'envie furieuse de lui parler, de m'agenouiller, de lui dire l'émotion qui m'étranglait.

Deux fois je la dépassai pour revenir. Deux fois j'éprouvai de nouveau, en la croisant, cette sensation de chaleur ardente qui m'avait frappé, rue de la Paix.

Elle me regarda. Puis je la vis entrer dans une maison de la rue de Presbourg. Je l'attendis deux heures sous une porte. Elle ne sortit pas. Je me décidai alors à interroger le concierge. Il eut l'air de ne pas me comprendre : « Ça doit être une visite », dit-il.

Et je fus encore huit mois sans la revoir.

Or, un matin de janvier, par un froid de Sibérie, je suivais le boulevard Malesherbes, en courant pour m'échauffer, quand, au coin d'une rue, je heurtai si violemment une femme qu'elle laissa tomber un petit paquet.

Je voulus m'excuser. C'était elle !

Je demeurai d'abord stupide de saisissement ; puis, lui ayant rendu l'objet qu'elle tenait à la main, je lui dis brusquement :

— Je suis désolé et ravi, Madame, de vous avoir bousculée ainsi. Voilà plus de deux ans que je vous connais, que je vous admire, que j'ai le désir le plus violent de vous être présenté ; et je ne puis arriver à savoir qui vous êtes ni où vous demeurez. Excusez de semblables paroles, attribuez-les à une envie passionnée d'être au nombre de ceux qui ont le droit de vous saluer. Un pareil sentiment ne peut vous blesser, n'est-ce pas ? Vous ne me connaissez point. Je m'appelle le baron Roger des Annettes. Informez-vous, on vous dira que je suis recevable. Maintenant, si vous résistez à ma demande, vous ferez de moi un homme infiniment malheureux. Voyons, soyez bonne, donnez-moi, indiquez-moi un moyen de vous voir.

Elle me regardait fixement, de son œil étrange et mort, et elle répondit en souriant :

— Donnez-moi votre adresse. J'irai chez vous.

Je fus tellement stupéfait que je dus le laisser paraître. Mais je ne suis jamais longtemps à me remettre de ces surprises-là, et je m'empressai de lui donner une carte qu'elle glissa dans sa poche d'un geste rapide, d'une main habituée aux lettres escamotées.

Je balbutiai, redevenu hardi :

— Quand vous verrai-je ?

Elle hésita, comme si elle eût fait un calcul compliqué, cherchant sans doute à se rappeler, heure par heure, l'emploi de son temps ; puis elle murmura :

— Dimanche matin, voulez-vous ?

— Je crois bien que je veux.

Et elle s'en alla, après m'avoir dévisagé, jugé, pesé, analysé de ce regard lourd et vague qui semblait vous laisser quelque chose sur la peau, une sorte de glu, comme s'il eût projeté sur les gens un de ces liquides épais dont se servent les pieuvres pour obscurcir l'eau et endormir leurs proies.

Je me livrai, jusqu'au dimanche, à un terrible travail d'esprit pour deviner ce qu'elle était et pour me fixer une règle de conduite avec elle.

Devais-je la payer ? Comment ?

Je me décidai à acheter un bijou, un joli bijou, ma foi, que je posai, dans son écrin, sur la cheminée.

Et je l'attendis, après avoir mal dormi.

Elle arriva, vers dix heures, très calme, très tranquille, et elle me tendit la main comme si elle m'eût connu beaucoup. Je la fis asseoir, je la débarrassai de son chapeau, de son voile, de sa fourrure, de son manchon. Puis je commençai, avec un certain embarras, à me montrer plus galant, car je n'avais point de temps à perdre.

Elle ne se fit nullement prier d'ailleurs, et nous n'avions pas échangé vingt paroles que je commençais à la dévêtir. Elle continua toute seule cette besogne malaisée que je ne réussis jamais à achever. Je me pique aux épingles, je serre les cordons en des nœuds indéliables au lieu de les démêler ; je brouille tout, je confonds tout, je retarde tout et je perds la tête.

Oh! mon cher ami, connais-tu dans la vie des moments plus délicieux que ceux-là, quand on regarde, d'un peu loin, par discrétion, pour ne point effaroucher cette pudeur d'autruche qu'elles ont toutes, celle qui se dépouille, pour vous, de toutes ses étoffes bruissantes tombant en rond à ses pieds, l'une après l'autre?

Et quoi de plus joli aussi que leurs mouvements pour détacher ces doux vêtements qui s'abattent, vides et mous, comme s'ils venaient d'être frappés de mort? Comme elle est superbe et saisissante l'apparition de la chair, des bras nus et de la gorge après la chute du corsage, et combien troublante la ligne du corps devinée sous le dernier voile!

Mais voilà que, tout à coup, j'aperçus une chose surprenante, une tache noire, entre les épaules; car elle me tournait le dos; une grande tache en relief, très noire. J'avais promis d'ailleurs de ne pas regarder.

Qu'était-ce? Je n'en pouvais douter pourtant, et le souvenir de la moustache visible, des sourcils unissant les yeux, de cette toison de cheveux qui la coiffait comme un casque, aurait dû me préparer à cette surprise.

Je fus stupéfait cependant, et hanté brusquement par des visions et des réminiscences singulières. Il me sembla que je voyais une des magiciennes des *Mille et Une Nuits*, un de ces êtres dangereux et perfides qui ont pour mission d'entraîner les hommes en des abîmes inconnus. Je pensai à Salomon faisant passer sur une glace la reine de Saba pour s'assurer qu'elle n'avait point le pied fourchu[1].

Et... et quand il fallut lui chanter ma chanson d'amour, je découvris que je n'avais plus de voix,

1. Allusion à la sourate XXVII du Coran qui raconte la visite de la reine de Saba. La reine, très velue, avait dit-on pied de bouc ou d'âne. Le pied fourchu est traditionnellement un des signes de reconnaissance du diable et de ses suppôts. Sur la reine de Saba, *cf.* Nodier : *La Fée aux miettes*; Nerval : *Voyage en Orient*; Flaubert : *La Tentation de saint Antoine*.

mais plus un filet, mon cher. Pardon, j'avais une voix
de chanteur du Pape, ce dont elle s'étonna d'abord et
se fâcha ensuite absolument, car elle prononça, en se
rhabillant avec vivacité :

— Il était bien inutile de me déranger.

Je voulus lui faire accepter la bague achetée pour
elle, mais elle articula avec tant de hauteur : « Pour
qui me prenez-vous, Monsieur ? » que je devins rouge
jusqu'aux oreilles de cet empilement d'humiliations.
Et elle partit sans ajouter un mot.

Or voilà toute mon aventure. Mais ce qu'il y a de
pis, c'est que, maintenant, je suis amoureux d'elle et
follement amoureux.

Je ne puis plus voir une femme sans penser à elle.
Toutes les autres me répugnent, me dégoûtent, à
moins qu'elles ne lui ressemblent. Je ne puis poser un
baiser sur une joue sans voir sa joue à elle à côté de
celle que j'embrasse, et sans souffrir affreusement du
désir inapaisé qui me torture.

Elle assiste à tous mes rendez-vous, à toutes les
caresses qu'elle me gâte, qu'elle me rend odieuses.
Elle est toujours là, habillée ou nue, comme ma vraie
maîtresse ; elle est là, tout près de l'autre, debout ou
couchée, visible mais insaisissable. Et je crois maintenant que c'était bien une femme ensorcelée, qui
portait entre ses épaules un talisman mystérieux.

Qui est-elle ? Je ne le sais pas encore. Je l'ai
rencontrée de nouveau deux fois. Je l'ai saluée. Elle
ne m'a point rendu mon salut, elle a feint de ne me
point connaître. Qui est-elle ? Une Asiatique, peut-
être ? Sans doute une Juive d'Orient ? Oui, une Juive !
J'ai dans l'idée que c'est une Juive ? Mais pourquoi ?
Voilà ! Pourquoi ? Je ne sais pas !

L'ÉPINGLE

Je ne dirai ni le nom du pays, ni celui de l'homme. C'était loin, bien loin d'ici, sur une côte fertile et brûlante. Nous suivions, depuis le matin, le rivage couvert de récoltes et la mer bleue couverte de soleil. Des fleurs poussaient tout près des vagues, des vagues légères, si douces, endormantes. Il faisait chaud ; c'était une molle chaleur parfumée de terre grasse, humide et féconde ; on croyait respirer des germes.

On m'avait dit que, ce soir-là, je trouverais l'hospitalité dans la maison du Français qui habitait au bout d'un promontoire, dans un bois d'orangers. Qui était-il ? Je l'ignorais encore. Il était arrivé un matin, dix ans plus tôt ; il avait acheté de la terre, planté des vignes, semé des grains ; il avait travaillé, cet homme, avec passion, avec fureur. Puis, de mois en mois, d'année en année, agrandissant son domaine, fécondant sans arrêt le sol puissant et vierge, il avait ainsi amassé une fortune par son labeur infatigable.

Pourtant il travaillait toujours, disait-on. Levé dès l'aurore, parcourant ses champs jusqu'à la nuit, surveillant sans cesse, il semblait harcelé par une idée fixe, torturé par l'insatiable désir de l'argent, que rien n'endort, que rien n'apaise.

Maintenant, il semblait très riche.

Le soleil baissait quand j'atteignis sa demeure. Elle se dressait en effet au bout d'un cap au milieu des orangers. C'était une large maison carrée toute simple et dominant la mer.

Comme j'approchais, un homme à grande barbe parut sur la porte. L'ayant salué, je lui demandai un asile pour la nuit. Il me tendit la main en souriant.

— Entrez, monsieur, vous êtes chez vous.

Il me conduisit dans une chambre, mit à mes ordres un serviteur, avec une aisance parfaite et une bonne grâce familière d'homme du monde ; puis il me quitta en disant :

— Nous dînerons lorsque vous voudrez bien descendre.

Nous dînâmes, en effet, en tête à tête, sur une terrasse en face de la mer. Je lui parlai d'abord de ce pays si riche, si lointain, si inconnu ! Il souriait, répondant avec distraction :

— Oui, cette terre est belle. Mais aucune terre ne plaît loin de celle qu'on aime.

— Vous regrettez la France ?

— Je regrette Paris.

— Pourquoi n'y retournez-vous pas ?

— Oh ! j'y reviendrai.

Et, tout doucement, nous nous mîmes à parler du monde français, des boulevards et des choses de Paris. Il m'interrogeait en homme qui a connu cela, me citait des noms, tous les noms familiers sur le trottoir du Vaudeville.

— Qui voit-on chez Tortoni[1] aujourd'hui ?

— Toujours les mêmes, sauf les morts.

Je le regardais avec attention, poursuivi par un vague souvenir. Certes, j'avais vu cette tête-là quelque part ! Mais où ? mais quand ? Il semblait fatigué, bien que vigoureux, triste, bien que résolu. Sa grande barbe blonde tournait sur sa poitrine, et parfois il la prenait près du menton et, la serrant dans sa main refermée, l'y faisait glisser jusqu'au bout. Un peu chauve, il avait des sourcils épais et une forte moustache qui se mêlait aux poils des joues.

1. Célèbre café-glacier des Boulevards.

Derrière nous, le soleil s'enfonçait dans la mer, jetant sur la côte un brouillard de feu. Les orangers en fleur exhalaient dans l'air du soir leur arôme violent et délicieux. Lui ne voyait rien que moi, et, le regard fixe, il semblait apercevoir dans mes yeux, apercevoir au fond de mon âme l'image lointaine, aimée et connue du large trottoir ombragé, qui va de la Madeleine à la rue Drouot.

— Connaissez-vous Boutrelle?

— Oui, certes.

— Est-il bien changé?

— Oui, tout blanc.

— Et La Ridamie?

— Toujours le même.

— Et les femmes? Parlez-moi des femmes. Voyons. Connaissez-vous Suzanne Verner?

— Oui, très forte, finie.

— Ah! Et Sophie Astier?

— Morte.

— Pauvre fille! Est-ce que... Connaissez-vous...

Mais il se tut brusquement. Puis, la voix changée, la figure pâlie soudain, il reprit :

— Non, il vaut mieux que je ne parle plus de cela, ça me ravage.

Puis, comme pour changer la marche de son esprit, il se leva.

— Voulez-vous rentrer?

— Je veux bien.

Et il me précéda dans sa maison.

Les pièces du bas étaient énormes, nues, tristes, semblaient abandonnées. Des assiettes et des verres traînaient sur des tables, laissés là par les serviteurs à peau basanée qui rôdaient sans cesse dans cette vaste demeure. Deux fusils pendaient à deux clous sur le mur; et, dans les encoignures, on voyait des bêches, des lignes de pêche, des feuilles de palmier séchées, des objets de toute espèce posés au hasard des rentrées et qui se trouvaient à portée de la main pour le hasard des sorties et des besognes.

Mon hôte sourit :

— C'est le logis, ou plutôt le taudis d'un exilé, dit-il, mais ma chambre est plus propre. Allons-y.

Je crus, en y entrant, pénétrer dans le magasin d'un brocanteur, tant elle était remplie de choses, de ces choses disparates, bizarres et variées qu'on sent être des souvenirs. Sur les murs deux jolis dessins de peintres connus, des étoffes, des armes, épées et pistolets, puis, juste au milieu du panneau principal un carré de satin blanc encadré d'or.

Surpris, je m'approchai pour voir, et j'aperçus une épingle à cheveux piquée au centre de l'étoffe brillante.

Mon hôte posa sa main sur mon épaule :

— Voilà, dit-il en souriant, la seule chose que je regarde ici, et la seule que je voie depuis dix ans. M. Prudhomme[1] proclamait : « Ce sabre est le plus beau jour de ma vie », moi, je puis dire : « Cette épingle est toute ma vie. »

Je cherchais une phrase banale ; je finis par prononcer :

— Vous avez souffert par une femme ?

Il reprit brusquement :

— Dites que je souffre comme un misérable... Mais venez sur mon balcon. Un nom m'est venu tout à l'heure sur les lèvres que je n'ai point osé prononcer, car si vous m'aviez répondu « morte », comme vous avez fait pour Sophie Astier, je me serais brûlé la cervelle, aujourd'hui même.

Nous étions sortis sur le large balcon d'où l'on voyait deux golfes, l'un à droite, et l'autre à gauche, enfermés par de hautes montagnes grises. C'était l'heure crépusculaire où le soleil disparu n'éclaire plus la terre que par les reflets du ciel.

Il reprit :

— Est-ce que Jeanne de Limours vit encore ?

Son œil s'était fixé sur le mien, plein d'une angoisse frémissante. Je souris :

1. Personnage d'Henri Monnier (1799-1877), devenu le symbole caricatural du bourgeois.

— Parbleu... et plus jolie que jamais.
— Vous la connaissez?
— Oui.
Il hésitait :
— Tout à fait... ?
— Non.
Il me prit la main :
— Parlez-moi d'elle.
— Mais je n'ai rien à en dire ; c'est une des femmes, ou plutôt une des filles les plus charmantes et les plus cotées de Paris. Elle mène une existence agréable et princière, voilà tout.

Il murmura : « Je l'aime » comme s'il eût dit : « Je vais mourir. » Puis, brusquement :

— Ah! pendant trois ans, ce fut une existence effroyable et délicieuse que la nôtre. J'ai failli la tuer cinq ou six fois ; elle a tenté de me crever les yeux avec cette épingle que vous venez de voir. Tenez, regardez ce petit point blanc sous mon œil gauche. Nous nous aimions! Comment pourrais-je expliquer cette passion-là? Vous ne la comprendriez point.

Il doit exister un amour simple, fait du double élan de deux cœurs et de deux âmes ; mais il existe assurément un amour atroce, cruellement torturant, fait de l'invincible enlacement de deux êtres disparates qui se détestent en s'adorant.

Cette fille m'a ruiné en trois ans. Je possédais quatre millions qu'elle a mangés de son air calme, tranquillement, qu'elle a croqués avec un sourire doux qui semblait tomber de ses yeux sur ses lèvres.

Vous la connaissez? Elle a en elle quelque chose d'irrésistible! Quoi? Je ne sais pas. Sont-ce ces yeux gris dont le regard entre comme une vrille et reste en vous comme le crochet d'une flèche? C'est plutôt ce sourire doux, indifférent et séduisant, qui reste sur sa face à la façon d'un masque. Sa grâce lente pénètre peu à peu, se dégage d'elle comme un parfum, de sa taille longue, à peine balancée, quand elle passe, car elle semble glisser plutôt que marcher, de sa voix un peu traînante, jolie, et qui semble être la musique de son sourire, de son geste aussi, de son geste toujours modéré, toujours juste et qui grise l'œil tant il est harmonieux. Pendant trois ans, je n'ai vu qu'elle sur la terre! Comme j'ai souffert! Car elle me trompait avec tout le monde! Pourquoi? Pour rien, pour tromper. Et quand je l'avais appris, quand je la traitais de fille et de gueuse, elle avouait tranquillement : « Est-ce que nous sommes mariés? » disait-elle.

Depuis que je suis ici, j'ai tant songé à elle que j'ai fini par la comprendre : cette fille-là, c'est Manon Lescaut[1] revenue. C'est Manon qui ne pourrait pas aimer sans tromper, Manon pour qui l'amour, le plaisir et l'argent ne font qu'un.

Il se tut. Puis, après quelques minutes :

— Quand j'eus mangé mon dernier sou pour elle, elle m'a dit simplement : « Vous comprenez, mon cher, que je ne peux pas vivre de l'air et du temps. Je vous aime beaucoup, je vous aime plus que personne, mais il faut vivre. La misère et moi ne ferons jamais bon ménage. »

Et si je vous disais, pourtant, quelle vie atroce j'ai menée à côté d'elle! Quand je la regardais, j'avais autant envie de la tuer que de l'embrasser. Quand je la regardais... je sentais un besoin furieux d'ouvrir les bras, de l'étreindre et de l'étrangler. Il y avait en elle, derrière ses yeux, quelque chose de perfide et d'insaisissable qui me faisait l'exécrer; et c'est peut-être à cause de cela que je l'aimais tant. En elle, le Féminin, l'odieux et affolant Féminin était plus puissant qu'en aucune autre femme. Elle en était chargée, surchargée comme d'un fluide grisant et vénéneux. Elle était Femme, plus qu'on ne l'a jamais été.

Et tenez, quand je sortais avec elle, elle posait son œil sur tous les hommes d'une telle façon, qu'elle semblait se donner à chacun d'un seul regard. Cela

1. Héroïne du roman de l'abbé Prévost (1697-1763), *Histoire du Chevalier Des Grieux et de Manon Lescaut.*

m'exaspérait et m'attachait à elle davantage, cependant. Cette créature, rien qu'en passant dans la rue, appartenait à tout le monde, malgré moi, malgré elle, par le fait de sa nature même, bien qu'elle eût l'allure modeste et douce. Comprenez-vous?

Et quel supplice! Au théâtre, au restaurant, il me semblait qu'on la possédait sous mes yeux. Et dès que je la laissais seule, d'autres, en effet, la possédaient.

Voilà dix ans que je ne l'ai vue, et je l'aime plus que jamais!

La nuit s'était répandue sur la terre. Un parfum puissant d'orangers flottait dans l'air.

Je lui dis :

— La reverrez-vous?

Il répondit :

— Parbleu! J'ai maintenant ici, tant en terre qu'en argent, sept à huit cent mille francs. Quand le million sera complet, je vendrai tout et je partirai. J'en ai pour un an avec elle — une bonne année entière.
— Et puis adieu, ma vie sera close.

Je demandai :

— Mais ensuite?

— Ensuite, je ne sais pas. Ce sera fini! Je lui demanderai peut-être de me prendre comme valet de chambre.

ÇA IRA

J'étais descendu à Barviller uniquement parce que j'avais lu dans un guide (je ne sais plus lequel) : Beau musée, deux Rubens, un Teniers, un Ribera.

Donc je pensais : Allons voir ça. Je dînerai à l'hôtel de l'Europe, que le guide affirme excellent ; et je repartirai le lendemain.

Le musée était fermé : on ne l'ouvre que sur la demande des voyageurs ; il fut donc ouvert à ma requête, et je pus contempler quelques croûtes attribuées par un conservateur fantaisiste aux premiers maîtres de la peinture.

Puis je me trouvai tout seul, et n'ayant absolument rien à faire, dans une longue rue de la petite ville inconnue, bâtie au milieu de plaines interminables, je parcourus cette *artère*, j'examinai quelques pauvres magasins ; puis, comme il était quatre heures, je fus saisi par un de ces découragements qui rendent fous les plus énergiques.

Que faire ? Mon Dieu, que faire ? J'aurais payé cinq cents francs l'idée d'une distraction quelconque ? Me trouvant à sec d'inventions, je me décidai, tout simplement, à fumer un bon cigare et je cherchai le bureau de tabac[1]. Je le reconnus bientôt à sa lanterne

---

1. Les bureaux de tabac étaient, à l'origine, octroyés à d'anciens officiers ou à leur famille. Mais aussi, grâce à des appuis politiques, à des personnes censées avoir accompli dans l'intérêt public des « actes de courage et de dévouement dûment attestés ».

rouge, j'entrai. La marchande me tendit plusieurs boîtes au choix : ayant regardé les cigares, que je jugeai détestables, je considérai, par hasard, la patronne.

C'était une femme de quarante-cinq ans environ, forte et grisonnante. Elle avait une figure grasse, respectable, en qui il me sembla trouver quelque chose de familier. Pourtant je ne connaissais point cette dame ! Non, je ne la connaissais pas assurément ! Mais ne se pouvait-il faire que je l'eusse rencontrée ? Oui, c'était possible ! Ce visage-là devait être une connaissance de mon œil, une vieille connaissance perdue de vue, et changée, engraissée énormément sans doute.

Je murmurai :

— Excusez-moi, madame, de vous examiner ainsi, mais il me semble que je vous connais depuis long-temps.

Elle répondit en rougissant :

— C'est drôle... Moi aussi.

Je poussai un cri :

— Ah ? Ça ira !

Elle leva ses deux mains avec un désespoir comique, épouvantée de ce mot et balbutiant :

— Oh ! oh ! Si on vous entendait...

Puis soudain elle s'écria à son tour :

— Tiens, c'est toi, Georges !

Puis elle regarda avec frayeur si on ne l'avait point écoutée. Mais nous étions seuls, bien seuls !

« Ça ira. » Comment avais-je pu reconnaître « Ça ira », la pauvre Ça ira, la maigre Ça ira ! la désolée Ça ira, dans cette tranquille et grasse fonctionnaire du gouvernement ?

Ça ira ! Que de souvenirs s'éveillèrent brusquement en moi : Bougival, la Grenouillère, Chatou, le restaurant Fournaise, les longues journées en yole au bord des berges, dix ans de ma vie passés dans ce coin de pays, sur ce délicieux bout de rivière.

(Suite de la n. 1 p. 249)
En raison du monopole de l'État sur les tabacs, leurs tenanciers étaient des *fonctionnaires* du gouvernement.

Nous étions alors une bande d'une douzaine, habitant la maison Galopois, à Chatou, et vivant là d'une drôle de façon, toujours à moitié nus et à moitié gris. Les mœurs des canotiers d'aujourd'hui ont bien changé. Ces messieurs portent des monocles.

Or notre bande possédait une vingtaine de canotières, régulières et irrégulières. Dans certains dimanches, nous en avions quatre ; dans certains autres, nous les avions toutes. Quelques-unes étaient là, pour ainsi dire, à demeure, les autres venaient quand elles n'avaient rien de mieux à faire. Cinq ou six vivaient sur le commun, sur les hommes sans femmes, et, parmi celles-là, *Ça ira*.

C'était une pauvre fille maigre et qui boitait. Cela lui donnait des allures de sauterelle. Elle était timide, gauche, maladroite en tout ce qu'elle faisait. Elle s'accrochait avec crainte, au plus humble, au plus inaperçu, au moins riche de nous, qui la gardait un jour ou un mois, suivant ses moyens. Comment s'était-elle trouvée parmi nous, personne ne le savait plus. L'avait-on rencontrée, un soir de pochardise, au bal des Canotiers et emmenée dans une de ces rafles de femmes que nous faisions souvent ? L'avions-nous invitée à déjeuner, en la voyant seule, assise à une petite table, dans un coin. Aucun de nous ne l'aurait pu dire ; mais elle faisait partie de la bande.

Nous l'avions baptisée *Ça ira*, parce qu'elle se plaignait toujours de la destinée, de sa malechance, de ses déboires. On lui disait chaque dimanche :

— Eh bien, *Ça ira*, ça va-t-il ?

Et elle répondait toujours :

— Non, pas trop, mais faut espérer que ça ira mieux un jour.

Comment ce pauvre être disgracieux et gauche était-il arrivé à faire le métier qui demande le plus de grâce, d'adresse, de ruse et de beauté ? Mystère. Paris, d'ailleurs, est plein de filles d'amour laides à dégoûter un gendarme.

Que faisait-elle pendant les six autres jours de la

semaine ? Plusieurs fois, elle nous avait dit qu'elle travaillait. A quoi ? nous l'ignorions, indifférents à son existence.

Et puis, je l'avais à peu près perdue de vue. Notre groupe s'était émietté peu à peu, laissant la place à une autre génération, à qui nous avions aussi laissé *Ça ira*. Je l'appris en allant déjeuner chez Fournaise de temps en temps.

Nos successeurs, ignorant pourquoi nous l'avions baptisée ainsi, avaient cru à un nom d'Orientale et la nommaient Zaïra ; puis ils avaient cédé à leur tour leurs canots et quelques canotières à la génération suivante. (Une génération de canotiers vit, en général, trois ans sur l'eau, puis quitte la Seine pour entrer dans la magistrature, la médecine ou la politique.)

Zaïra était alors devenue Zara, puis, plus tard, Zara s'était encore modifié en Sarah. On'la crut alors israélite.

Les tout derniers, ceux à monocle, l'appelaient donc tout simplement « La Juive ».

Puis elle disparut.

Et voilà que je la retrouvais marchande de tabac à Barviller.

Je lui dis :

— Eh bien, ça va donc, à présent ?

Elle répondit :

— Un peu mieux.

Une curiosité me saisit de connaître la vie de cette femme. Autrefois je n'y aurais point songé ; aujourd'hui, je me sentais intrigué, attiré, tout à fait intéressé. Je lui demandai :

— Comment as-tu fait pour avoir de la chance ?

— Je ne sais pas. Ça m'est arrivé comme je m'y attendais le moins.

— Est-ce à Chatou que tu l'as rencontrée !

— Oh non !

— Où ça donc ?

— A Paris, dans l'hôtel que j'habitais.

— Ah! Est-ce que tu n'avais pas une place à Paris.

— Oui, j'étais chez madame Ravelet.

— Qui ça, madame Ravelet?

— Tu ne connais pas madame Ravelet? Oh!

— Mais non.

— La modiste, la grande modiste de la rue de Rivoli.

Et la voilà qui se met à me raconter mille choses de sa vie ancienne, mille choses secrètes de la vie parisienne, l'intérieur d'une maison de modes, l'existence de ces demoiselles, leurs aventures, leurs idées, toute l'histoire d'un cœur d'ouvrière, cet épervier de trottoir qui chasse par les rues, le matin, en allant au magasin, le midi, en flânant, nu-tête, après le repas, et le soir en montant chez elle.

Elle disait, heureuse de parler de l'autrefois :

— Si tu savais comme on est canaille… et comme on en fait des roides. Nous nous les racontions chaque jour. Vrai, on se moque des hommes, tu sais!

Moi, la première rosserie que j'ai faite, c'est au sujet d'un parapluie. J'en avais un vieux, en alpaga[1], un parapluie à en être honteuse. Comme je le fermais en arrivant, un jour de pluie, voilà la grande Louise qui me dit :

— Comment! tu oses sortir avec ça!

— Mais je n'en ai pas d'autre, et, en ce moment, les fonds sont bas.

Ils étaient toujours bas les fonds!

Elle me répond :

— Va en chercher un à la Madeleine.

Moi, ça m'étonne.

Elle reprend :

— C'est là que nous les prenons, toutes; on en a autant qu'on veut.

Et elle m'explique la chose. C'est bien simple.

Donc, je m'en allai avec Irma à la Madeleine. Nous trouvons le sacristain et nous lui expliquons comment

1. Tissu mélangé, à base de laine d'*alpaga*, mammifère d'Amérique du Sud, cousin du *lama*.

nous avons oublié un parapluie la semaine d'avant. Alors il nous demande si nous nous rappelons son manche, et je lui fais l'explication d'un manche avec une pomme d'agate. Il nous introduit dans une chambre où il y avait plus de cinquante parapluies perdus ; nous les regardons tous et nous ne trouvons pas le mien ; mais moi j'en choisis un beau, un très beau, à manche d'ivoire sculpté. Louise est allée le réclamer quelques jours après. Elle l'a décrit avant de l'avoir vu, et on le lui a donné sans méfiance.

Pour faire ça, on s'habillait très chic.

Et elle riait en ouvrant et laissant retomber le couvercle à charnières de la grande boîte à tabac.

Elle reprit :

— Oh ! on en avait des tours, et on en avait de si drôles. Tiens, nous étions cinq à l'atelier, quatre ordinaires et une très bien, Irma, la belle Irma. Elle était très distinguée, et elle avait un amant au Conseil d'État. Ça ne l'empêchait pas de lui en faire porter joliment. Voilà qu'un hiver elle nous dit :

— Vous ne savez pas, nous allons en faire une bien bonne.

Et elle nous conta son idée.

Tu sais, Irma, elle avait une tournure à troubler la tête de tous les hommes, et puis une taille, et puis des hanches qui leur faisaient venir l'eau à la bouche. Donc elle imagina de nous faire gagner cent francs à chacune pour nous acheter des bagues, et elle arrangea la chose que voici :

Tu sais que je n'étais pas riche, à ce moment-là, les autres non plus ; ça n'allait guère, nous gagnions cent francs par mois au magasin, rien de plus. Il fallait trouver. Je sais bien que nous avions chacune deux ou trois amants habitués qui donnaient un peu, mais pas beaucoup. A la promenade de midi, il arrivait quelquefois qu'on amorçait un monsieur qui revenait le lendemain ; on le faisait poser quinze jours, et puis on cédait. Mais ces hommes-là, ça ne rapporte jamais gros. Ceux de Chatou, c'était pour le plaisir. Oh ! si tu savais les ruses que nous avions; vrai, c'était à mourir de rire. Donc, quand Irma nous proposa de nous faire gagner cent francs, nous voilà toutes allumées. C'est très vilain ce que je vais te raconter, mais ça ne fait rien; tu connais la vie, toi, et puis quand on est resté quatre ans à Chatou...

Donc elle nous dit :

— Nous allons lever au bal de l'Opéra ce qu'il y a de mieux à Paris comme hommes, les plus distingués et les plus riches. Moi, je les connais.

Nous n'avons pas cru, d'abord, que c'était vrai; parce que ces hommes-là ne sont pas faits pour les modistes, pour Irma oui, mais pour nous, non. Oh! elle était d'un chic, cette Irma. Tu sais, nous avions coutume de dire à l'atelier que, si l'empereur l'avait connue, il l'aurait certainement épousée.

Pour lors, elle nous fit habiller de ce que nous avions de mieux et elle nous dit :

— Vous, vous n'entrerez pas au bal, vous allez rester chacune dans un fiacre dans les rues voisines. Un monsieur viendra qui montera dans votre voiture. Dès qu'il sera entré, vous l'embrasserez le plus gentiment que vous pourrez; et puis vous pousserez un grand cri pour montrer que vous vous êtes trompée, que vous en attendiez un autre. Ça allumera le pigeon de voir qu'il prend la place d'un autre et il voudra rester par force; vous résisterez, vous ferez les cent coups pour le chasser... et puis... vous irez souper avec lui... Alors il vous devra un bon dédommagement.

Tu ne comprends point encore, n'est-ce pas? Eh bien, voici ce qu'elle fit, la rosse.

Elle nous fit monter toutes les quatre dans quatre voitures, des voitures de cercle, des voitures bien comme il faut, puis elle nous plaça dans des rues voisines de l'Opéra. Alors, elle alla au bal, toute seule. Comme elle connaissait, par leur nom, les hommes les plus marquants de Paris, parce que la patronne fournissait leurs femmes, elle en choisit d'abord un pour l'intriguer. Elle lui en dit de toutes les sortes, car elle a de l'esprit aussi. Quand elle le vit bien emballé, elle ôta son loup, et il fut pris comme dans un filet. Donc il voulut l'emmener tout de suite, et elle lui donna rendez-vous, dans une demi-heure, dans une voiture en face du n° 20 de la rue Taitbout. C'était moi, dans cette voiture-là! J'étais bien enveloppée et la figure voilée. Donc, tout à coup, un monsieur passa sa tête à la portière, et il dit:

— C'est vous?

Je réponds tout bas:

— Oui, c'est moi, montez vite.

Il monte; et moi je le saisis dans mes bras et je l'embrasse, mais je l'embrasse à lui couper la respiration; puis je reprends:

— Oh! que je suis heureuse! que je suis heureuse!

Et, tout d'un coup, je crie:

— Mais ce n'est pas toi! Oh! mon Dieu! Oh! mon Dieu!

Et je me mets à pleurer.

Tu juges si voilà un homme embarrassé! Il cherche d'abord à me consoler; il s'excuse, proteste qu'il s'est trompé aussi!

Moi, je pleurais toujours, mais moins fort; et je poussais de gros soupirs. Alors il me dit des choses très douces. C'était un homme tout à fait comme il faut; et puis ça l'amusait maintenant de me voir pleurer de moins en moins.

Bref, de fil en aiguille, il m'a proposé d'aller souper. Moi, j'ai refusé; j'ai voulu sauter de la voiture; il m'a retenue par la taille; et puis embrassée; comme j'avais fait à son entrée.

Et puis... et puis... nous avons... soupé... tu comprends... et il m'a donné... devine... voyons, devine... il m'a donné cinq cents francs!... Crois-tu qu'il y en a des hommes généreux!

Enfin, la chose a réussi pour tout le monde. C'est Louise qui a eu le moins avec deux cents francs. Mais, tu sais, Louise, vrai, elle était trop maigre!

La marchande de tabac allait toujours, vidant d'un seul coup tous ses souvenirs amassés depuis si long-temps dans son cœur fermé de débitante officielle. Tout l'autrefois pauvre et drôle remuait son âme. Elle regrettait cette vie galante et bohème du trottoir parisien, faite de privations et de caresses payées, de rire et de misère, de ruses et d'amour vrai par moments.

Je lui dis :

— Mais comment as-tu obtenu ton débit de tabac ?

Elle sourit :

— Oh ! c'est toute une histoire. Figure-toi que j'avais dans mon hôtel, porte à porte, un étudiant en droit, mais, tu sais, un de ces étudiants qui ne font rien. Celui-là, il vivait au café, du matin au soir ; et il aimait le billard, comme je n'ai jamais vu aimer personne.

Quand j'étais seule, nous passions la soirée ensemble quelquefois. C'est de lui que j'ai eu Roger.

— Qui ça, Roger ?

— Mon fils.

— Ah !

— Il me donna une petite pension pour élever le gosse, mais je pensais bien que ce garçon-là ne me rapporterait rien, d'autant plus que je n'ai jamais vu un homme aussi fainéant, mais là, jamais. Au bout de dix ans, il en était encore à son premier examen. Quand sa famille vit qu'on n'en pourrait rien tirer, elle le rappela chez elle en province ; mais nous étions demeurés en correspondance à cause de l'enfant. Et puis, figure-toi qu'aux dernières élections, il y a deux ans, j'apprends qu'il a été nommé député dans son pays. Et puis il a fait des discours à la Chambre. Vrai, dans le royaume des aveugles, comme on dit… Mais, pour finir, j'ai été le trouver et il m'a fait obtenir, tout de suite, un bureau de tabac comme fille de déporté[1]… C'est vrai que mon père a été déporté,

1. Les insurgés de la Commune de Paris (1871) ont été condam-nés à la *déportation* et envoyés au bagne, en Nouvelle-Calédonie par exemple.

mais je n'avais jamais pensé non plus que ça pourrait me servir.

Bref... Tiens, voilà Roger.

Un grand jeune homme entrait, correct, grave, poseur.

Il embrassa sur le front sa mère, qui me dit :

— Tenez, monsieur, c'est mon fils, chef de bureau à la mairie... Vous savez... c'est un futur sous-préfet.

Je saluai dignement ce fonctionnaire, et je sortis pour gagner l'hôtel, après avoir serré, avec gravité, la main tendue de *Ça ira*.

LE PORT

I

Sorti du Havre le 3 mai 1882, pour un voyage dans les mers de Chine, le trois-mâts carré *Notre-Dame-des-Vents* rentra au port de Marseille le 8 août 1886, après quatre ans de voyages. Son premier chargement déposé dans le port chinois où il se rendait, il avait trouvé sur-le-champ un fret nouveau pour Buenos Aires, et, de là, avait pris des marchandises pour le Brésil.

D'autres traversées, encore des avaries, des réparations, les calmes de plusieurs mois, les coups de vent qui jettent hors la route, tous les accidents, aventures et mésaventures de mer enfin, avaient tenu loin de sa patrie ce trois-mâts normand qui revenait à Marseille le ventre plein de boîtes de fer-blanc contenant des conserves d'Amérique.

Au départ il avait à bord, outre le capitaine et le second, quatorze matelots, huit normands et six bretons. Au retour il ne lui restait plus que cinq bretons et quatre normands, le breton était mort en route, les quatre normands disparus en des circonstances diverses avaient été remplacés par deux américains, un nègre et un norvégien racolé, un soir, dans un cabaret de Singapour.

Le gros bateau, les voiles carguées, vergues en

croix sur sa mâture, traîné par un remorqueur mar-
seillais qui haletait devant lui, roulant sur un reste de
houle que le calme survenu laissait mourir tout doucement, passa devant le château d'If, puis sous tous
les rochers gris de la rade que le soleil couchant
couvrait d'une buée d'or, et il entra dans le vieux port
où sont entassés, flanc contre flanc, le long des quais,
tous les navires du monde, pêle-mêle, grands et
petits, de toute forme et de tout gréement, trempant
comme une bouillabaisse de bateaux en ce bassin trop
restreint, plein d'eau putride, où les coques se
frôlent, se frottent, semblent marinées dans un jus de
flotte.

Notre-Dame-des-Vents prit sa place, entre un brick
italien et une goélette anglaise qui s'écartèrent pour
laisser passer ce camarade; puis, quand toutes les
formalités de la douane et du port eurent été rem-
plies, le capitaine autorisa les deux tiers de son
équipage à passer la soirée dehors.

La nuit était venue. Marseille s'éclairait. Dans la
chaleur de ce soir d'été, un fumet de cuisine à l'ail
flottait sur la cité bruyante, pleine de voix, de roule-
ments, de claquements, de gaieté méridionale.

Dès qu'ils se sentirent sur le port, les dix hommes
que la mer roulait depuis des mois se mirent en
marche tout doucement, avec une hésitation d'êtres
dépaysés, désaccoutumés des villes, deux par deux,
en procession.

Ils se balançaient, s'orientaient, flairant les ruelles
qui aboutissent au port, enfiévrés par un appétit
d'amour qui avait grandi dans leurs corps pendant
leurs derniers soixante-six jours de mer. Les normands marchaient en tête, conduits par Célestin
Duclos, un grand gars fort et malin qui servait de
capitaine aux autres chaque fois qu'ils mettaient pied
à terre. Il devinait les bons endroits, inventait des
tours de sa façon et ne s'aventurait pas trop dans les
bagarres si fréquentes entre matelots dans les ports.
Mais quand il y était pris il ne redoutait personne.

Après quelque hésitation entre toutes les rues obs-
cures qui descendent vers la mer comme des égouts et
dont sortent des odeurs lourdes, une sorte d'haleine
de bouges, Célestin se décida pour une espèce de
couloir tortueux où brillaient, au-dessus des portes,
des lanternes en saillie portant des numéros énormes
sur leurs verres dépolis et colorés. Sous la voûte
étroite des entrées, des femmes en tablier, pareilles à
des bonnes, assises sur des chaises de paille, se
levaient en les voyant venir, faisant trois pas jusqu'au
ruisseau qui séparait la rue en deux, et coupaient la
route à cette file d'hommes qui s'avançaient lentement, en chantonnant et en ricanant, allumés déjà par
le voisinage de ces prisons de prostituées.

Quelquefois, au fond d'un vestibule, apparaissait,
derrière une seconde porte ouverte soudain et capi-
tonnée de cuir brun, une grosse fille dévêtue, dont les
cuisses lourdes et les mollets gras se dessinaient
brusquement sous un grossier maillot de coton blanc.
Sa jupe courte avait l'air d'une ceinture bouffante ; et
la chair molle de sa poitrine, de ses épaules et de ses
bras, faisait une tache rose sur un corsage de velours
noir bordé d'un galon d'or. Elle appelait de loin :
« Venez-vous, jolis garçons ? » et parfois sortait elle-
même pour s'accrocher à l'un d'eux et l'attirer vers sa
porte, de toute sa force, cramponnée à lui comme une
araignée qui traîne une bête plus grosse qu'elle.
L'homme, soulevé par ce contact, résistait molle-
ment, et les autres s'arrêtaient pour regarder, hésitant entre l'envie d'entrer tout de suite et celle de
prolonger encore cette promenade appétissante.
Puis, quand la femme après des efforts acharnés avait
attiré le matelot jusqu'au seuil de son logis, où toute
la bande allait s'engouffrer derrière lui, Célestin
Duclos, qui s'y connaissait en maisons, criait soudain : « Entre pas là, Marchand, c'est pas l'endroit ! »

L'homme alors obéissant à cette voix se dégageait
d'une secousse brutale et les amis se reformaient en
bande, poursuivis par les injures immondes de la fille

exaspérée, tandis que d'autres femmes, tout le long de la ruelle, devant eux, sortaient de leurs portes, attirées par le bruit, et lançaient avec des voix enrouées des appels pleins de promesses. Ils allaient donc de plus en plus allumés, entre les cajoleries et les séductions annoncées par le chœur des portières d'amour de tout le haut de la rue, et les malédictions ignobles lancées contre eux par le chœur d'en bas, par le chœur méprisé des filles désappointées. De temps en temps ils rencontraient une autre bande, des soldats qui marchaient avec un battement de fer sur la jambe, des matelots encore, des bourgeois isolés, des employés de commerce. Partout, s'ouvraient de nouvelles rues étroites, étoilées de fanaux louches. Ils allaient toujours dans ce labyrinthe de bouges, sur ces pavés gras où suintaient des eaux putrides, entre ces murs pleins de chair de femme.

Enfin Duclos se décida et, s'arrêtant devant une maison d'assez belle apparence, il y fit entrer tout son monde.

II

La fête fut complète ! Quatre heures durant, les dix matelots se gorgèrent d'amour et de vin. Six mois de solde y passèrent.

Dans la grande salle du café, ils étaient installés en maîtres, regardant d'un œil malveillant les habitués ordinaires qui s'installaient aux petites tables, dans les coins, où une des filles demeurées libres, vêtue en gros baby ou en chanteuse de café-concert, courait les servir, puis s'asseyait près d'eux.

Chaque homme, en arrivant, avait choisi sa compagne qu'il garda toute la soirée, car le populaire n'est pas changeant. On avait rapproché trois tables et, après la première rasade, la procession dédoublée, accrue d'autant de femmes qu'il y avait de mathurins[1], s'était reformée dans l'escalier. Sur les marches de bois, les quatre pieds de chaque couple sonnèrent longtemps, pendant que s'engouffrait, dans la porte étroite qui menait aux chambres, ce long défilé d'amoureux.

Puis on redescendit pour boire, puis on remonta de nouveau, puis on redescendit encore.

Maintenant, presque gris, ils gueulaient! Chacun d'eux, les yeux rouges, sa préférée sur les genoux, chantait ou criait, tapait à coups de poings la table, s'entonnait du vin dans la gorge, lâchait en liberté la brute humaine. Au milieu d'eux, Célestin Duclos, serrant contre lui une grande fille aux joues rouges, à cheval sur ses jambes, la regardait avec ardeur. Moins ivre que les autres, non qu'il eût moins bu, il avait encore d'autres pensées, et, plus tendre, cherchait à causer. Ses idées le fuyaient un peu, s'en allaient, revenaient et disparaissaient sans qu'il pût se souvenir au juste de ce qu'il avait voulu dire.

Il riait, répétant :

— Pour lors, pour lors... v'là longtemps que t'es ici.

— Six mois, répondit la fille.

Il eut l'air content pour elle, comme si c'eût été une preuve de bonne conduite, et il reprit :

— Aimes-tu c'te vie-là?

Elle hésita, puis résignée :

— On s'y fait. C'est pas plus embêtant qu'autre chose. Être servante ou bien rouleuse, c'est toujours des sales métiers.

Il eut l'air d'approuver encore cette vérité.

— T'es pas d'ici? dit-il.

Elle fit « non » de la tête, sans répondre.

— T'es de loin?

Elle fit « oui » de la même façon.

1. Dans le jargon des marins, ce mot, qui désignait d'abord un navire à voile, a pris par métonymie le sens de *matelot, marin.*

— D'où ça?

Elle parut chercher, rassembler des souvenirs, puis murmura :

— De Perpignan.

Il fut de nouveau très satisfait et dit :

— Ah oui!

A son tour elle demanda :

— Toi, t'es marin?

— Oui, ma belle.

— Tu viens de loin?

— Ah oui! J'en ai vu des pays, des ports et de tout.

— T'as fait le tour du monde, peut-être?

— Je te crois, plutôt deux fois qu'une.

De nouveau elle parut hésiter, chercher en sa tête une chose oubliée, puis, d'une voix un peu différente, plus sérieuse :

— T'as rencontré beaucoup de navires dans tes voyages?

— Je te crois, ma belle.

— T'aurais pas vu *Notre-Dame-des-Vents*, par hasard?

Il ricana :

— Pas plus tard que l'autre semaine.

Elle pâlit, tout le sang quittant ses joues, et demanda :

— Vrai, bien vrai?

— Vrai, comme je te parle.

— Tu mens pas, au moins?

Il leva la main :

— D'vant l'bon Dieu! dit-il.

— Alors, sais-tu si Célestin Duclos est toujours dessus?

Il fut surpris, inquiet, voulut avant de répondre en savoir davantage.

— Tu l'connais?

A son tour elle devint méfiante.

— Oh, pas moi! c'est une femme qui l'connaît.

— Une femme d'ici?

— Non, d'à côté.

— Dans la rue?

— Non, dans l'autre.

— Qué femme?

— Mais, une femme donc, une femme comme moi.

— Qué qué l'y veut, c'te femme?

— Je sais-t'y mé, quéque payse?

Ils se regardèrent au fond des yeux, pour s'épier, sentant, devinant que quelque chose de grave allait surgir entre eux.

Il reprit :

— Je peux t'y la voir, c'te femme?

— Quoi que tu l'y dirais?

— J'y dirais... j'y dirais... que j'ai vu Célestin Duclos.

— Il se portait ben, au moins?

— Comme toi et moi, c'est un gars!

Elle se tut encore rassemblant ses idées, puis, avec lenteur :

— Ous' qu'elle allait, *Notre-Dame-des-Vents*?

— Mais, à Marseille, donc.

Elle ne put réprimer un sursaut.

— Ben vrai?

— Ben vrai!

— Tu l'connais Duclos?

— Oui, je l'connais.

Elle hésita encore, puis tout doucement :

— Ben. C'est ben.

— Qué que tu l'y veux?

— Écoute, tu y diras... non rien!

Il la regardait toujours de plus en plus gêné. Enfin il voulut savoir.

— Tu l'connais itou, té?

— Non, dit-elle.

— Alors qué que tu l'y veux?

Elle prit brusquement une résolution, se leva, courut au comptoir où trônait la patronne, saisit un citron qu'elle ouvrit et dont elle fit couler le jus dans un verre, puis elle emplit d'eau pure ce verre, et, le rapportant :

— Bois ça !

— Pourquoi ?

— Pour faire passer le vin. Je te parlerai d'ensuite.

Il but docilement, essuya ses lèvres d'un revers de main, puis annonça :

— Ça y est, je t'écoute.

— Tu vas me promettre de ne pas l'y conter que tu m'as vue, ni de qui tu sais ce que je te dirai. Faut jurer.

Il leva la main, sournois.

— Ça, je le jure.

— Su l'bon Dieu ?

— Su l'bon Dieu.

— Eh ben tu l'y diras que son père est mort, que sa mère est morte, que son frère est mort, tous trois en un mois, de fièvre typhoïde, en janvier 1883, v'là trois ans et demi.

A son tour, il sentit que tout son sang lui remuait dans le corps, et il demeura pendant quelques instants tellement saisi qu'il ne trouvait rien à répondre ; puis il douta et demanda :

— T'es sûre ?

— Je suis sûre.

— Qué qui te l'a dit ?

Elle posa les mains sur ses épaules, et le regardant au fond des yeux :

— Tu jures de ne pas bavarder.

— Je le jure.

— Je suis sa sœur !

Il jeta ce nom, malgré lui.

— Françoise ?

Elle le contempla de nouveau fixement, puis, soulevée par une épouvante folle, par une horreur profonde, elle murmura tout bas, presque dans sa bouche :

— Oh ! oh ! c'est toi, Célestin ?

Ils ne bougèrent plus, les yeux dans les yeux.

Autour d'eux, les camarades hurlaient toujours ! Le bruit des verres, des poings, des talons scandant les refrains et les cris aigus des femmes se mêlaient au vacarme des chants.

Il la sentait sur lui, enlacée à lui, chaude et terrifiée, sa sœur! Alors, tout bas, de peur que quelqu'un l'écoutât, si bas qu'elle-même l'entendit à peine :

— Malheur! j'avons fait de la belle besogne!

Elle eut, en une seconde, les yeux pleins de larmes et balbutia :

— C'est-il de ma faute?

Mais lui, soudain :

— Alors ils sont morts?

— Ils sont morts.

— Le pé, la mé, et le fré?

— Les trois en un mois, comme je t'ai dit. J'ai resté seule, sans rien que mes hardes, vu que je devions le pharmacien, l'médecin et l'enterrement des trois défunts, que j'ai payé avec les meubles.

« J'entrai pour lors comme servante chez mait'e Cacheux, tu sais bien, l'boiteux. J'avais quinze ans tout juste à çu moment-là pisque t'es parti quand j'en avais point quatorze. J'ai fait une faute avec li. On est si bête quand on est jeune. Pi j'allai comme bonne du notaire qui m'a aussi débauchée et qui me conduisit au Havre dans une chambre. Bientôt il n'est point r'venu; j'ai passé trois jours sans manger et pi ne trouvant pas d'ouvrage, je suis entrée en maison, comme bien d'autres. J'en ai vu aussi du pays, moi! ah! et du sale pays! Rouen, Évreux, Lille, Bordeaux, Perpignan, Nice, et pi Marseille, où me v'là!

Les larmes lui sortaient des yeux et du nez, mouillaient ses joues, coulaient dans sa bouche.

Elle reprit :

— Je te croyais mort aussi, té! mon pauv'e Célestin.

Il dit :

— Je t'aurais point r'connue, mé, t'étais si p'tite alors, et te v'là si forte! mais comment que tu ne m'as point reconnu, té?

Elle eut un geste désespéré.

— Je vois tant d'hommes qu'ils me semblent tous
pareils !

Il la regardait toujours au fond des yeux, étreint par
une émotion confuse et si forte qu'il avait envie de
crier comme un petit enfant qu'on bat. Il la tenait
encore dans ses bras, à cheval sur lui, les mains
ouvertes dans le dos de la fille, et voilà qu'à force de
la regarder il la reconnut enfin, la petite sœur laissée
au pays avec tous ceux qu'elle avait vus mourir, elle,
pendant qu'il roulait sur les mers. Alors prenant
soudain dans ses grosses pattes de marin cette tête
retrouvée, il se mit à l'embrasser comme on embrasse
de la chair fraternelle. Puis des sanglots, de grands
sanglots d'homme, longs comme des vagues, montèrent dans sa gorge pareils à des hoquets d'ivresse.

Il balbutiait :

— Te v'là, te r'voilà, Françoise, ma p'tite Françoise...

Puis tout à coup il se leva, se mit à jurer d'une voix
formidable en tapant sur la table un tel coup de poing
que les verres culbutés se brisèrent. Puis il fit trois
pas, chancela, étendit les bras, tomba sur la face. Et il
se roulait par terre en criant, en battant le sol de ses
quatre membres, et en poussant de tels gémissements
qu'ils semblaient des râles d'agonie.

Tous ses camarades le regardaient en riant.

— Il est rien soûl, dit l'un.

— Faut le coucher, dit un autre, s'il sort on va le
fiche au bloc.

Alors comme il avait de l'argent dans ses poches, la
patronne offrit un lit, et les camarades, ivres eux-
mêmes à ne pas tenir debout, le hissèrent par l'étroit
escalier jusqu'à la chambre de la femme qui l'avait
reçu tout à l'heure, et qui demeura sur une chaise, au
pied de la couche criminelle, en pleurant autant que
lui, jusqu'au matin.

MOUCHE
SOUVENIR D'UN CANOTIER

Il nous dit :

En ai-je vu, de drôles de choses et de drôles de filles aux jours passés où je canotais. Que de fois j'ai eu envie d'écrire un petit livre, titré « Sur la Seine », pour raconter cette vie de force et d'insouciance, de gaieté et de pauvreté, de fête robuste et tapageuse que j'ai menée de vingt à trente ans.

J'étais un employé sans le sou : maintenant, je suis un homme arrivé qui peut jeter des grosses sommes pour un caprice d'une seconde. J'avais au cœur mille désirs modestes et irréalisables qui me doraient l'existence de toutes les attentes imaginaires. Aujourd'hui, je ne sais pas vraiment quelle fantaisie me pourrait faire lever du fauteuil où je somnole. Comme c'était simple, et bon, et difficile de vivre ainsi, entre le bureau à Paris et la rivière à Argenteuil. Ma grande, ma seule, mon absorbante passion, pendant dix ans, ce fut la Seine. Ah ! la belle, calme, variée et puante rivière pleine de mirages et d'immondices. Je l'ai tant aimée, je crois, parce qu'elle m'a donné, me semble-t-il, le sens de la vie. Ah ! les promenades le long des berges fleuries, mes amies les grenouilles qui rêvaient, le ventre au frais, sur une feuille de nénuphar, et les lis d'eau coquets et frêles, au milieu des grandes herbes fines qui m'ouvraient soudain, derrière un saule, un feuillet d'album japonais quand le martin-pêcheur fuyait devant moi comme une flamme bleue ! Ai-je aimé tout cela, d'un amour instinctif des yeux qui se répandait dans tout mon corps en une joie naturelle et profonde.

Comme d'autres ont des souvenirs de nuits tendres, j'ai des souvenirs de levers de soleil dans les brumes matinales, flottantes, errantes vapeurs, blanches comme des mortes avant l'aurore, puis, au premier rayon glissant sur les prairies, illuminées de rose à ravir le cœur ; et j'ai des souvenirs de lune argentant l'eau frémissante et courante, d'une lueur qui faisait fleurir tous les rêves.

Et tout cela, symbole de l'éternelle illusion, naissait pour moi sur de l'eau croupie qui charriait vers la mer toutes les ordures de Paris.

Puis quelle vie gaie avec les camarades. Nous étions cinq, une bande, aujourd'hui des hommes graves ; et comme nous étions tous pauvres, nous avions fondé, dans une affreuse gargote d'Argenteuil, une colonie inexprimable qui ne possédait qu'une chambre-dortoir où j'ai passé les plus folles soirées, certes, de mon existence[1]. Nous n'avions souci de rien que de nous amuser et de ramer, car l'aviron pour nous, sauf pour un, était un culte. Je me rappelle de si singulières aventures, de si invraisemblables farces, inventées par ces cinq chenapans, que personne aujourd'hui ne les pourrait croire. On ne vit plus ainsi, même sur la Seine, car la fantaisie enragée qui nous tenait en haleine est morte dans les âmes actuelles.

A nous cinq, nous possédions un seul bateau, acheté à grand-peine et sur lequel nous avons ri comme nous ne rirons plus jamais. C'était une large yole un peu lourde, mais solide, spacieuse et confortable. Je ne vous ferai point le portrait de mes camarades. Il y en avait un petit, très malin, sur-

1. *Cf.* la *colonie des Crépitiens ou d'Aspergopolis* (1874-1875) qui réunissait Maupassant et ses amis canotiers et dont le siège était, selon le romancier, « une sorte de chambre-dortoir dans une affreuse gargote d'Argenteuil ».

nommé Petit Bleu ; un grand, à l'air sauvage, avec des yeux gris et des cheveux noirs, surnommé Toma-hawk ; un autre, spirituel et paresseux, surnommé La Tôque, le seul qui ne touchât jamais une rame sous prétexte qu'il ferait chavirer le bateau ; un mince, élégant, très soigné, surnommé « N'a-qu'un-Œil » en souvenir d'un roman alors récent de Cladel[1], et parce qu'il portait un monocle ; enfin moi qu'on avait bap-tisé Joseph Prunier[2]. Nous vivions en parfaite intel-ligence avec le seul regret de n'avoir pas une bar-reuse. Une femme, c'est indispensable dans un canot. Indispensable parce que ça tient l'esprit et le cœur en éveil, parce que ça anime, ça amuse, ça distrait, ça pimente et ça fait décor avec une ombrelle rouge glissant sur les berges vertes. Mais il ne nous fallait pas une barreuse ordinaire, à nous cinq qui ne res-semblions guère à tout le monde. Il nous fallait quelque chose d'imprévu, de drôle, de prêt à tout, de presque introuvable, enfin. Nous en avions essayé beaucoup sans succès, des filles de barre, pas des barreuses, canotières imbéciles qui préféraient tou-jours le petit vin qui grise à l'eau qui coule et qui porte les yoles. On les gardait un dimanche, puis on les congédiait avec dégoût.

Or, voilà qu'un samedi soir « N'a-qu'un-Œil » nous amena une petite créature fluette, vive, sautillante, blagueuse et pleine de drôlerie, de cette drôlerie qui

---

1. Ce roman de Léon Cladel, qui date de 1877, avait été réédité en 1886. Léon Cladel (1835-1892) était un romancier réaliste dont Baudelaire aimait « l'art... turbulent et enfiévré... ».

2. *Petit-Bleu* : Léon Fontaine, un des plus anciens amis de Maupassant, participa à *À la Feuille de Rose* et favorisa ses débuts littéraires.

Tomahawk : Henri Brainne.

La Tôque : Robert Pinchon, dit aussi *Centigrade*, *Thermomètre*, *Réaumur*. Joua plusieurs rôles dans *À la Feuille de Rose*.

N'a-qu'un-œil : Albert de Joinville, dit aussi *Le Monocle* ou *Hadji*, joua le rôle du tenancier dans *À la Feuille de Rose*.

Joseph Prunier : Maupassant signa de ce nom (sans doute composé à partir de celui du Monsieur *Pru*dhomme d'Henri Mon*nier*) *La Main d'écorché* en 1875.

tient lieu d'esprit aux titis mâles et femelles éclos sur le pavé de Paris. Elle était gentille, pas jolie, une ébauche de femme où il y avait de tout, une de ces silhouettes que les dessinateurs crayonnent en trois traits sur une nappe de café après dîner entre un verre d'eau-de-vie et une cigarette. La nature en fait quelquefois comme ça.

Le premier soir, elle nous étonna, nous amusa, et nous laissa sans opinion tant elle était inattendue. Tombée dans ce nid d'hommes prêts à toutes les folies, elle fut bien vite maîtresse de la situation, et dès le lendemain elle nous avait conquis.

Elle était d'ailleurs tout à fait toquée, née avec un verre d'absinthe dans le ventre, que sa mère avait dû boire au moment d'accoucher, et elle ne s'était jamais dégrisée depuis, car sa nourrice, disait-elle, se refaisait le sang à coups de tafia ; et elle-même n'appelait jamais autrement que « ma sainte famille » toutes les bouteilles alignées derrière le comptoir des marchands de vin.

Je ne sais lequel de nous la baptisa « Mouche » ni pourquoi ce nom lui fut donné, mais il lui allait bien, et lui resta. Et notre yole, qui s'appelait *Feuille-à-l'Envers*[1], fit flotter chaque semaine sur la Seine, entre Asnières et Maison-Laffite, cinq gars, joyeux et robustes, gouvernés, sous un parasol de papier peint, par une vive et écervelée personne qui nous traitait comme des esclaves chargés de la promener sur l'eau, et que nous aimions beaucoup.

Nous l'aimions tous beaucoup, pour mille raisons d'abord, pour une seule ensuite. Elle était, à l'arrière de notre embarcation, une espèce de petit moulin à paroles, jacassant au vent qui filait sur l'eau. Elle bavardait sans fin avec le léger bruit continu de ces mécaniques ailées qui tournent dans la brise ; et elle disait étourdiment les choses les plus inattendues, les plus cocasses, les plus stupéfiantes. Il y avait dans cet esprit, dont toutes les parties semblaient disparates à

1. Populaire : *Faire l'amour en plein air*, sous les feuillages.

la façon de loques de toute nature et de toute couleur, non pas cousues ensemble mais seulement faufilées, de la fantaisie comme dans un conte de fées, de la gauloiserie, de l'impudeur, de l'impudence, de l'imprévu, du comique, et de l'air, de l'air et du paysage comme dans un voyage en ballon.

On lui posait des questions pour provoquer des réponses trouvées on ne sait où. Celle dont on la harcelait le plus souvent était celle-ci :

« Pourquoi t'appelle-t-on Mouche ? »

Elle découvrait des raisons tellement invraisemblables que nous cessions de nager pour en rire.

Elle nous plaisait aussi, comme femme ; et La Tôque, qui ne ramait jamais et qui demeurait tout le long des jours assis à côté d'elle au fauteuil de barre, répondit une fois à la demande ordinaire : « Pourquoi t'appelle-t-on Mouche ?

— Parce que c'est une petite cantharide. »

Oui, une petite cantharide[1] bourdonnante et enfiévrante, non pas la classique cantharide empoisonneuse, brillante et mantelée[2], mais une petite cantharide aux ailes rousses qui commençait à troubler étrangement l'équipage entier de la *Feuille-à-l'Envers*.

Que de plaisanteries stupides, encore, sur cette feuille où s'était arrêtée cette Mouche.

« N'a-qu'un-Œil », depuis l'arrivée de « Mouche » dans le bateau, avait pris au milieu de nous un rôle prépondérant, supérieur, le rôle d'un monsieur qui a une femme à côté de quatre autres qui n'en ont pas. Il abusait de ce privilège au point de nous exaspérer parfois en embrassant Mouche devant nous, en l'asseyant sur ses genoux à la fin des repas et par beaucoup d'autres prérogatives humiliantes autant qu'irritantes.

1. Variété de mouche ; la poudre de cantharide passait pour avoir des vertus aphrodisiaques.
2. Qui a le dos d'une couleur différente de celle du reste du corps.

On les avait isolés dans le dortoir par un rideau.

Mais je m'aperçus bientôt que mes compagnons et moi devions faire au fond de nos cerveaux de solitaires le même raisonnement : « Pourquoi, en vertu de quelle loi d'exception, de quel principe inacceptable, Mouche, qui ne paraissait gênée par aucun préjugé, serait-elle fidèle à son amant, alors que les femmes du meilleur monde ne le sont pas à leurs maris ? »

Notre réflexion était juste. Nous en fûmes bientôt convaincus. Nous aurions dû seulement la faire plus tôt pour n'avoir pas à regretter le temps perdu. Mouche trompa « N'a-qu'un-Œil » avec tous les autres matelots de la *Feuille-à-l'Envers*.

Elle le trompa sans difficulté, sans résistance, à la prière de chacun de nous.

Mon Dieu, les gens pudiques vont s'indigner beaucoup ! Pourquoi ? Quelle est la courtisane en vogue qui n'a pas une douzaine d'amants, et quel est celui de ces amants assez bête pour l'ignorer ? La mode n'est-elle pas d'avoir un soir chez une femme célèbre et cotée, comme on a un soir à l'Opéra, aux Français ou à l'Odéon, depuis qu'on y joue les demi-classiques ? On se met à dix pour entretenir une cocotte qui fait de son temps une distribution difficile, comme on se met à dix pour posséder un cheval de course que monte seulement un jockey, véritable image de l'amant de cœur.

On laissait par délicatesse Mouche à « N'a-qu'un-Œil », du samedi soir au lundi matin. Les jours de navigation étaient à lui. Nous ne le trompions qu'en semaine, à Paris, loin de la Seine, ce qui, pour des canotiers comme nous, n'était presque plus tromper.

La situation avait ceci de particulier que les quatre maraudeurs des faveurs de Mouche n'ignoraient point ce partage, qu'ils en parlaient entre eux, et même avec elle, par allusions voilées qui la faisaient beaucoup rire. Seul, « N'a-qu'un-Œil » semblait tout ignorer ; et cette position spéciale faisait naître une gêne entre lui et nous, paraissait le mettre à l'écart, l'isoler, élever une barrière à travers notre ancienne confiance et notre ancienne intimité. Cela lui donnait pour nous un rôle difficile, un peu ridicule, un rôle d'amant trompé, presque de mari.

Comme il était fort intelligent, doué d'un esprit spécial de pince-sans-rire, nous nous demandions quelquefois, avec une certaine inquiétude, s'il ne se doutait de rien.

Il eut soin de nous renseigner, d'une façon pénible pour nous. On allait déjeuner à Bougival, et nous ramions avec vigueur, quand La Tôque, qui avait ce matin-là une allure triomphante d'homme satisfait et qui, assis côte à côte avec la barreuse, semblait se serrer contre elle un peu trop librement à notre avis, arrêta la nage en criant « Stop! ».

Les huit avirons sortirent de l'eau.

Alors, se tournant vers sa voisine, il demanda :

« Pourquoi t'appelle-t-on Mouche ? »

Avant qu'elle eût pu répondre, la voix de « N'a-qu'un-Œil », assis à l'avant, articula d'un ton sec :

« Parce qu'elle se pose sur toutes les charognes. »

Il y eut d'abord un grand silence, une gêne, que suivit une envie de rire. Mouche elle-même demeurait interdite.

Alors, La Tôque commanda :

« Avant partout. »

Le bateau se remit en route.

L'incident était clos, la lumière faite.

Cette petite aventure ne changea rien à nos habitudes. Elle rétablit seulement la cordialité entre « N'a-qu'un-Œil » et nous. Il redevint le propriétaire honoré de Mouche, du samedi soir au lundi matin, sa supériorité sur nous ayant été bien établie par cette définition, qui clôtura d'ailleurs l'ère des questions sur le mot « Mouche ». Nous nous contentâmes à l'avenir du rôle secondaire d'amis reconnaissants et attentionnés qui profitaient discrètement des jours de la semaine sans contestation d'aucune sorte entre nous.

Cela marcha très bien pendant trois mois environ. Mais voilà que tout à coup Mouche prit, vis-à-vis de nous tous, des attitudes bizarres. Elle était moins gaie, nerveuse, inquiète, presque irritable. On lui demandait sans cesse :

« Qu'est-ce que tu as ? »

Elle répondait :

« Rien. Laisse-moi tranquille. »

La révélation nous fut faite par « N'a-qu'un-OEil », un samedi soir. Nous venions de nous mettre à table dans la petite salle à manger que notre gargotier Barbichon nous réservait dans sa guinguette, et, le potage fini, on attendait la friture quand notre ami, qui paraissait aussi soucieux, prit d'abord la main de Mouche et ensuite parla :

« Mes chers camarades, dit-il, j'ai une communication des plus graves à vous faire et qui va peut-être amener de longues discussions. Nous aurons le temps d'ailleurs de raisonner entre les plats.

« Cette pauvre Mouche m'a annoncé une désastreuse nouvelle dont elle m'a chargé en même temps de vous faire part.

« Elle est enceinte.

« Je n'ajoute que deux mots :

« Ce n'est pas le moment de l'abandonner et la recherche de la paternité est interdite. »

Il y eut d'abord de la stupeur, la sensation d'un désastre : et nous nous regardions les uns les autres avec l'envie d'accuser quelqu'un. Mais lequel ? Ah ! lequel ? Jamais je n'avais senti comme en ce moment la perfidie de cette cruelle farce de la nature qui ne permet jamais à un homme de savoir d'une façon certaine s'il est le père de son enfant.

Puis peu à peu une espèce de consolation nous vint et nous réconforta, née au contraire d'un sentiment confus de solidarité.

Tomahawk, qui ne parlait guère, formula ce début de rassérènement par ces mots :

« Ma foi, tant pis, l'union fait la force. »

Les goujons entraient apportés par un marmiton. On ne se jetait pas dessus, comme toujours, car on avait tout de même l'esprit troublé.

N'a-qu'un-Œil reprit :

« Elle a eu, en cette circonstance, la délicatesse de me faire des aveux complets. Mes amis, nous sommes tous également coupables. Donnons-nous la main et adoptons l'enfant. »

La décision fut prise à l'unanimité. On leva les bras vers le plat de poissons frits et on jura.

« Nous l'adoptons. »

Alors, sauvée tout d'un coup, délivrée du poids horrible d'inquiétude qui torturait depuis un mois cette gentille et détraquée pauvresse de l'amour, Mouche s'écria :

« Oh ! mes amis ! mes amis ! Vous êtes de braves cœurs... de braves cœurs... de braves cœurs... Merci tous ! » Et elle pleura, pour la première fois, devant nous.

Désormais on parla de l'enfant dans le bateau comme s'il était né déjà, et chacun de nous s'intéressait, avec une sollicitude de participation exagérée, au développement lent et régulier de la taille de notre barreuse.

On cessait de ramer pour demander :

« Mouche ? »

Elle répondait :

« Présente.

— Garçon ou fille ?

— Garçon.

— Que deviendra-t-il ? »

Alors elle donnait essor à son imagination de la façon la plus fantastique. C'étaient des récits interminables, des inventions stupéfiantes, depuis le jour de la naissance jusqu'au triomphe définitif. Il fut tout, cet enfant, dans le rêve naïf, passionné et attendrissant de cette extraordinaire petite créature, qui vivait maintenant, chaste, entre nous cinq, qu'elle appelait ses « cinq papas ». Elle le vit et le raconta marin, découvrant un nouveau monde plus grand que l'Amérique, général rendant à la France l'Alsace et la Lorraine, puis empereur et fondant une dynastie de souverains généreux et sages qui donnaient à notre patrie le bonheur définitif, puis savant dévoilant d'abord le secret de la fabrication de l'or, ensuite celui de la vie éternelle, puis aéronaute inventant le moyen d'aller visiter les astres et faisant du ciel infini une immense promenade pour les hommes, réalisation de tous les songes les plus imprévus et les plus magnifiques.

Dieu, fut-elle gentille et amusante, la pauvre petite, jusqu'à la fin de l'été !

Ce fut le vingt septembre que creva son rêve. Nous revenions de déjeuner à Maisons-Laffitte et nous passions devant Saint-Germain, quand elle eut soif et nous demanda de nous arrêter au Pecq.

Depuis quelque temps, elle devenait lourde, et cela l'ennuyait beaucoup. Elle ne pouvait plus gambader comme autrefois, ni bondir du bateau sur la berge, ainsi qu'elle avait coutume de faire. Elle essayait encore, malgré nos cris et nos efforts ; et vingt fois, sans nos bras tendus pour la saisir, elle serait tombée.

Ce jour-là, elle eut l'imprudence de vouloir débarquer avant que le bateau fût arrêté, par une de ces bravades où se tuent parfois les athlètes malades ou fatigués.

Juste au moment où nous allions accoster, sans qu'on pût prévoir ou prévenir son mouvement, elle se dressa, prit son élan et essaya de sauter sur le quai.

Trop faible, elle ne toucha que du bout du pied le bord de la pierre, glissa, heurta de tout son ventre l'angle aigu, poussa un grand cri et disparut dans l'eau.

Nous plongeâmes tous les cinq en même temps pour ramener un pauvre être défaillant, pâle comme une morte et qui souffrait déjà d'atroces douleurs.

Il fallut la porter bien vite dans l'auberge la plus voisine, où un médecin fut appelé.

Pendant dix heures que dura la fausse couche elle supporta avec un courage d'héroïne d'abominables tortures. Nous nous désolions autour d'elle, enfiévrés d'angoisse et de peur.

Puis on la délivra d'un enfant mort; et pendant quelques jours encore nous eûmes pour sa vie les plus grandes craintes.

Le docteur, enfin, nous dit un matin : « Je crois qu'elle est sauvée. Elle est en acier, cette fille. » Et nous entrâmes ensemble dans sa chambre, le cœur radieux.

N'a-qu'un-Œil parlant pour tous, lui dit :

« Plus de danger, petite Mouche, nous sommes bien contents. »

Alors, pour la seconde fois, elle pleura devant nous, et, les yeux sous une glace de larmes, elle balbutia :

« Oh! si vous saviez, si vous saviez... quel chagrin... quel chagrin... je ne me consolerai jamais.

— De quoi donc, petite Mouche?

— De l'avoir tué, car je l'ai tué! oh! sans le vouloir! quel chagrin!... »

Elle sanglotait. Nous l'entourions, émus, ne sachant quoi lui dire.

Elle reprit :

« Vous l'avez vu, vous? »

Nous répondîmes, d'une seule voix :

« Oui.

— C'était un garçon, n'est-ce pas?

— Oui.

— Beau, n'est-ce pas? »

On hésita beaucoup. Petit Bleu, le moins scrupuleux, se décida à affirmer :

« Très beau. »

Il eut tort, car elle se mit à gémir, presque à hurler de désespoir.

Alors, N'a-qu'un-Œil, qui l'aimait peut-être le plus, eut pour la calmer une invention géniale, et baisant ses yeux ternis par les pleurs :

« Console-toi, petite Mouche, console-toi, nous t'en ferons un autre. »

Le sens comique qu'elle avait dans les moelles se réveilla tout à coup, et à moitié convaincue, à moitié gouailleuse, toute larmoyante encore et le cœur crispé de peine, elle demanda, en nous regardant tous :

« Bien vrai ? »

Et nous répondîmes ensemble :

« Bien vrai. »

LES TOMBALES

Les cinq amis achevaient de dîner, cinq hommes du monde mûrs, riches, trois mariés, deux restés garçons. Ils se réunissaient ainsi tous les mois, en souvenir de leur jeunesse, et, après avoir dîné, ils causaient jusqu'à deux heures du matin. Restés amis intimes, et se plaisant ensemble, ils trouvaient peut-être là leurs meilleurs soirs dans la vie. On bavardait sur tout, sur tout ce qui occupe et amuse les Parisiens ; c'était entre eux, comme dans la plupart des salons d'ailleurs, une espèce de recommencement parlé de la lecture des journaux du matin.

Un des plus gais était Joseph de Bardon, célibataire et vivant la vie parisienne de la façon la plus complète et la plus fantaisiste. Ce n'était point un débauché ni un dépravé, mais un curieux, un joyeux encore jeune ; car il avait à peine quarante ans. Homme du monde dans le sens le plus large et le plus bienveillant que puisse mériter ce mot, doué de beaucoup d'esprit sans grande profondeur, d'un savoir varié sans érudition vraie, d'une compréhension agile sans pénétration sérieuse, il tirait de ses observations, de ses aventures, de tout ce qu'il voyait, rencontrait et trouvait, des anecdotes de roman comique et philosophique en même temps, et des remarques humoristiques qui lui faisaient par la ville une grande réputation d'intelligence.

C'était l'orateur du dîner. Il avait la sienne, chaque

fois, son histoire, sur laquelle on comptait. Il se mit à la dire sans qu'on l'en eût prié.

Fumant, les coudes sur la table, un verre de fine champagne à moitié plein devant son assiette, engourdi dans une atmosphère de tabac aromatisée par le café chaud, il semblait chez lui tout à fait, comme certains êtres sont chez eux absolument, en certains lieux et en certains moments, comme une dévote dans une chapelle, comme un poisson rouge dans son bocal.

Il dit entre deux bouffées de fumée :

« Il m'est arrivé une singulière aventure il y a quelque temps. »

Toutes les bouches demandèrent presque ensemble : « Racontez. »

Il reprit :

« Volontiers. Vous savez que je me promène beaucoup dans Paris, comme les bibelotiers qui fouillent les vitrines. Moi je guette les spectacles, les gens, tout ce qui passe, et tout ce qui se passe.

« Or, vers la mi-septembre, il faisait très beau temps à ce moment-là, je sortis de chez moi, un après-midi, sans savoir où j'irais. On a toujours un vague désir de faire une visite à une jolie femme quelconque. On choisit dans sa galerie, on les compare dans sa pensée, on pèse l'intérêt qu'elles vous inspirent, le charme qu'elles vous imposent et on se décide enfin suivant l'attraction du jour. Mais quand le soleil est très beau et l'air tiède, il vous enlève souvent toute envie de visites.

« Le soleil était beau, et l'air tiède ; j'allumai un cigare et je m'en allai tout bêtement sur le boulevard extérieur. Puis comme je flânais, l'idée me vint de pousser jusqu'au cimetière Montmartre et d'y entrer.

« J'aime beaucoup les cimetières, moi, ça me repose et me mélancolise : j'en ai besoin. Et puis, il y a aussi de bons amis là-dedans, de ceux qu'on ne va plus voir ; et j'y vais encore, moi, de temps en temps.

« Justement dans ce cimetière Montmartre, j'ai une

histoire de cœur, une maîtresse qui m'avait beaucoup pincé, très ému, une charmante petite femme dont le souvenir, en même temps qu'il me peine énormément, me donne des regrets... des regrets de toute nature... Et je vais rêver sur sa tombe... C'est fini pour elle.

« Et puis, j'aime aussi les cimetières, parce que ce sont des villes monstrueuses, prodigieusement habitées. Songez donc à ce qu'il y a de morts dans ce petit espace, à toutes les générations de Parisiens qui sont logés là, pour toujours, troglodytes définitifs, enfermés dans leurs petits caveaux, dans leurs petits trous couverts d'une pierre ou marqués d'une croix, tandis que les vivants occupent tant de place et font tant de bruit, ces imbéciles.

« Puis encore, dans les cimetières, il y a des monuments presque aussi intéressants que dans les musées. Le tombeau de Cavaignac[1] m'a fait songer, je l'avoue, sans le comparer, à ce chef-d'œuvre de Jean Goujon : le corps de Louis de Brézé[2], couché dans la chapelle souterraine de la cathédrale de Rouen ; tout l'art dit moderne et réaliste est venu de là, messieurs. Ce mort, Louis de Brézé, est plus vrai, plus terrible, plus fait de chair inanimée, convulsée encore par l'agonie, que tous les cadavres tourmentés qu'on tortionne aujourd'hui sur les tombes.

« Mais au cimetière Montmartre on peut encore admirer le monument de Baudin[3], qui a de la gran-

1. Louis-Eugène Cavaignac (1802-1857), général et homme politique, gouverneur général de l'Algérie, ministre de la Guerre, puis président de la République en 1848. Battu aux élections par Louis-Napoléon, il passa à l'opposition et fut arrêté lors du coup d'État du 2 décembre 1851.

2. Le tombeau de Louis de Brézé, grand sénéchal de Normandie (1536-1544), fut réalisé d'après des dessins de Jean Goujon (sculpteur et architecte, 1510-1566). Il est surmonté d'un moulage du défunt pris sur son cadavre.

3. Alphonse Baudin, député de Paris à l'Assemblée législative en 1849, fut tué sur une barricade le 3 décembre 1851. On lui attribue cette phrase héroïque : « Vous allez voir comme on meurt pour 25 francs par jour. » Ses cendres furent transférées au Panthéon en 1889.

deur ; celui de Gautier, celui de Murger[1], où j'ai vu
l'autre jour une seule pauvre couronne d'immortelles
jaunes, apportée par qui ? par la dernière grisette,
très vieille, et concierge aux environs, peut-être ?
C'est une jolie statuette de Millet, mais que
détruisent l'abandon et la saleté. Chante la jeunesse,
ô Murger !

« Me voici donc entrant dans le cimetière Montmartre, et tout à coup imprégné de tristesse, d'une
tristesse qui ne faisait pas trop de mal, d'ailleurs, une
de ces tristesses qui vous font penser, quand on se
porte bien : « Ça n'est pas drôle, cet endroit-là, mais
le moment n'en est pas encore venu pour moi... »

« L'impression de l'automne, de cette humidité
tiède qui sent la mort des feuilles et le soleil affaibli,
fatigué, anémique, aggravait en la poétisant la sensation de solitude et de fin définitive flottant sur ce lieu,
qui sent la mort des hommes.

« Je m'en allais à petits pas dans ces rues de
tombes, où les voisins ne voisinent point, ne couchent
plus ensemble et ne lisent pas les journaux. Et je me
mis, moi, à lire les épitaphes. Ça, par exemple, c'est
la chose la plus amusante du monde. Jamais
Labiche[2], jamais Meilhac[3] ne m'ont fait rire comme le
comique de la prose tombale. Ah ! quels livres supé-
rieurs à ceux de Paul de Kock[4] pour ouvrir la rate que

1. Henri Murger (1822-1861), auteur des *Scènes de la Vie de
Bohème* qui inspira au compositeur italien Puccini (1858-1924) son
opéra *La Bohème* (1896). Son tombeau est orné d'une allégorie de
la jeunesse. Le tombeau de Théophile Gautier (poète et romancier, 1811-1872) est un sarcophage surmonté d'une statue de la
poésie.

2. Eugène Labiche (1815-1888), auteur de vaudevilles endia-
blés, qui a su épingler avec verve les mœurs, les goûts, les ridicules
de la petite bourgeoisie du Second Empire et des débuts de la
Troisième République.

3. Henri Meilhac (1831-1897), auteur dramatique célèbre pour
les opéras bouffes dont il écrivit les livrets avec Ludovic Halévy
(1834-1908) sur des musiques de Jacques Offenbach (1819-1880).

4. Paul de Kock (1793-1871), auteur de drames, d'opéras-
comiques et de vaudevilles, qui connut un prodigieux succès grâce
à des romans où se mêlaient des thèmes romantiques et des scènes
réalistes, voire grivoises.

ces plaques de marbre et ces croix où les parents des morts ont épanché leurs regrets, leurs vœux pour le bonheur du disparu dans l'autre monde, et leur espoir de le rejoindre — blagueurs !

« Mais j'adore surtout, dans ce cimetière, la partie abandonnée, solitaire, pleine de grands ifs et de cyprès, vieux quartier des anciens morts qui redeviendra bientôt un Quartier neuf, dont on abattra les arbres verts, nourris de cadavres humains, pour aligner les récents trépassés sous de petites galettes de marbre.

« Quand j'eus erré là le temps de me rafraîchir l'esprit, je compris que j'allais m'ennuyer et qu'il fallait porter au dernier lit de ma petite amie l'hommage fidèle de mon souvenir. J'avais le cœur un peu serré en arrivant près de sa tombe. Pauvre chère, elle était si gentille, et si amoureuse, et si blanche, et si fraîche... et maintenant... si on ouvrait ça...

« Penché sur la grille de fer, je lui dis tout bas ma peine qu'elle n'entendit point sans doute, et j'allais partir quand je vis une femme en noir, en grand deuil, qui s'agenouillait sur le tombeau voisin. Son voile de crêpe relevé laissait apercevoir une jolie tête blonde, dont les cheveux en bandeaux semblaient éclairés par une lumière d'aurore sous la nuit de sa coiffure. Je restai.

« Certes, elle devait souffrir d'une profonde douleur. Elle avait enfoui son regard dans ses mains, et rigide, en une méditation de statue, partie en ses regrets, égrenant dans l'ombre des yeux cachés et fermés le chapelet torturant des souvenirs, elle semblait elle-même être une morte qui penserait à un mort. Puis tout à coup je devinai qu'elle allait pleurer, je le devinai à un petit mouvement du dos pareil à un frisson de vent dans un saule. Elle pleura doucement d'abord, puis plus fort, avec des mouvements rapides du cou et des épaules. Soudain elle découvrit ses yeux. Ils étaient pleins de larmes et charmants, des yeux de folle qu'elle promena autour d'elle, en une sorte de réveil de cauchemar. Elle me vit la regarder, parut honteuse et se cacha encore toute la figure dans ses mains. Alors ses sanglots devinrent convulsifs, et sa tête lentement se pencha vers le marbre. Elle y posa son front, et son voile se répandant autour d'elle couvrit les angles blancs de la sépulture aimée, comme un deuil nouveau. Je l'entendis gémir, puis elle s'affaissa, sa joue sur la dalle, et demeura immobile, sans connaissance.

« Je me précipitai vers elle, je lui frappai dans les mains, je soufflai sur ses paupières, tout en lisant l'épitaphe très simple : « Ici repose Louis-Théodore Carrel, capitaine d'infanterie de marine, tué par l'ennemi, au Tonkin[1]. Priez pour lui. »

« Cette mort remontait à quelques mois. Je fus attendri jusqu'aux larmes, et je redoublai mes soins. Ils réussirent ; elle revint à elle. J'avais l'air très ému — je ne suis pas trop mal, je n'ai pas quarante ans. Je compris à son premier regard qu'elle serait polie et reconnaissante. Elle le fut, avec d'autres larmes, et son histoire contée, sortie par fragments de sa poitrine haletante, la mort de l'officier tombé au Tonkin, au bout d'un an de mariage, après l'avoir épousée par amour, car, orpheline de père et de mère, elle avait tout juste la dot réglementaire[2].

« Je la consolai, je la réconfortai, je la soulevai, je la relevai. Puis je lui dis :

« — Ne restez pas ici. Venez. »

Elle murmura :

« — Je suis incapable de marcher.

« — Je vais vous soutenir.

---

1. A partir de 1883, la France mena au Tonkin (aujourd'hui : Viêt-nam) une guerre de conquête coloniale qui s'acheva en 1887 par la « pacification » du territoire. Mais des accrochages meurtriers avec les pirates du Haut-Tonkin se prolongèrent jusqu'en 1896.

2. Un officier de l'armée française ne pouvait se marier qu'après une enquête sur la famille de la jeune fille qui, outre des garanties de respectabilité morale et sociale, devait présenter une dot suffisante.

« — Merci, monsieur, vous êtes bon. Vous veniez également ici pleurer un mort ?

« — Oui, madame.

« — Une morte ?

« — Oui, madame.

« — Votre femme ?

« — Une amie.

« — On peut aimer une amie autant que sa femme, la passion n'a pas de loi.

« — Oui, madame. »

« Et nous voilà partis ensemble, elle appuyée sur moi, moi la portant presque par les chemins du cimetière. Quand nous en fûmes sortis, elle murmura, défaillante :

« — Je crois que je vais me trouver mal.

« — Voulez-vous entrer quelque part, prendre quelque chose ?

« — Oui, monsieur. »

« J'aperçus un restaurant, un de ces restaurants où les amis des morts vont fêter la corvée finie. Nous y entrâmes. Et je lui fis boire une tasse de thé bien chaud qui parut la ranimer. Un vague sourire lui vint aux lèvres. Et elle me parla d'elle. C'était si triste, si triste d'être toute seule dans la vie, toute seule chez soi, nuit et jour, de n'avoir plus personne à qui donner de l'affection, de la confiance, de l'intimité.

« Cela avait l'air sincère. C'était gentil dans sa bouche. Je m'attendrissais. Elle était fort jeune, vingt ans peut-être. Je lui fis des compliments qu'elle accepta fort bien. Puis, comme l'heure passait, je lui proposai de la reconduire chez elle avec une voiture. Elle accepta ; et, dans le fiacre, nous restâmes tellement l'un contre l'autre, épaule contre épaule, que nos chaleurs se mêlaient à travers les vêtements, ce qui est bien la chose la plus troublante du monde.

« Quand la voiture fut arrêtée à sa maison, elle murmura : « Je me sens incapable de monter seule mon escalier, car je demeure au quatrième. Vous avez été si bon, voulez-vous encore me donner le bras jusqu'à mon logis ? »

« Je m'empressai d'accepter. Elle monta lentement, en soufflant beaucoup. Puis, devant sa porte,
elle ajouta :

« — Entrez donc quelques instants pour que je
puisse vous remercier. »

« Et j'entrai, parbleu.

« C'était modeste, même un peu pauvre, mais
simple et bien arrangé, chez elle.

« Nous nous assîmes côte à côte sur un petit
canapé, et elle me parla de nouveau de sa solitude.

« Elle sonna sa bonne, afin de m'offrir quelque
chose à boire. La bonne ne vint pas. J'en fus ravi en
supposant que cette bonne-là ne devait être que du
matin : ce qu'on appelle une femme de ménage.

« Elle avait ôté son chapeau. Elle était vraiment
gentille avec ses yeux clairs fixés sur moi, si bien fixés,
si clairs que j'eus une tentation terrible et j'y cédai. Je
la saisis dans mes bras, et sur ses paupières qui se
fermèrent soudain, je mis des baisers... des baisers...
des baisers... tant et plus.

« Elle se débattait en me repoussant et répétait :
« — Finissez... finissez... finissez donc. »

« Quel sens donnait-elle à ce mot ? En des cas
pareils, « finir » peut en avoir au moins deux. Pour la
faire taire je passai des yeux à la bouche, et je donnai
au mot « finir » la conclusion que je préférais. Elle ne
résista pas trop, et quand nous nous regardâmes de
nouveau, après cet outrage à la mémoire du capitaine
tué au Tonkin, elle avait un air alangui, attendri,
résigné, qui dissipa mes inquiétudes.

« Alors je fus galant, empressé et reconnaissant. Et
après une nouvelle causerie d'une heure environ, je
lui demandai :
« — Où dînez-vous ?
« — Dans un petit restaurant des environs.
« — Toute seule ?
« — Mais oui.
« — Voulez-vous dîner avec moi ?
« — Où ça ?

« — Dans un bon restaurant du boulevard. »

« Elle hésita un peu. J'insistai : elle céda, en se donnant à elle-même cet argument : « Je m'ennuie tant... tant » ; puis elle ajouta : « Il faut que je passe une robe un peu moins sombre ».

« Et elle entra dans sa chambre à coucher.

« Quand elle en sortit, elle était en demi-deuil, charmante, fine et mince, dans une toilette grise et fort simple. Elle avait évidemment tenue de cimetière et tenue de ville.

« Le dîner fut très cordial. Elle but du champagne, s'alluma, s'anima et je rentrai chez elle avec elle.

« Cette liaison nouée sur les tombes dura trois semaines environ. Mais on se fatigue de tout, et principalement des femmes. Je la quittai sous prétexte d'un voyage indispensable. J'eus un départ très généreux, dont elle me remercia beaucoup. Et elle me fit promettre, elle me fit jurer de revenir après mon retour, car elle semblait vraiment un peu attachée à moi.

« Je courus à d'autres tendresses, et un mois environ se passa sans que la pensée de revoir cette petite amoureuse funéraire fût assez forte pour que j'y cédasse. Cependant je ne l'oubliais point... Son souvenir me hantait comme un mystère, comme un problème de psychologie, comme une de ces questions inexplicables dont la solution nous harcèle.

« Je ne sais pourquoi, un jour, je m'imaginai que je la retrouverais au cimetière Montmartre, et j'y allai.

« Je m'y promenai longtemps sans rencontrer d'autres personnes que les visiteurs ordinaires de ce lieu, ceux qui n'ont pas encore rompu toutes relations avec leurs morts. La tombe du capitaine tué au Tonkin n'avait pas de pleureuse sur son marbre, ni de fleurs, ni de couronnes.

« Mais comme je m'égarais dans un autre quartier de cette grande ville de trépassés, j'aperçus tout à coup, au bout d'une étroite avenue de croix, venant vers moi, un couple en grand deuil, l'homme et la femme. O stupeur ! quand ils s'approchèrent, je la reconnus. C'était elle !

« Elle me vit, rougit, et comme je la frôlais en la croisant, elle me fit un tout petit signe, un tout petit coup d'œil qui signifiaient : « Ne me reconnaissez pas », mais qui semblaient dire aussi : « Revenez me voir, mon chéri. »

« L'homme était bien, distingué, chic, officier de la Légion d'honneur, âgé d'environ cinquante ans.

« Et il la soutenait, comme je l'avais soutenue moi-même en quittant le cimetière.

« Je m'en allai stupéfait, me demandant ce que je venais de voir, à quelle race d'êtres appartenait cette sépulcrale chasseresse. Était-ce une simple fille, une prostituée inspirée qui allait cueillir sur les tombes les hommes tristes, hantés par une femme, épouse ou maîtresse, et troublés encore du souvenir des caresses disparues. Était-elle unique ? Sont-elles plusieurs ? Est-ce une profession ? Fait-on le cimetière comme on fait le trottoir ? Les Tombales ! Ou bien avait-elle eu seule cette idée admirable, d'une philosophie profonde, d'exploiter les regrets d'amour qu'on ranime en ces lieux funèbres ?

« Et j'aurais bien voulu savoir de qui elle était veuve, ce jour-là ? »

LES CLÉS DE L'ŒUVRE

I - AU FIL DU TEXTE

II - DOSSIER HISTORIQUE ET LITTÉRAIRE

Pour approfondir votre lecture, LIRE vous propose une sélection commentée :
• de morceaux « classiques » devenus incontournables, signalés par ●◆ (droit au but).
• d'extraits représentatifs de l'œuvre, signalés par ⊂◆ (en flânant).

AU FIL DU TEXTE

Par Gérard Gengembre,
professeur de littérature française à l'université de Caen.

I - DÉCOUVRIR

La phrase clé

« Ça n'est pas tous les jours fête » (p. 60).

• LA DATE

Les textes recueillis ici ont été écrits entre 1881 et 1891.

L'action de ces histoires est contemporaine de l'écriture. Elle n'est datée avec précision que dans deux récits, *Les Sœurs Rondoli* et *Le Port*. Dans la plupart des autres cas, elle se réfère explicitement au temps de la narration, quand bien même le récit est fait à la troisième personne. Neuf récits sur quatorze situent le moment crucial de l'action à Paris ou sur la Seine mais l'on va également en Normandie, à Limoges et à Marseille.

• LE TITRE

En 1881, Maupassant publie un recueil de nouvelles sous le titre de la première d'entre elles, *La Maison Tellier*. *La Femme de Paul* en fait partie. Le titre de Maupassant a été conservé ici pour présenter un choix de quatorze récits qui sont explicitement consacrés à une ou à des filles, ou à un élément spécifique et distinctif de leur univers. La dernière nouvelle, *Les Tombales* appartient à une réédition de *La Maison Tellier* en 1891.

• COMPOSITION

Point de vue de l'auteur

Le pacte de lecture

Les récits sont écrits du point de vue d'un narrateur le plus souvent omniscient.

Les objectifs d'écriture

Au fil des nouvelles, Maupassant décrit avec exactitude les mœurs, la vie quotidienne, la psychologie, l'histoire de ces filles et les établissements où elles exercent, dans toute leur

variété. Il dénonce l'hypocrisie régnante et la caricature des
filles sert de contrepoint à celle, impitoyable, des notables.

Surtout, la fille fascine par le mystère qu'elle représente, qui
tend à l'homme le miroir de sa propre énigme, celle de son désir.
Désir de mort, car la fille, représentant l'amour, et la mort,
réelle ou symbolique, ont partie liée.

II - LIRE

Pour approfondir votre lecture, LIRE vous propose une sélection commentée :
- *de morceaux « classiques » devenus incontournables, signalés par ●◆ (droit au but).*
- *d'extraits représentatifs de l'œuvre, signalés par ↪ (en flânant).*

●◆ 1 - *La sortie d'un bordel de campagne* « La Maison Tellier », en entier	pp. 27-60

- On s'intéressera à la composition de cette nouvelle.
- On étudiera la manière dont le bordel est d'abord assimilé à un établissement respectable (jeu des comparaisons et des métaphores).
- On insistera sur l'équivalence entre la maison Tellier et la maison de Dieu, entre prostitution et religion. On montrera comment la communion prend toute son importance dans un tel contexte. On soulignera l'importance de la phrase : « La communiante reposa son front sur le sein nu de la prostituée. »
- Il ne s'agit pas d'une simple volonté de blasphème. Plus profondément, il s'agit pour Maupassant de montrer qu'il est au cœur des filles un besoin d'expansion, une nostalgie de la pureté, un élan vers le mysticisme.
- On comparera avec *Boule de Suif* (Pocket Classiques, n° 6055) en montrant la filiation thématique et les différences majeures.

●◆ 2 - *Une demi-mondaine* « Yvette », en entier	pp. 141-224

Maupassant n'accordait pas beaucoup d'importance à cette nouvelle, « faite uniquement pour le public niais du *Figaro* ». Il la jugeait en ces termes : « C'est une bluette, mais ce n'est

point une étude. C'est adroit, mais ce n'est pas fort. » Il est in-
juste.

Maupassant reprend et développe un thème déjà abordé dans
« Yveline Samoris », que la seule proximité des prénoms nous
invite à considérer. Publiée dans *Le Gaulois* du 20 décembre
1882, cette nouvelle met en scène le suicide de la fille ignorante
d'une courtisane après avoir surpris une conversation entre les
invités de sa mère. Yvette, elle, ne choisit pas la carrière galante,
elle s'abandonne à son destin, présenté comme enviable sous
l'effet du chloroforme.

Une autre différence réside dans le changement de narrateur.
Un Je s'exprime dans « Yveline Samoris », alors que le statut du
narrateur d'« Yvette » est plus difficile à établir. Il semble épouser le point de vue de Servigny, à qui cependant le récit n'est
nullement confié, tout en se confondant avec une figure omni-
sciente. André Vial voit dans ce procédé l'une des étapes qui
marquent la progression de Maupassant vers le roman.

Structure de la nouvelle

Comme très souvent chez Maupassant, le récit adopte une
grande simplicité linéaire. Il suffit de relire la préface de *Pierre
et Jean* pour comprendre combien l'écrivain privilégie cette
structure :

> « Faire vrai consiste […] à donner l'illusion complète du
> vrai, suivant la logique ordinaire des faits, et non à le trans-
> crire servilement dans le pêle-mêle de leur succession. »

Yvette est au départ une ingénue non libertine. Elle incarne
donc l'une des modalités de la jeune fille chez Maupassant. De
l'Henriette Dufour d'« Une Partie de campagne » (1881) à
l'Élisabeth de *Notre Cœur* (1890), il nous en offre toute une
galerie, où l'on remarque notamment Louise dans « Le Père »
(1883), Annette dans *Fort comme la mort* (1889) ou bien les
personnages qui restent en marge de la société établie, comme
l'héroïne éponyme de « Mouche » (1890).

L'âme des vierges demeure énigmatique. C'est ce qu'affirme
« Yvette » :

> « Que c'est drôle une fillette ! Ça a l'air simple comme
> tout, et on ne sait rien d'elle. Une femme qui a vécu, qui a
> aimé, qui connaît la vie, on la pénètre très vite. Quand il
> s'agit d'une vierge, au contraire, on ne devine plus rien. »

Pourtant, cette énigme n'est elle-même qu'une variante d'un mystère plus général, celui de l'être désiré :

« Jamais on ne sait rien de lui, jamais on ne découvre toutes les fluctuations de ses volontés, de ses désirs, de ses opinions. Jamais on ne devine, même un peu, tout l'inconnu, tout le mystère d'une âme qu'on sent si proche, d'une âme cachée derrière deux yeux qui vous regardent, clairs comme de l'eau, transparents comme si rien de secret n'était dessous, d'une âme qui vous parle par une bouche aimée, qui semble à vous, tant on la désire ; d'une âme qui vous jette une à une, par des mots, ses pensées, et qui reste cependant plus loin de vous que ces étoiles ne sont loin l'une de l'autre, plus impénétrable que ces astres ! »

Dans « Yvette », le mariage demeure un incertain horizon. La jeune fille est promise à une vie de fille, radicale perversion, et cette évolution apparaît comme le véritable fil directeur de la nouvelle :

« Elle ne saurait fuir sa destinée. De jeune fille elle deviendra fille, tout simplement. Et je voudrais bien être le pivot de cette transformation. »

Ce projet en passe par une montée irrésistible du désir, qui, combinée à l'annonce du dénouement, confère sa dynamique au texte. La programmation est là encore énoncée dès le début :

« Son image me suit, me poursuit, m'accompagne sans cesse, toujours devant moi, autour de moi, en moi. Est-ce de l'amour, cette obsession physique ? [...] Quant à moi, j'attends. Il est certain, d'un côté, que je n'ai jamais eu pour aucune femme le béguin que j'ai pour celle-là.

Il est encore certain que je ne l'épouserai pas.

Donc, si elle a eu des amants, j'augmenterai l'addition. Si elle n'en a pas eu, je prends le numéro un, comme au tramway. »

Maupassant nous représente assez bien la conception de l'amour que se faisait une certaine société de ces années 1880-1890. Les hommes apparaissent obsédés, toujours proches de la grivoiserie. Surtout, ils se font une image de la femme en fonction de leurs désirs. Maîtresse disponible, se pliant aux caprices érotiques, épouse soumise et confinée dans le cercle domestique, jeune fille désirable mais quasi inaccessible car réservée pour le mariage (sauf dans le cas d'une Yvette), courtisane experte dont les amours tarifées forment l'horizon de bien des fantasmes masculins ou Madone désincarnée, la femme s'atomise en figures stéréotypées. Dans la plupart des cas, elle apparaît comme un passe-temps facile à varier, dont l'intérêt réside avant tout dans le processus de la conquête à mener. Comme le dit Maupassant lui-même : « Chaque femme conquise nous prouve, une fois de plus, que toutes sont à peu près pareilles entre nos bras » (préface à *Celles qui osent* de René Maizeroy, 1883).

Par bien des aspects, « Yvette » est l'histoire d'une défloration. Massacre d'une jeune fille, la nouvelle échappe cependant au mélodrame trop facile, tant pour jouer la carte d'un certain réalisme que pour entrer en cohérence avec le pessimisme objectif de Maupassant. « Yvette », ou la recherche de la vérité, de la vie, du monde tel qu'il est.

Le désir en sera passé par une exacerbation de la sensation. Dans les régions profondes de l'être s'opèrent de mystérieux échanges. La mobilisation des sens, et tout particulièrement de l'odorat, constitue l'un des moments privilégiés où s'accélère la dynamique du désir. Le passage le plus significatif peut-être concerne l'odeur de verveine, dont on connaît chez Maupassant la valeur érotique :

« Elle sentait bon, sans qu'il pût déterminer quelle odeur vague et légère voltigeait autour d'elle. [C'était] un souffle discret où il croyait saisir un soupçon de poudre d'iris, peut-être aussi un peu de verveine.

D'où venait cette senteur insaisissable ? […] Il pensa que ce fuyant parfum qu'il cherchait à reconnaître n'existait peut-être qu'évoqué par ses yeux charmés et n'était qu'une évocation trompeuse de cette grâce jeune et séduisante. »

Désirable, Yvette n'échappe pas à la nature féminine selon Maupassant. Et d'abord dans sa faculté d'imitation, qui peut-être explique en dernière analyse son destin. Il suffit qu'elle côtoie le milieu de La Grenouillère pour en prendre le ton. Toutes les agaceries qu'elle dispense chez sa mère trouveront bien leur conclusion logique. Une telle transformation est rendue possible par le mimétisme de la femme, expliqué dans « Le Signe » (1886) :

« Je crois que nous avons des âmes de singes, nous autres femmes. On m'a affirmé du reste (c'est un médecin qui m'a dit ça) que le cerveau du singe ressemblait beaucoup au nôtre.

Il faut toujours que nous imitions quelqu'un. Nous imitons nos maris, quand nous les aimons, dans le premier mois des noces, et puis nos amants ensuite […] nos confesseurs quand ils sont bien. Nous prenons leurs manières de penser, leur manière de dire, leurs mots, leurs gestes, tout. »

Maupassant restitue ici ce qu'il peindra aussi dans *Bel-Ami* : le demi-monde. Faute de père, Yvette se raccroche à la seule image fondatrice, celle de la mère, celle de la courtisane, dont elle tarde tant à reconnaître la véritable profession en dépit de tout ce qui aurait dû la mettre sur la voie, si elle n'avait été aveuglée par son innocence ou par sa volonté inconsciente de ne pas voir, de ne pas savoir. Elle sera donc fille de fille, au terme de ce processus de dévoilement et de révélation, qui l'amène à découvrir dans son miroir le visage de ce qu'elle deviendra.

La marquise est-elle une mère dénaturée, à l'instar de tant d'autres chez Maupassant ? Ces personnages peuvent souffrir, comme la mère de « L'Abandonné », mais la souffrance n'absout pas tout, comme le montre « Madame Hermet » (1887), où l'héroïne refuse de voir son fils mourant de la variole pour protéger sa beauté, ou dans « Une passion » (1882), avec une femme chez qui la passion a étouffé tout sentiment maternel. L'actrice courtisane du « Champ d'oliviers » (1890) se débarrasse de son fils en l'envoyant dans une maison de correction. Mme Obardi sacrifie Yvette à son égoïsme et aux commodités matérielles de la vie. Elle ne prête aucune attention à la menace de suicide, moins par manque d'affection que par aveuglement. Elle ne connaît pas sa fille, ayant tué en elle toute pureté. Elle aussi victime de l'aliénation, elle laisse faire le cours des choses. Telle mère, telle fille…

Fleuves et rivières exercent sur Maupassant une véritable fascination. L'eau chez Maupassant possède une double potentialité, source de vie et de mort. Tentatrice, magique et infernale, élément déterminant (démultipliée par sa combinaison avec le soleil et plus généralement le renouveau ou le triomphe de la nature, ou bien avec les prestiges du crépuscule ou du clair de lune), figure du destin, de l'éphémère, l'eau, cette jouissance et ce piège, présente bien des avantages : signes, connotations, commodité narrative (fil de l'eau et fil du récit, unité de lieu…), réservoir de descriptions, etc.

Se déroulant à La Grenouillère comme « Yvette », « La Femme de Paul » (1881) se résumerait aisément à une partie de canotage, où les yoles rapides glissent sur la rivière, sous un soleil de juillet « flamb[ant] au milieu du ciel ». La charge sociale (« Ce lieu sue la bêtise, pue la canaillerie et la galanterie de bazar. Mâles et femelles s'y valent »), le dénouement tragique confèrent certes une tonalité différente, mais l'on retrouve bien la conjonction du lieu insulaire, du cadre, de la sensation, du désir et du bonheur fugitif :

> « [...] dans la chaleur adoucie du jour finissant, les flottantes exhalaisons de l'herbe se mêlaient aux humides senteurs du fleuve, imprégnaient l'air d'une langueur tendre, d'un bonheur léger, comme d'une vapeur de bien-être.
>
> Une molle défaillance venait aux cœurs et une espèce de communion avec cette splendeur calme du soir, avec ce vague et mystérieux frisson de vie épandue, avec cette poésie pénétrante, mélancolique, qui semblait sortir des plantes, des choses, s'épanouir, révélée aux sens en cette heure douce et recueillie. »

• LES THÈMES CLÉS

– La prostituée et le milieu de la prostitution.
– La femme.
– Le désir.
– Le plaisir.

III - POURSUIVRE

• **LECTURES CROISÉES**

– On se reportera à deux recueils de Maupassant parus dans la même collection : *Le Rosier de Mme Husson et autres contes roses* (n° 6092), *Les Sœurs Rondoli et autres histoires lestes* (n° 6207). On consultera également *Une partie de campagne et autres histoires d'amour* (n° 6185), dont nous reproduisons ci-dessous la préface.

– D'autres textes qui pourraient y entrer sans difficulté se trouvent dans différents recueils thématiques disponibles dans cette collection. En voici la liste :
  - *Le Horla* (n° 6002) : « La Chevelure », « Un cas de divorce ».
  - *Boule de Suif et autres récits de guerre* (n° 6055) : « Le Mariage du lieutenant Laré ».
  - *La Petite Roque et autres récits noirs* (n° 6091) : « Confessions d'une femme », « Fou ? », « Le Saut du berger », « Un soir », « Une soirée ».
  - *Contes de la bécasse et autres contes de chasseurs* (n° 6096) : « Amour », « Les Bécasses », « Hautot père et fils », « Menuet », « La Rempailleuse », « La Rouille », « Un coq chanta ».
  - *Sur l'eau et autres récits méditerranéens* (n° 6184) : « Allouma », « Marroca ».
  - *Une partie de campagne et autres histoires d'amour* (n° 6185) : « Au printemps », « Clair de lune », « Imprudence », « Mme Parisse », « Une partie de campagne », « Une passion », « Une ruse ».
  - *Toine et autres contes normands* (n° 6187) : « Boitelle », « Le Modèle ».

– Parmi les contes et nouvelles de Maupassant, de nombreux autres textes se rattachent au moins partiellement aux thématiques centrales développées dans cette anthologie. Voici quelques titres :
  - « Une page d'amour inédite », 1880 (non recueilli du vivant de Maupassant).

- « Par un soir de printemps », 1881 (dans le recueil posthume *Le Père Milon*, 1899).
- « La Bûche », 1882 (*Mademoiselle Fifi*, 1882).
- « Histoire vraie », 1882 (*Contes du jour et de la nuit*, 1885).
- « Magnétisme », 1882 (*Le Père Milon*, 1899).
- « Pétition d'un viveur malgré lui », 1882 (non recueilli du vivant de Maupassant).
- « Le Pardon », 1882 (*Clair de lune*, 1re édition, 1884).
- « La Relique », 1882 (*Mademoiselle Fifi*, 1882).
- « La Veillée », 1882 (*Le Père Milon*, 1899).
- « Voyage de noce », 1882 (non recueilli du vivant de Maupassant).
- « Une veuve », 1882 (*Clair de lune*, 2e édition, 1888).
- « L'Attente », 1883 (recueil posthume *Le Colporteur*, 1900).
- « Première neige », 1883 (*Le Colporteur*, 1900).
- « Réveil », 1883 (*Mademoiselle Fifi*, 2e édition, 1883).
- « Le Vengeur », 1883 (*Le Colporteur*, 1900).
- « Adieu », 1884 (*Contes du jour et de la nuit*, 1885).
- « Châli », 1884 (*Les Sœurs Rondoli*, 1884).
- « Les Idées du colonel », 1884 (*Yvette*, 1884).
- « Lettre trouvée sur un noyé », 1884 (*Le Colporteur*, 1900).
- « Misti », 1884 (non recueilli du vivant de Maupassant).
- « Rencontre », 1884 (*Les Sœurs Rondoli*, 1884).
- « Souvenir », 1884 (*Contes du jour et de la nuit*, 1885).
- « La Tombe », 1884 (non recueilli du vivant de Maupassant).
- « Vains conseils », 1885 (non recueilli du vivant de Maupassant).
- « Fini », 1885 (*Le Colporteur*, 1900).
- « Blanc et bleu », 1885 (non recueilli du vivant de Maupassant).
- « Un échec », 1885 (*Le Rosier de Mme Husson*, 1889).
- « Julie Romain », 1886 (*La Petite Roque*, 1886).
- « Étrennes », 1887 (*Le Colporteur*, 1900).
- « Nos lettres », 1888 (*Clair de lune*, 1888).
- « Alexandre », 1889 (non recueilli du vivant de Maupassant).

– Il faudra également rapprocher de tous ces récits plusieurs poèmes du recueil *Des vers* (1880) et au moins deux romans : *Fort comme la mort* (n° 6127) et *Notre cœur* (n° 6203), ainsi que certaine chroniques (voir le dossier historique et littéraire d'*Une partie de campagne et autres histoires d'amour*).

• PISTES DE RECHERCHES

La question du genre

La plupart des recueils thématiques de Maupassant publiés dans la collection comportent des contes et des nouvelles, des « petites histoires », comme les appelait Maupassant lui-même.

On serait tenté de se référer à la mode des années 1870-1880, née d'une recherche du resserrement et des besoins de la presse quotidienne qui demandait aux écrivains des textes courts pouvant tenir en quelques colonnes. On ne saurait sous-estimer l'influence de cette contrainte sur la forme des textes et sur l'écriture de nombreux auteurs, dressés à la dure école du journalisme. Avec ses *Lettres de mon moulin* (1869, Pocket Classiques, n° 6038) et ses *Contes du lundi* (1873, n° 6072), Alphonse Daudet apparaît comme le modèle. Flaubert lui-même n'écrit-il pas *Trois contes* (1877, n° 6009) ? On n'oubliera pas cependant que cette vogue – réelle – s'appuie sur une tradition du siècle romantique (on ne remontera pas plus haut, mais des noms du siècle des Lumières viennent immédiatement à l'esprit, comme Voltaire ou Diderot !) : Balzac et ses *Contes drolatiques*, Gautier, Nodier, Mérimée et leurs contes merveilleux ou fantastiques, Nerval et ses *Chansons et légendes du Valois*, Stendhal et ses *Chroniques italiennes*, etc. Suivront Barbey d'Aurevilly, Villiers de l'Isle-Adam, Erckmann-Chatrian et leurs *Contes du bord du Rhin*, Zola et ses *Contes à Ninon*, etc. Grand praticien du genre court, Maupassant s'est pourtant toujours voulu romancier et n'en a jamais donné de définition théorique. On aimerait pouvoir différencier ces deux formes brèves par leur longueur : la nouvelle est plus ample que le conte.

Peut-être le conte tire-t-il sa spécificité de son caractère oral. Le conte impliquerait un narrateur, présent ou non dans le récit. Mais Maupassant construit ses œuvres selon plusieurs niveaux de narration et varie considérablement les rapports entre narrateur et narrataire.

En somme, le terme générique de récit peut convenir, même si on peut suivre André Vial quand il définit le conte comme un récit qui isole un seul élément et suscite chez le lecteur un instant de gaieté, de pitié ou de tristesse, alors que la nouvelle a recours à une analyse psychologique plus élaborée (ainsi « Histoire d'une fille de ferme » et « Miss Harriet », voir *Toine et autres contes normands*, n° 6187). En outre, la nouvelle se caractérise plutôt par l'anonymat du narrateur, la continuité des images, la multiplicité des points de vue, des personnages et des lieux, une progression dans un temps plus ample.

Le récit au XIXe siècle offre une structure qui le différencie du roman : une ampleur plus réduite (encore que *Pierre et Jean* soit un roman fort court ; Pocket Classiques, n° 6020), un cadre plus étroit, un nombre limité de personnages et d'événements, un dénouement inattendu.

Il est gouverné par une écriture de l'effet à produire, et, fermé sur lui-même, il se trouve souvent encadré dans un premier récit qui met en scène le narrateur (près de la moitié des textes courts de Maupassant sont construits sur la technique de l'enchâssement). Sa plasticité lui permet de suivre l'évolution des grands mouvements littéraires.

Figures d'exception, situations dramatiques, couleur locale et exotisme informent les récits de l'époque romantique. Humbles destinées, trivialités médiocres de la vie quotidienne nourrissent les récits réalistes, dont l'intrigue tend à s'amenuiser, où le temps stagne, où le personnage perd peu à peu de sa consistance, où les objets prennent une place de plus en plus grande (« La Ficelle », par exemple).

Gauloiserie, grivoiserie, et tutti quanti

On ne fera aucune révélation bouleversante en disant que Maupassant aime la gauloiserie. Plus difficile apparaît la distinction entre plusieurs termes souvent confus. Le plus simple consiste à se référer au Littré, pour un état de la langue dans la première moitié du XIXe siècle, et au Robert, pour l'usage contemporain.

Cru : « peu décent, trop libre » (Littré) ; « qui choque les bienséances. Voir Choquant, grivois, leste, libre, licencieux, salé » (Robert).

Égrillard : « qui a quelque chose d'un peu trop vif, trop gaillard » (Littré) ; « qui se complaît dans des propos ou des sous-entendus licencieux. Voir Grivois, libertin. Voir Gaulois, libre, osé » (Robert).

Gaillard : « se dit des discours, des actes un peu libres » (Littré) ; « d'une gaieté un peu libre. Voir Cru, égrillard, grivois, léger, leste, licencieux » (Robert).

Gaulois : « esprit gaulois, mot gaulois, trait d'esprit, mot dont la liberté n'observe pas toutes les convenances » (Littré) ;

« qui a la franche gaieté un peu libre des "bons vieux temps".
Voir Gaillard, grivois, licencieux » (Robert).

Gauloiserie : « propos licencieux ou leste. V. Gaudriole, grivoiserie » (Robert).

Grivois : « d'une humeur libre et hardie ; leste en propos et en
actions » (Littré) ; « d'une gaieté licencieuse, un peu hardie.
Voir Égrillard, gaillard, gaulois, leste, libre, licencieux »
(Robert).

Grivoiserie : « caractère de ce qui est grivois. Voir Gauloiserie,
licence » (Robert).

Leste : « qui dépasse la réserve prescrite par l'honnêteté du
langage » (Littré). « Voir Gaillard, gaulois, grivois, hardi,
hasardé, libre, licencieux » (Robert, qui donne la même définition).

La notion de naturalisme

Apparu au xvie siècle, le mot « naturaliste » désigne un
savant qui s'occupe spécialement de sciences naturelles, puis de
biologie. Un peu plus tard dans le siècle, il désigne également
un philosophe adepte du naturalisme (voir ci-après). En 1727,
le *Dictionnaire* de Furetière définit le naturaliste comme celui
qui explique « les phénomènes par les lois du mécanisme et sans
recourir à des causes surnaturelles ».

Formé à partir du latin *naturalis*, le terme « naturalisme »
apparaît en 1582 et désigne une doctrine philosophique selon
laquelle rien n'existe en dehors de la nature, et qui donc exclut
le surnaturel ainsi que toute explication d'ordre métaphysique.
Dans l'*Encyclopédie*, Diderot donne cette définition : « Les
naturalistes sont ceux qui n'admettent point de Dieu, mais qui
croient qu'il n'y a qu'une substance matérielle. [...] Naturaliste
en ce sens est synonyme d'athée, spinoziste, matérialiste, etc. »

Le sens esthétique est postérieur.

En 1839, se forge en peinture le concept de naturalisme,
autrement dit la représentation réaliste, l'imitation exacte de la
nature. À partir de ce moment va naître le concept littéraire.

En 1865, Zola reprend le mot à son compte en lui donnant les
trois sens. Pendant quelques années, jusqu'à la parution de *La
Fortune des Rougon* (1871), les termes réalisme et naturalisme
seront employés presque indifféremment, alors qu'ils ne recou-
vrent pas exactement les mêmes notions et ne renvoient pas aux
mêmes enjeux. Cependant, le naturalisme affiche d'emblée ses
ambitions scientifiques.

Le naturalisme et la science

Il faut d'abord souligner l'influence du positivisme. Dans son *Cours de philosophie positive* (1830-1842), Auguste Comte souligne le rôle capital du progrès de la raison dans l'histoire de l'humanité, et en particulier la découverte progressive des lois intellectuelles permettant de comprendre la réalité de la nature sous toutes ses formes. Médecin, historien, philologue, auteur du *Dictionnaire* (1863-1877), Émile Littré incarne l'idéal positiviste.

Il faut ensuite insister sur l'influence des découvertes concernant les lois de l'hérédité. Écrivains et critiques naturalistes subissent l'influence de l'évolutionnisme défini par Charles Darwin, dont *De l'origine des espèces* (1859), est traduit en français en 1862. Hippolyte Taine applique aux sciences humaines les idées relatives à l'action du milieu sur les espèces et à la transmission héréditaire des caractères acquis. Dans la deuxième édition de *Thérèse Raquin* (1868, Pocket Classiques, n° 6060), Zola reprend sa célèbre formule : « Le vice et la vertu sont des produits comme le sucre et le vitriol. » Se référant aux travaux du Dr Lucas (*Traité philosophique et physiologique de l'hérédité naturelle*, 1868), il construira l'arbre généalogique des *Rougon-Macquart* en fonction de l'hérédité, dont il a déjà appliqué les lois dans *Thérèse Raquin*, sorte d'annonce de la grande saga romanesque à venir.

Enfin, on indiquera que le naturalisme s'intéresse aussi à la physique, notamment aux principes de la thermodynamique. Circulation et transformation de l'énergie, travail et jeu des forces fournissent à l'écriture thèmes et métaphores. Ainsi, la vie sera perçue comme un mécanisme et un jeu énergétique, alors que la matière s'anime d'un souffle vital.

Le naturalisme et la méthode scientifique

Les auteurs empruntent aux savants leurs méthodes. Zola élabore la théorie du roman expérimental à partir de l'*Introduction à l'étude de la médecine expérimentale* de Claude Bernard (1865). En 1891, le critique Jules Huret définit le naturalisme comme « une méthode de penser, de voir, de réfléchir, d'étudier, d'expérimenter, un besoin d'analyser pour savoir, non une façon spéciale d'écrire ».

L'évolution du naturalisme

Après les premières batailles de Zola autour de la parution de *Thérèse Raquin*, on peut distinguer deux générations.

Tout d'abord, la génération de Médan, ainsi nommée en raison de la publication en 1880 des *Soirées de Médan*, recueil collectif. En effet, il ne faut pas oublier que toute l'histoire du naturalisme se définit par rapport à Zola. Se réunissant d'abord autour de Flaubert, dont *L'Éducation sentimentale* (1869) les a marqués et en qui ils saluent un maître, alors qu'il n'est en rien réaliste, les premiers auteurs naturalistes se regroupent autour de leur maître à penser et porte-parole, qui s'installe à Médan en 1878. Le recueil collectif de nouvelles, *Les Soirées de Médan*, proclame leur unité et leur caractère de disciples de Zola et des autres grands maîtres, Flaubert, les Goncourt, Alphonse Daudet. Les membres en sont Henri Céard et Paul Alexis, qui se consacrent avant tout au journalisme et à la critique, sans négliger le roman, Léon Hennique, qui se tourne vers le théâtre. Maupassant va accumuler contes et nouvelles. Quant à Joris-Karl Huysmans, il rompt avec le naturalisme en 1884 avec *À rebours* (Pocket Classiques, n° 6116). Si le groupe se désagrège vers 1885, les amitiés demeurent.

Après la génération de Médan, on peut distinguer celle du « Manifeste des cinq ». En août 1887, Paul Bonnetain, Lucien Descaves, Gustave Guiches, Paul Margueritte et J.-H. Rosny (pseudonyme des deux frères Rosny) attaquent Zola et son roman *La Terre*. Il s'agit moins pour eux de dénoncer le naturalisme en tant que tel que de s'affirmer comme génération littéraire cherchant une littérature plus élevée, « par la compréhension plus profonde, plus analytique et plus juste de l'univers tout entier et des plus humbles individus, acquise par la science et par la philosophie des temps modernes » (Rosny). Leur intérêt se tourne moins vers les questions théoriques que vers le métier de romancier et les ambitions du roman.

Quelques thèmes réalistes et naturalistes

Ces mouvements littéraires entendent traiter des sujets contemporains et sociaux et mettre les mœurs en scène.

La société et les mœurs

Pour cela, ils envisagent d'abord les différentes classes sociales et étudient les milieux. Si le réalisme reste le plus souvent limité aux couches bourgeoises, le naturalisme élargit ses investigations aux classes populaires. Moyenne et petite bourgeoisie constituent la population favorite des romanciers des années 1850-1860 : employés, commerçants, petits propriétaires, rentiers, souvent situés en province. Observateur du monde bourgeois, le naturalisme peint aussi le monde ouvrier et la paysannerie. Assurant d'une certaine façon la transition, les Goncourt s'attachent aux « basses classes ».

Notons que réalisme et naturalisme ont le même goût des milieux artistes, qui vivent dans une sorte de marginalité, soit par leur retrait esthétique, soit par leur pauvreté, voire leur misère.

Le roman est le roman de mœurs par excellence. Le naturalisme accentue ce caractère et met en fiction une sorte d'anthropologie culturelle de la France du XIXe siècle et de la vie quotidienne. Parmi les éléments les plus importants, on peut citer tout ce qui concerne la socialisation de l'espace et du temps.

On pourrait parler d'histoire des classes sociales chez Zola, avec la mise en évidence d'une fatalité à l'œuvre, qui conduit inéluctablement à la déchéance, à la ruine, à la mort. Plus généralement, le naturalisme s'attache à peindre les types et les mœurs de la société considérée dans ses groupes : employés ou paysans normands chez Maupassant, figures de la rue chez Vallès, petit peuple provençal ou mœurs parisiennes chez Daudet, etc.

L'histoire, déterminisme et fatalité

Le réalisme accorde la plus grande importance aux effets de la situation historique. Le roman s'inscrit dans l'Histoire, son mouvement, ses fractures, ses conflits et ses dynamiques. Avec le naturalisme, il peint un âge social. Non seulement le repérage historique est-il exact et précis, mais aussi la description et l'analyse des conditions mettent-elles au jour des rapports et des déterminismes.

L'argent

Ensuite, les écrivains mettent en évidence le rôle de l'argent. À la suite de Balzac, et du fait de l'extension du capitalisme, les romanciers prennent de plus en plus en compte ces mutations socio-économiques où les rapports marchands définissent de plus en plus l'humanité. Devenu la mesure de toutes choses, l'argent donne lieu à l'analyse de ses liens avec le pouvoir et avec le sexe, à celle de ses mécanismes, de sa circulation, et généralement de son influence sur les manières d'être et de paraître.

Le corps

Sans être véritablement découvert par les auteurs, le corps devient un sujet important, et même capital, et ce dans tous ses aspects, à commencer par la sexualité. Les thèmes et motifs qui parcourent les œuvres sont la puissance et les effets du désir, mais il s'agit d'une contrainte objective, non d'une marque de révolte qui remettrait en cause les fondements mêmes de l'ordre social. En cela, l'idéologie de l'écrivain brille par son originalité, probablement due à la configuration mentale et affective propre à l'individu Maupassant.

De l'amour chez Maupassant

Chez Maupassant, l'amour est un instinct sacré, comme le proclame devant sa petite-fille une vieille grand-mère dans *Jadis* :

> « Le mariage, c'est une loi, vois-tu, et l'amour c'est un instinct qui nous pousse tantôt à droite, tantôt à gauche. On a fait des lois qui combattent nos instincts, il le fallait ; mais les instincts toujours sont les plus forts, et on ne devrait pas trop leur résister, puisqu'ils viennent de Dieu tandis que les lois ne viennent que des hommes. »

Dès lors, l'amour se confond en grande partie avec le désir, en procédant de la nature. Quand celle-ci trahit l'individu, qu'elle le dégrade, le récit adopte une chute dramatique (« Fini »). Le rapport des individus à la nature s'avère une sorte de déterminisme, ce que montre « Clair de lune » (voir *Une partie de campagne et autres histoires d'amour*, Pocket Classiques, n° 6185) :

> « Je m'assis sur l'herbe et je regardai ce grand lac mélancolique et charmant ; et il se passait en moi une chose étrange : il me venait un insatiable besoin d'amour, une révolte contre la morne platitude de ma vie. Quoi donc, n'irai-je jamais au bras d'un homme aimé, le long d'une berge baignée de lune ? »

Traiter du désir par les voies du conte ou de la nouvelle implique de donner à voir cette vérité des êtres, les lois auxquelles obéit leur comportement, de ne pas en celer la force (« Mots d'amour »). Le désir donne lieu à de nombreux développements. Sentir « ces appels irrésistibles et tourmentants de la volupté insaisissable, et l'inexprimable désir, sans forme précise

et sans réalité possible, qui hante l'âme des vrais sensuels »
(préface aux *Poèmes et ballades* de A.C. Swinburne, 1891. Ce
texte est disponible dans le tome II des *Chroniques* préfacées
par H. Juin, voir la bibliographie) : on sera d'accord avec Louis
Forestier que nous suivons ici pour voir dans cette dynamique
la valeur essentielle aux yeux d'un Maupassant qui ridiculise
l'amour désincarné des poètes :

> « La soif de l'amour semble avoir toujours été la maladie
> incurable des poètes, ces grands enfants, impuissants décro-
> cheurs d'étoiles. L'exaltation naturelle d'une âme poétique,
> exaspérée par l'excitation artistique qu'il faut pour produire,
> pousse ces êtres d'élite, mais sans équilibre, à concevoir une
> sorte d'amour idéal, ennuagé, éperdument tendre, extatique,
> jamais rassasié, sensuel sans être charnel, tendrement délicat
> qu'un rien le fait s'évanouir, irréalisable et surhumain. Et
> les poètes sont peut-être les seuls hommes qui n'aient jamais
> aimé une femme, une vraie femme, en chair et en os, avec ses
> qualités de femme, ses défauts de femme, son esprit de
> femme, restreint et charmant, ses nerfs de femme et sa trou-
> blante femellerie » (« L'amour des poètes », *Gil Blas*, 22 mai
> 1883, *Chroniques*, tome II).

C'est dire que le désir entraîne l'individu dans la quête de la
possession, une possession totale, vertigineuse et toujours vue
par un regard attentif et lucide. C'est dire aussi que, célébration,
exacerbation de la vie, l'amour s'oppose à la mort, à tel point
qu'il se refuse à accepter la disparition de l'être aimé et conduit
à des pratiques nécrophiles (« La Tombe », « La Morte »). De
là l'insistance de Maupassant sur le lien entre l'érotisme et la
mort. On a pu dire que cette fascination pour le cadavre de
la morte assurait une sorte de possession à laquelle échappe la
femme vivante. Le plus souvent en effet, l'amour ne signifie pas
une relation harmonieuse et ne construit pas de couple lié par la
communication heureuse. L'amour s'avère un leurre et la passion se révèle un vide. On retrouve là la force de cet instinct qui
entraîne les êtres à toujours recommencer, à toujours désirer
l'âme sœur.

On mettrait aisément en rapport cette constante des textes de
Maupassant avec l'influence du pessimisme. Il se retrouve avec
Schopenhauer pour reconnaître la toute-puissance du vouloir-
vivre qui n'est qu'une tension permanente, une aliénation de
l'individu condamné à toujours se tromper. Il s'agit donc d'un

piège de la nature, où nulle harmonie ne peut trouver à se fonder autrement que sur le mode de l'illusion. Et de cette nature trompeuse peuvent surgir d'horribles déviations ou pulsions (voir *La Petite Roque et autres récits noirs*, n° 6091). L'aliénation d'ailleurs n'a pas besoin pour être patente d'être mise en rapport avec une philosophie pessimiste. Elle procède de la nature même de l'élan amoureux, ce qu'expose « Lettre trouvée sur un noyé » :

> « Pour aimer il faut être aveugle, se livrer entièrement, ne rien voir, ne rien raisonner, ne rien comprendre. Il faut pouvoir adorer les faiblesses autant que les beautés, renoncer à tout jugement, à toute réflexion, à toute perspicacité. »

Mais, et cette contradiction est bien soulignée par L. Forestier, l'abandon aux transports de cet amour qui dépossède va de pair avec le souci de tout voir, de détailler le plaisir, de posséder par des sens particulièrement éveillés. Là réside la fameuse sensualité dont Maupassant imprègne nombre de ses récits. On peut aller plus loin : il s'agit de maîtriser, de canaliser la force du désir en lui donnant des objets tangibles, en lui offrant en pâture des parties du corps ou de ses ornements fétichisées. Si dans d'autres postulations de l'œuvre, Maupassant fait de tel ou tel de ses personnages tantôt un solitaire – la solitude comme refus radical du désir –, tantôt une sorte de saint qui oblitère ou sublime la pulsion désirante dans l'ouverture aux autres, tantôt un artiste, adepte de la plus haute des sublimations, il chante dans ses histoires d'amour la fête des sens et la joie du plaisir sexuel. Un plaisir sans autre fin que lui-même, un plaisir naturel qui peut se retourner contre les êtres, et qu'il faut défendre.

La meilleure façon consiste à déjouer la nature en refusant la procréation, en évitant ce sinistre revers de l'épanchement dionysiaque : la reproduction.

La femme maupassantienne

On prendra comme exemples les héroïnes de *Une vie* (Pocket Classiques, n° 6026) et des nouvelles rassemblées dans *Une partie de campagne et autres histoires d'amour* (Pocket Classiques, n° 6185), ou des textes évoqués ci-dessous.

Dans un article publié dans *Le Gaulois* le 30 décembre 1880, Maupassant expose la théorie de Schopenhauer auteur d'un *Essai sur les femmes* et ajoute ceci :

« C'est [au Moyen Âge] que [la femme] a compris sa vraie force, exercé ses véritables facultés, cultivé son vrai domaine : l'Amour ! L'homme avait l'intelligence et la vigueur brutale ; elle a fait de l'homme son esclave, sa chose, son jouet. Elle s'est faite l'inspiratrice de ses actions, l'espoir de son cœur, l'idéal toujours présent de son rêve.

L'amour, cette fonction bestiale de la bête, ce piège de la nature, est devenu entre ses mains une arme de domination terrible : tout son génie particulier s'est exercé à faire de ce que les Anciens considéraient comme une chose insignifiante la plus belle, la plus noble, la plus désirable récompense accordée à l'effort de l'homme. Maîtresse de nos cœurs, elle a été maîtresse de nos corps. »

De cette misogynie il ne faudrait pas induire un acharnement de Maupassant à peindre en noir les femmes. La mise en scène de l'instinct amoureux en passe par le grand nombre de personnages féminins dont se peuplent les récits de Maupassant. On pourrait détailler la géographie de ce continent femelle, et l'on constaterait que Maupassant brosse au contraire un tableau tout en contrastes et nuances. Il varie les âges, de la jeune fille à la vieillarde, les conditions, de la paysanne à la femme du monde, les portraits, les tempéraments et même les ethnies.

Voyons d'abord ce qu'il en est de la jeune fille. De l'Henriette Dufour d'*Une Partie de campagne* à l'Élisabeth de *Notre Cœur* (1890, n° 6203), Maupassant nous en offre toute une galerie, où l'on remarque notamment Louise dans « Le Père » ou bien les personnages qui restent en marge de la société établie, comme l'héroïne éponyme de « Mouche ». Henriette se donne comme le type de la jeune fille pudique, toute pétrie d'innocence. Au cours de la promenade en canot, elle sent « un besoin vague de jouissance, une fermentation du sang » qui « parcourent sa chair excitée par les ardeurs du jour ». Troublée par la nature et la proximité du jeune homme, elle se transforme en femme, chez qui les rêves sentimentaux et l'empire du désir se conjuguent pour la conduire inexorablement à la chute. La partie de campagne lui a révélé son corps et sa sensualité. Que lui apportera son mariage ? Le récit ne répond pas.

À ces jeunes filles qui connaissent l'amour avant le mariage s'ajoutent celles qui le découvrent avec leurs noces. Dans les deux cas, elles n'existent vraiment que par l'homme qui les façonne.

Maupassant sait pourtant bien les peindre, ces vierges, comme il le fait de Gilberte dans « La Relique », d'Yvette ou d'Annette (*Fort comme la mort*). Versatile, impénétrable, la jeune fille sera pervertie par l'homme. Tel est l'effet du mariage, mainte fois condamné par Maupassant :

> « Il ne se sentait pas le courage de se condamner à la servitude conjugale, à la mélancolie, à cette odieuse existence de deux êtres qui, toujours ensemble, se connaissent jusqu'à ne plus dire un mot qui ne soit prévu par l'autre, à ne plus avoir une pensée, un désir, un jugement, qui ne soient devinés » (*Duchoux*).

Passons donc à l'épouse promue incarnation de la femme, puisque tel est son devenir quasi fatal. Elle est subordonnée à l'homme, comme le montre Jeanne de Lamare, l'exemplaire héroïne d'*Une vie*, ce modèle d'abnégation. C'est que la femme reçoit une éducation de soumission à la loi masculine et que s'y ajoute une culture du bonheur, définie dans « Vieux Objets » :

> « Sais-tu pourquoi nous sommes malheureuses si souvent, nous autres femmes ? C'est qu'on nous apprend, dans la jeunesse, à trop croire au bonheur ! nous ne sommes jamais élevées dans l'idée de combattre, de lutter, de souffrir. Et au premier choc, notre cœur se brise ; nous attendons, l'âme ouverte, des cascades d'événements heureux. Il n'en arrive que d'à moitié bons ; et nous sanglotons tout de suite. »

Écartons les mariages heureux : le bonheur y est éphémère (« Mme Baptiste »), ou il ne se maintient que grâce à l'adultère (« Un sage » ; « L'Héritage »), à moins que l'union ne perdure malgré celui-ci, le cas le plus fréquent, ce qui implique que l'adultère est à la fois une conséquence du mariage et une condition de son maintien. Souvent chez Maupassant la femme fait un mariage de raison, telle Mme Vasseur dans « Réveil », ce qui se confond souvent avec un mariage d'intérêt. Mais il existe aussi les mariages d'amour, ou plutôt des mariages où l'amour va de pair avec l'intérêt. Ils conduisent pourtant à la désillusion à l'égal des autres, comme le montrent plusieurs exemples. Tantôt le mari craint pour sa santé qu'il juge menacée par la passion excessive que lui voue sa femme et lui procure un amant (« Un sage »), tantôt l'épouse aimante entreprend de séduire le meilleur ami de son mari (« La Bûche »), tantôt elle cède à l'appel de la nature (« Clair de lune »), tantôt l'époux

découvre que celle qu'il a aimée est décidément trop bête
(« Découverte »), tantôt la femme tente de ranimer une flamme
qui vacille et demande à son mari de l'emmener dans un lieu
propice à l'amour et s'en trouve toute troublée, ce qui ne pré-
sage rien de bon pour l'avenir du ménage (« Imprudence »).

Naïveté, ignorance, tout cela intervient, mais surtout une
sorte de prédisposition, ou de détermination à l'infidélité, car à
l'homme polygame correspond la femme polyandre. On ne
compte que quatre femmes fidèles chez Maupassant : Jeanne
Lamare (*Une vie*), l'héroïne des « Caresses » (qui ne prend pas
d'amant par dégoût de l'amour), celle de « Un échec » et
Germaine dans « L'Angélus » (œuvre posthume).

Chez Maupassant, les femmes adultères trompent leur mari
soit pour prendre leur revanche sur sa propre infidélité ou sur
son indignité soit de leur propre fait. Lorraine Gaudefroy-
Demombynes a répertorié les différents cas de figure, et distingue six cas d'infidélité par la faute du mari : la maladie de
l'époux (« Un coq chanta »), sa laideur (« Les Épingles »), sa
bêtise ou sa brutalité (*Pierre et Jean*, 1889, n° 6020 ; « Le Testament »), son infidélité (*La paix du ménage*, pièce posthume),
son incapacité à combler les besoins sentimentaux (*Mont-Oriol*,
1887, n° 6210).

L'infidélité imputable à la femme (mais la responsabilité
masculine n'est-elle pas toujours engagée en raison de l'aliénation féminine ?) procède d'abord de l'amour, l'être féminin
ayant selon Maupassant le droit de plaire. En effet, ces femmes
aliénées n'ont d'autre recours que l'usage de leurs armes : la
séduction et la ruse, voire la rouerie. La femme objet, cet être
fragile, cet esclave du maître mâle, se révèle aussi non seulement velléitaire, capricieuse, infantile (c'est, sinon un scélérat,
du moins Maupassant qui parle), mais aussi et surtout un animal
pervers, prêt à toutes les manœuvres pour satisfaire ses désirs.
Le narrateur du « Verrou » raconte comment il s'est laissé
séduire par une femme du monde. Se retrouvent alors chez
Maupassant bien des images de la femme véhiculées par le
siècle finissant, où la sphinge le dispute au vampire, où la
femme criminelle se rapproche du félin.

La Christiane de *Mont-Oriol* comme Mᵐᵉ Walter dans *Bel-
Ami*, la comtesse de Guilleroy dans *Fort comme la mort* ou
l'héroïne de « L'Ordonnance » ainsi que celle d'« Yvette » sont
des femmes mariées victimes de leur amour coupable. « Une

passion » illustre ce cas de figure. Il n'en reste pas moins que l'amour adultère se pare des vertus de l'amour vrai, au point de pouvoir durer toute une vie, et que Maupassant le célèbre en ces termes dans « Une ruse » :

> « Je suis certain qu'une femme n'est mûre pour l'amour vrai qu'après avoir passé par toutes les promiscuités et tous les dégoûts du mariage, qui n'est qu'un échange de mauvaises humeurs pendant le jour et de mauvaises odeurs pendant la nuit. Une femme ne peut aimer passionnément qu'après avoir été mariée. Si je la pouvais comparer à une maison, je dirais qu'elle n'est habitable que lorsqu'un mari a essuyé les plâtres. »

L'amour n'est pas la seule motivation ou justification de l'adultère. Caprice et désœuvrement s'y emploient aussi (« Le Rendez-vous »), comme la vanité (« Un soir »), la curiosité (« Une aventure parisienne »), la sensualité (« La Bûche » ; « M. Jocaste » ; « L'Assassin » ; « La Chambre 11 » ; Mᵐᵉ de Marelle dans *Bel-Ami*), l'intérêt dont peut profiter le mari (« Décoré » ; « L'Héritage »), mais qui peut être l'apanage de la femme (« Rouerie » ; « Les Bijoux »), la perfidie (« La Confidence » ; « L'Épreuve »), la méchanceté (« Toine » ; « Le Trou » ; « En famille » ; « Le Père Mongilet » ; « Au Printemps »).

En dehors des professionnelles, il faut distinguer un ensemble de personnages féminins, que l'on peut appeler les maîtresses, c'est-à-dire celles qui exercent l'art de plaire et confondent leur existence avec l'amour non officiellement tarifé. Si nous suivons toujours L. Gaudefroy-Demombynes, nous relevons les maîtresses par besoin d'activité, comme Mᵐᵉ Forestier dans *Bel-Ami*, celles qui, à l'instar des femmes mariées, cultivent l'illusion, telle Berthe dans « Aux eaux », satisfont leur intérêt et leur goût luxueux (« L'Héritage » ; « Le Modèle » ; « Rouerie » ; « Les Bijoux » ; « La Baronne » ; « L'Épingle » ; « Le Champ d'oliviers »), assouvissent leur sensualité (« Ça ira » ; « Mouche » ; « Allouma » ; « La Femme de Paul » ; « Une passion » ; « Marocca »), alimentent leur vanité (« Un soir » ; Mᵐᵉ de Burne dans *Notre cœur*, 1890), par besoin de tendresse, de compréhension, de consolation (« Réveil » ; « Le Testament ») et surtout par amour, car ainsi que le déclare Mᵐᵉ de Guilleroy :

> « Je voudrais me sacrifier d'une façon absolue, car il n'y a rien de meilleur, quand on aime, que de donner, de donner

toujours, tout, sa vie, sa pensée, son corps, tout ce qu'on a, et de bien sentir qu'on donne et d'être prête à tout risquer pour donner plus encore. Je vous aime jusqu'à aimer souffrir pour vous » (*Fort comme la mort*).

En écho à de telles déclarations on trouve dans la bouche du personnage féminin de « L'Attente » :

« Il devint mon amant. Comment s'est-il fait ? Est-ce que je le sais ? Croyez-vous qu'il puisse en être autrement quand deux créatures humaines sont poussées l'une vers l'autre par cette force irrésistible de l'amour partagé ? Croyez-vous que l'on puisse toujours résister, toujours lutter, toujours refuser ce que demande avec des prières et des supplications, des larmes, des paroles affolantes, des agenouillements, des emportements de passion, l'homme qu'on adore, qu'on voudrait accabler de toutes les joies possibles, et qu'on désespère, pour obéir à l'honneur du monde ? Quelle force il faudrait, quel renoncement au bonheur, quelle abnégation, et même quel égoïsme d'honnêteté, n'est-il pas vrai ? »

En définitive, il faut citer la préface que Maupassant donna en 1884 à un ouvrage de Paul Ginisty, *L'Amour à trois* :

« La femme, élevée pour plaire, instruite dans cette pensée que l'amour est son domaine, sa faculté et sa seule joie au monde (tels sont en effet les enseignements de la société) ; créée par la nature même faible, changeante, capricieuse, entraînable […] une femme donc se laisse captiver par un homme qui met tous ses soins à l'entraîner […] elle tombe entre ses bras, obéissant à l'invincible amour ; elle commet un acte blâmable, condamnable au point de vue des législations, mais humain, fatal, si fatal que rien n'a jamais pu l'entraver depuis que les règlements de la moralité civile et religieuse le combattent. »

Et d'ajouter :

« Nous voyons heureusement aujourd'hui une phalange de maris philosophes qui, ayant déterminé exactement la situation, les droits et les devoirs de chacun des époux, et respectant les convenances, aiment à leur guise, laissent leur femme vivre à leur aise, tout en surveillant de l'œil ses allures comme ferait le gardien d'une chèvre capricieuse. Cette sagesse n'est-elle pas morale au fond ? »

Le réalisme

Situation de Maupassant

Le réalisme est une notion ambiguë, difficile à définir et compliquée par la revendication de l'école réaliste au milieu du XIXᵉ siècle. Les écrivains qui revendiquent l'appellation au XIXᵉ siècle s'accordent des ancêtres fort divers, d'Homère à Balzac, de Villon à Stendhal, de Rabelais à Diderot. Par ailleurs, l'histoire littéraire rassemble sous ce vocable des auteurs fort différents, comme Flaubert, les Goncourt ou Huysmans.

L'histoire du mot permet de clarifier un peu la notion, qui a un sens philosophique, esthétique et des emplois littéraires.

Dans la philosophie scolastique médiévale, les réalistes sont ceux qui accordent une réalité aux idées. Cette acception n'a donc pas grand-chose à voir avec le réalisme en littérature.

En 1833, le critique d'art Gustave Planche emploie le terme pour désigner un art qui ne procède ni de l'imagination, ni de l'intellect, et se limite à l'observation la plus minutieuse de la réalité. Il s'agit donc d'une imitation de la nature.

Dans la préface de son recueil d'articles *Le Réalisme* (1857), Champfleury écrit :

« Ce fut favorisé par le mouvement de 1848 que le *réalisme* vint se joindre aux diverses religions en *isme*. » Bien que lui préférant l'expression « sincérité de l'art », il adopte le terme, de même que le peintre Courbet qui fait de l'étiquette un drapeau. À partir de ce moment, différentes acceptions vont coexister, se compléter, se confondre ou se combattre.

L'artiste est tourné vers ce qui l'entoure. Il se définit comme un observateur, adepte de l'« art vivant » (catalogue de l'exposition *Le Réalisme*, 1855). L'objectivité n'implique nullement que l'artiste copie le réel : « La reproduction de la nature par l'homme ne sera jamais reproduction ni imitation, mais toujours interprétation » (Champfleury). Le modernisme découle de l'observation : l'artiste est témoin de son temps.

En privilégiant le réel sous tous ses aspects et en revendiquant l'objectivité, l'écrivain réaliste prend du même coup position contre une littérature jugée idéalisante. Le réaliste se veut un révolté.

Contre les impératifs littéraires anciens, les réalistes, refusant les exclusions, non seulement acceptent de traduire par l'art tout aspect de la réalité, mais affirment aussi que tout est beau et donc digne d'écriture, notamment les milieux populaires. Se posera alors la question du style : comment transcrire cette beauté jusqu'alors méprisée sans tomber dans le stéréotype ?

Maupassant est en quelque sorte à la fois dans la continuité du réalisme et dans la mouvance du naturalisme. Familier de Zola, il n'adhère pas véritablement à la doctrine, qui est d'ailleurs plutôt une méthode qu'une pensée. En effet, dans leur rapport obligé à Zola, maître incontesté, les écrivains entendent revendiquer leur indépendance. Ils y sont d'autant plus incités que Zola lui-même ne cherche pas à faire école, et n'érige pas le naturalisme en une rhétorique.

Maupassant est représentatif de ces nouveaux professionnels de la littérature que sont les écrivains des années 1870-1880. Le xixe siècle est le siècle de la professionnalisation de l'écrivain. Amorcée dès Balzac, cette évolution s'accentue avec la démocratisation de l'édition et de la lecture. Le journalisme permet de vivre de sa plume. Le roman devient le genre où l'on peut réussir d'emblée, avant le théâtre, qui tentera aussi les naturalistes. Ces écrivains sont souvent d'origine provinciale et modeste : Zola est provençal, Maupassant normand, Daudet nîmois. Ils occupent des emplois de fonctionnaires dans les ministères (Céard à la Guerre, Maupassant à la Marine, Huysmans à l'Intérieur).

Un autre point commun à tous ces écrivains est la pratique du journalisme, qui les amène à accorder une grande place à l'analyse critique pour des raisons complémentaires à celles que leur dicte la théorie. Pour certains, cette activité constitue un pan entier de leur profession d'écrivain (Maupassant, Zola), et elle influe sur leur style.

Unis par la méthode, les écrivains naturalistes ont aussi en partage le culte du travail. L'écriture de fiction devient non seulement un sacerdoce, mais un travail minutieux, un artisanat exigeant et difficile.

Disciple de Flaubert qui le présente aux grands écrivains (les Goncourt, Zola, Daudet, Tourgueniev), admirateur de Balzac, Maupassant se range sous la bannière de Zola avec *Boule de Suif*, sa contribution aux *Soirées de Médan*. Il s'oriente très vite vers l'observation de l'« humble vérité ». Il insiste sur le choix et la composition pour prôner un réalisme esthétique, fortement teinté de pessimisme, qui procède d'une vision désenchantée du monde, laquelle s'exprime directement dans les chroniques.

Quelques aspects de l'écriture réaliste

L'incipit

Comme le montre Jacques Dubois, pour entretenir l'artifice de la transparence, le texte réaliste doit surcoder son discours. Il le fait dès l'incipit (au sens étroit la première phrase d'un texte ; au sens élargi, ses premières lignes), pour à la fois « mettre la fiction en train et produire les garanties de l'authenticité de son dire, en faisant référence à un hors-texte et en masquant le caractère fictif de son geste initial ».

Le héros

Contre le héros romanesque traditionnel, les réalistes privilégient à partir des années 1850 le personnage principal, fil conducteur. Contrairement à une idée reçue, voire aux théories, le personnage réaliste ne s'explique pas seulement par la combinaison des déterminismes. Il est susceptible de contradictions et d'évolutions. On n'exagérera pas cette tendance à la dissolution, car le personnage conserve une consistance imposée par le contrat de la vraisemblance.

L'intrigue

Alors que le roman balzacien s'organise autour d'une ou plusieurs intrigues fortement charpentées, le réalisme postérieur tend à vouloir s'affranchir de cette contrainte. Le roman réaliste privilégie la vie quotidienne, la tranche de vie.

La description

Elle peut être le fait du narrateur omniscient de type balzacien ou d'un personnage « porte-regard » (Philippe Hamon), qui l'appelle et la justifie. Elle nécessite une mise en scène qui la légitime. Elle sert à maintenir l'illusion référentielle et assume des fonctions narrative, esthétique ou symbolique.

La question du style

Certains auteurs pratiquent la recherche d'une écriture artiste qui parcourt une grande partie de la production naturaliste. À l'inverse, d'autres auteurs revendiquent la simplicité. Ainsi Maupassant déclare-t-il dans la préface de *Pierre et Jean* : « Il n'est point besoin du vocabulaire bizarre, compliqué, nombreux et chinois qu'on nous impose aujourd'hui sous le nom

d'écriture artiste, pour fixer toutes les nuances de la pensée. [...]
Efforçons-nous d'être des stylistes excellents plutôt que des
collectionneurs de termes rares. »

● **PARCOURS CRITIQUE**

« [...] alors que *Boule de Suif* se construisait sur une opposition et une inversion des valeurs qui restaient extérieures les
unes aux autres : les honnêtes gens gredins / la fille publique
digne et patriote, dans *La Maison Tellier*, personne ne condamne
les filles pour immoralité, surtout pas les bourgeois aisés
qu'elles divertissent, ni le paysan normand, pour qui "c'est un
bon métier" » (Yvan Leclerc, article sur *La Maison Tellier*,
Dictionnaire des œuvres littéraires de langue française, Bordas,
1994, tome III, p. 118).

● **UN LIVRE / UN FILM**

Le film le plus intéressant est *Le Plaisir* de Max Ophüls
(voir la filmographie). On consultera l'étude critique de Jean-
Pierre Berthomé, Nathan, collection « Synopsis », 1997.

DOSSIER HISTORIQUE ET LITTÉRAIRE

REPÈRES BIOGRAPHIQUES

1850   Naissance de René, Albert, Guy de Maupassant (5 août) au château de Miromesnil, commune de Tourville-sur-Arques (Seine-Maritime). Ou, plus probablement, rue Sous-le-Bois à Fécamp.

1856   Naissance d'Hervé, son frère, qui mourra fou en 1889.

1859-1869   Études au lycée Napoléon, au collège ecclésiastique d'Yvetot, enfin au lycée de Rouen, sanctionnées par le baccalauréat. Octobre : inscription à la faculté de droit de Paris.

1870-1871   Engagé volontaire dès le début des hostilités, il vit la débâcle, l'invasion, le siège de Paris. Fin 1871, il parvient à payer un remplaçant et retrouve la vie civile.

1872   Entre au ministère de la Marine et des Colonies.

1873-1874   Initiation littéraire (aime Zola, admire Flaubert) ; rencontres, canotage (fascination de l'eau) : la colonie d'Aspergopolis.

1875   Représentation de *À la feuille de Rose, maison turque*, « une pièce *absolument lubrique* ».

1876   Débuts dans les lettres ; publications dans diverses revues, sous le nom de Guy de Valmont.

1877   Songe à un roman (ce sera *Une vie*, publié en 1883). Le 2 mars, écrit à Robert Pinchon, dit La Tôque : « J'ai la vérole ! Enfin ! La vraie ! [...] et j'en suis fier, morbleu, et je méprise par-dessus tout les bourgeois. »
Seconde représentation de *À la feuille de Rose*. Flaubert : « Ah ! c'est rafraîchissant ! » ; E. de Goncourt : « C'est lugubre... »

1878   Lié aux Naturalistes ; passe au ministère de l'Instruction publique. Flaubert : « Il *faut* travailler [...] plus que ça. [...] Trop de putains, trop de canotage, trop d'exercice ! »

1879   Voyages (Bretagne, Jersey) ; travaux littéraires. *Une fille* : poursuivi « pour outrage à la moralité publique et religieuse et aux bonnes mœurs ».

1880   *Les Soirées de Médan* (recueil collectif où figure *Boule de suif*) ; prend un congé (sera rayé des cadres en 1882) ; publication du volume *Des vers* ; mort de Flaubert (8 mai) ; voyage en Corse (septembre-octobre) ; relations féminines (Gisèle d'Estoc, Hermine Lecomte de Noüy) ; violentes migraines, « paralysie de l'accommodation de l'œil droit ».

1881   **La Maison Tellier**. Voyage en Algérie suivi de chroniques où le romancier dénonce le colonialisme français. Collabore désormais à *Gil Blas* sous le pseudonyme de Maufrigneuse. Grâce à Tourgueniev, Maupassant est connu et apprécié en Russie.

1882   *Mademoiselle Fifi*.

1883   Troubles de la vue. Naissance de Georges Litzelmann, sans doute le premier des trois enfants naturels de Maupassant.

Contes de la bécasse; Clair de lune; Une vie (le romancier y songeait depuis 1877).

1884   *Miss Harriet;* **Les Sœurs Rondoli;** *Yvette; Au soleil.* Liaison avec la comtesse Potocka. Installation rue Montchanin.

1885   *Bel-Ami; Contes du jour et de la nuit;* **Toine.** Voyages en Italie et en Sicile.

1886   **Monsieur Parent;** La Petite Roque. Séjours en mer. Phénomènes de dédoublement.

1887   *Mont-Oriol; Le Horla.*

1888-1889   Voyages dans le Midi et en Algérie. *Pierre et Jean* (avec une préface très importante : « Le Roman. ») ; *Fort comme la mort;* **Le Rosier de Mme Husson; La Main gauche.** Mort de son frère dément.

1890   **L'Inutile Beauté;** Notre Cœur. États maniaco-dépressifs.

1891   *Musotte* au théâtre du Gymnase. La dépression s'aggrave. Commence la rédaction de *L'Angélus*, roman qui restera inachevé et sera publié en l'état après sa mort (*Revue de Paris*, 1er avril 1895). Au Dr Cazalis : « C'est la mort imminente et je suis fou. » Réédition de **La Maison Tellier** avec *Les Tombales*.

1892   Tentative de suicide dans la nuit du 1er au 2 janvier, au Chalet de l'Isère. Clinique du Dr Blanche à Passy. Délire. E. de Goncourt : « Maupassant est en train de s'animaliser. »

1893   6 juillet Mort de Guy de Maupassant.

COMPOSITION DU VOLUME

Ce volume rassemble, selon l'ordre chronologique de première publication, des textes (récits, contes et nouvelles) appartenant à différents recueils.

La Maison Tellier et *La Femme de Paul* ont été publiés pour la première fois dans le recueil *La Maison Tellier* (1881).

Le Pain maudit (*Gil Blas*, 29 mai 1883) et *Les Sœurs Rondoli* (*Écho de Paris*, 5 juin 1884) appartiennent au recueil *Les Sœurs Rondoli* (1884).

L'Ami Patience et *L'Armoire* (*Gil Blas*, 4 septembre 1883 et le 6 décembre 1884, sous le nom de Maufrigneuse) font partie du recueil *Toine* (1885).

Yvette (*Le Figaro*, 29 août-9 septembre 1884) appartient au recueil du même titre, publié la même année. Maupassant avait traité à peu près le même thème dans *Yveline Samoris* (*Le Gaulois*, 20 décembre 1882) qui ne sera repris en volume que dans le recueil posthume *Le Père Milon* en 1899.

L'Inconnue (*Gil Blas*, 27 janvier 1885) et *Ça Ira* (*Gil Blas*, 1er novembre 1885) font partie du recueil *Monsieur Parent* (1886), ainsi que *L'Épingle* (*Gil Blas*, 13 août 1885).

L'Odyssée d'une fille (*Gil Blas*, 25 septembre 1883, sous le nom de Maufrigneuse) fut repris tardivement dans *Le Rosier de Mme Husson* en 1888.

Le Port (*Écho de Paris*, 15 novembre 1889) appartient au recueil *La Main gauche* (1889), *Mouche*

(*Écho de Paris*, 7 février 1890) à *L'Inutile Beauté*
(1890).

    Les Tombales (*Gil Blas*, 9 janvier 1891) a été
rajouté en 1891 à la réédition de *La Maison Tellier*.

    L'unité de ce volume est donc thématique : les
héroïnes de ces récits appartiennent toutes à l'univers
marginal des « filles de joie » qui n'a jamais cessé de
fasciner Maupassant. Il y a bien, il est vrai, un
« héros » : l'ami Patience… Mais, tenancier de maison close, il fait partie du même monde.

    Boule de suif et *Mademoiselle Fifi*, qui sont à la fois
des histoires de « filles de joie » et des récits de
guerre, n'ont pas été repris dans ce volume. On les
trouvera dans *Boule de suif et autres récits de guerre*
(Lire et Voir les Classiques, Presses Pocket, n° 6055,
1991) ainsi que *Le Lit 29*.

I. UN THÈME LITTÉRAIRE AU XIXᵉ SIÈCLE : LA PROSTITUÉE

Le thème de la prostituée — sublime courtisane ou vulgaire « fille de noce » — semble avoir obsédé jusqu'à la fascination les écrivains du XIXᵉ siècle. « Biches » de haute volée et « demi-castors »; « lorettes » et « lionnes » du Boulevard; femmes entretenues qui, un temps, croient pouvoir jouer à la bourgeoise; « filles à numéro », blanches et grasses, dans la clôture douillette des « maisons » provinciales ou bêtes à plaisir dans les « taules d'abattage » de la capitale; théâtreuses sans engagement qui aguichent le « monsieur » au promenoir du Moulin-Rouge; servantes séduites ou violées, puis jetées à la rue et qui finissent dans un bordel de Marseille ou, cariées jusqu'aux os, sur un lit d'hôpital; petites ouvrières qui ont perdu leur vertu dans les guinguettes du bord de l'eau et leurs illusions entre les bras d'un marlou; « filles en carte » arpentant les trottoirs de la ville; « insoumises » ou « clandestines » guettées par la police et terrifiées par les hauts murs de Saint-Lazare; « occasionnelles » qui utilisent leur corps pour arrondir des fins de mois difficiles; filles d'estaminet et de brasserie; pierreuses des « fortifs »...

Elles ont nom Nana ou Satin, Elisa ou Marthe, Lucie Pellegrin ou les sœurs Vatard, Boule de suif ou la Reine Pomaré, ou bien encore Irma (celle qui, solitaire, pourrit toute vive dans les draps sales du « Lit 29 » et celle qui, vieillie mais triomphante, règne en souveraine sur le Château d'Anglars). Sans oublier « Sanzia-Florinda-Conception de Turre-Cremata, duchesse d'Arcos de Sierra-Leone » devenue « fille à cent sous » pour assouvir son impitoyable vengeance...

« La fille » est partout. Simple comparse ou héroïne à part entière, elle a envahi le roman. Au moment de publier La fille Élisa *(1877),* Edmond de Goncourt *dresse ce constat :*

Les romans à l'heure présente sont remplis des faits et gestes de la prostitution *clandestine*, graciés et pardonnés dans une prose galante et parfois polissonne. Il n'est question, dans les volumes florissant aux étalages, que des amours vénales de dames aux camélias, de lorettes, de filles d'amour en contravention et en rupture de ban avec la police des mœurs.

En 1882 encore, lors de la parution de Mademoiselle Fifi, *Francisque Sarcey renchérit :* « Ce n'est plus même la courtisane que nos romanciers se plaisent à dépeindre ; ils marquent je ne sais quel goût étrange pour la prostituée, la femme en carte ou en maison. » *Et de conseiller, bonne âme, à Maupassant,* « de porter sur d'autres objets son goût d'observation et son talent de style[1] »

1. « La loi sur les écrits pornographiques », XIXᵉ siècle, 4 juillet 1882.

● La prostituée, sujet littéraire

Quinze jours plus tard, Maupassant opposait à ces conseils patelins une fin de non-recevoir dûment argumentée :

« [...] M. Francisque Sarcey s'irrite et s'étonne que la courtisane et la fille depuis une quarantaine d'années aient envahi notre littérature, se soient emparées du roman et du théâtre.

Je pourrais répondre en citant *Manon Lescaut* et toute la littérature pimentée de la fin du dernier siècle. Mais les citations ne sont jamais concluantes.

La vraie raison n'est pas celle-ci : les lettres sont entraînées maintenant vers l'observation précise ; or la femme a dans la vie deux fonctions, l'amour et la maternité. Les romanciers, peut-être à tort, ont toujours estimé la première de ces fonctions plus intéressante pour les lecteurs que la seconde, et ils ont d'abord observé la femme dans l'exercice professionnel de ce pour quoi elle semblait née.

De tous les sujets, l'amour est celui qui touche le plus le public. C'est de la femme d'amour qu'on s'est surtout occupé.

Et puis, il existe chez l'homme de profondes différences d'intelligence créées par l'instruction, le milieu, etc. ; il n'en est pas de même chez la femme ; son rôle humain est restreint ; ses facultés demeurent limitées ; du haut en bas de l'échelle sociale, elle reste la même. Des filles épousées deviennent en peu de temps de remarquables femmes du monde, elles s'adaptent au milieu où elles se trouvent. Un proverbe dit qu'on a vu des rois épouser des bergères. Nous coudoyons chaque jour des bergères, et même moins, qui sont devenues des dames et qui tiennent leur rang tout comme d'autres.

Chez les femmes, il n'est point de classes. Elles ne sont quelque chose dans la société que par ceux qui les épousent ou qui les patronnent. En les prenant pour compagnes, légitimes ou non, les hommes sont-ils donc toujours si scrupuleux sur leur provenance ? Faut-il l'être davantage en les prenant pour sujets littéraires ? [...] »

« Les bas-fonds », *Le Gaulois*, 28 juillet 1882.

• « LA FILLE », EMBLÈME DE LA MODERNITÉ

De cette fascination des écrivains du XIXᵉ siècle pour « La fille », fascination où se conjuguent l'attirance et la répulsion, les détours du fantasme et l'alibi de la curiosité scientifique, nous proposons ici un florilège.

Tout d'abord, cette somptueuse galerie de portraits où Baudelaire fait de « la fille » — si ondoyants et divers que puissent être ses avatars — l'emblème majeur de la « modernité » :

« Émergeant d'un monde inférieur, fières d'apparaître enfin au soleil de la rampe, des filles de petits théâtres, minces, fragiles, adolescentes encore, secouent sur leurs formes virginales et maladives des travestissements absurdes, qui ne sont d'aucun temps et qui font leur joie.

A la porte d'un café, s'appuyant aux vitres illuminées par-devant et par-derrière, s'étale un de ces imbéciles dont l'élégance est faite par son tailleur et la tête par son coiffeur. A côté de lui, les pieds soutenus par l'indispensable tabouret, est assise sa maîtresse, grande drôlesse à qui il ne manque presque rien (ce presque rien, c'est presque tout, c'est la distinction) pour ressembler à une grande dame. Comme son joli compagnon, elle a tout l'orifice de sa petite bouche occupé par un cigare disproportionné. Ces deux êtres ne pensent pas. Est-il bien sûr même qu'ils regardent ? à moins que, Narcisses de l'imbécillité, ils ne contemplent la foule comme un fleuve qui leur rend leur image. En réalité, ils existent bien plutôt pour le plaisir de l'observateur que pour leur plaisir propre.

Voici, maintenant, ouvrant leurs galeries pleines de lumière et de mouvement, ces Valentinos, ces Casinos, ces Prados (autrefois des Tivolis, des Idalies, des Folies, des Paphos), ces capharnaüms où l'exubérance de la jeunesse fainéante se donne carrière. Des femmes qui ont exagéré la mode jusqu'à en altérer la grâce et en détruire l'intention, balayent fastueusement les parquets avec la queue de leurs robes et la pointe de leurs châles ; elles vont, elles viennent, passent et repassent, ouvrant un œil étonné comme celui des animaux, ayant l'air de ne rien voir, mais examinant tout.

Sur un fond d'une lumière infernale ou sur un fond d'aurore boréale, rouge, orangé, sulfureux, rose (le rose révélant une idée d'extase dans la frivolité), quelquefois violet (couleur affectionnée des chanoinesses, braise qui s'éteint derrière un rideau d'azur), sur ces fonds magiques, imitant diversement les feux de Bengale, s'enlève l'image variée de la beauté interlope. Ici majestueuse, là légère, tantôt svelte, grêle même, tantôt cyclopéenne ; tantôt petite et pétillante, tantôt lourde et monumentale. Elle a inventé une élégance provoquante et barbare, ou bien elle vise, avec plus ou moins de bonheur, à la simplicité usitée dans un meilleur monde. Elle s'avance, glisse, danse, roule avec son poids de jupons brodés qui lui sert à la fois de piédestal et de balancier ; elle darde son regard sous son chapeau, comme un portrait dans son cadre. Elle représente bien la sauvagerie dans la civilisation. Elle a sa beauté qui lui vient du Mal, toujours dénuée de spiritualité, mais quelquefois teintée d'une fatigue qui joue la mélancolie. Elle porte le regard à l'horizon, comme la bête de proie ; même égarement, même distraction indolente, et aussi, parfois, même fixité d'attention. Type de bohème errant sur les confins d'une société régulière, la trivialité de sa vie, qui est une vie de ruse et de combat, se fait fatalement jour à travers son enveloppe d'apparat. On peut lui appliquer justement ces paroles du maître inimitable, de La Bruyère : « Il y a dans quelques femmes une grandeur artificielle attachée au mouvement des yeux, à un air de tête, aux façons de marcher, et qui ne va pas plus loin. »

[...]

« Dans cette galerie immense de la vie de Londres et de la vie de Paris, nous rencontrons les différents types de la femme errante, de la femme révoltée à tous les étages : d'abord la femme galante, dans sa première fleur, visant aux airs patriciens, fière à la fois de sa jeunesse et de son luxe, où elle met tout son génie et toute son âme, retroussant délicatement avec deux doigts un large pan du satin, de la soie ou du velours qui flotte autour d'elle, et posant en avant son pied pointu dont la chaussure trop ornée suffirait à la dénoncer, à défaut de l'emphase un peu vive de toute sa toilette ; en suivant l'échelle, nous descendons jusqu'à ces esclaves qui sont confinées dans ces bouges, souvent décorés comme des cafés ; malheureuses placées sous la plus avare tutelle, et qui ne possèdent rien en propre, pas même l'excentrique parure qui sert de condiment à leur beauté.

Parmi celles-là, les unes, exemples d'une fatuité innocente et monstrueuse, portent dans leurs têtes et dans leurs regards, audacieusement levés, le bonheur évident d'exister (en vérité pourquoi?). Parfois elles trouvent, sans les chercher, des poses d'une audace et d'une noblesse qui enchanteraient le statuaire le plus délicat, si le statuaire moderne avait le courage et l'esprit de ramasser la noblesse partout, même dans la fange; d'autres fois elles se montrent prostrées dans des attitudes désespérées d'ennui, dans des indolences d'estaminet, d'un cynisme masculin, fumant des cigarettes pour tuer le temps, avec la résignation du fatalisme oriental; étalées, vautrées sur des canapés, la jupe arrondie par-derrière et par-devant en un double éventail, ou accrochées en équilibre sur des tabourets et des chaises; lourdes, mornes, stupides, extravagantes, avec des yeux vernis par l'eau-de-vie et des fronts bombés par l'entêtement. Nous sommes descendus jusqu'au dernier degré de la spirale, jusqu'à la *fœmina simplex* du satirique latin. Tantôt nous voyons se dessiner, sur le fond d'une atmosphère où l'alcool et le tabac ont mêlé leurs vapeurs, la maigreur enflammée de la phtisie ou les rondeurs de l'adiposité, cette hideuse santé de la fainéantise. Dans un chaos brumeux et doré, non soupçonné par les chastetés indigentes, s'agitent et se convulsent des nymphes macabres et des poupées vivantes dont l'œil enfantin laisse échapper une clarté sinistre; cependant que derrière un comptoir chargé de bouteilles de liqueurs se prélasse une grosse mégère dont la tête, serrée dans un sale foulard qui dessine sur le mur l'ombre de ses pointes sataniques, fait penser que tout ce qui est voué au Mal est condamné à porter des cornes.

En vérité, ce n'est pas plus pour complaire au lecteur que pour le scandaliser que j'ai étalé devant ses yeux de pareilles images; dans l'un ou l'autre cas, c'eût été lui manquer de respect. Ce qui les rend précieuses et les consacre, c'est les innombrables pensées qu'elles font naître, généralement sévères et noires. Mais si, par hasard, quelqu'un malavisé cherchait, dans ces compositions de M. G...[1], disséminées un peu partout, l'occasion de satisfaire une malsaine curiosité, je le préviens charitablement

1. Le dessinateur Constantin Guys.

qu'il n'y trouvera rien de ce qui peut exciter une imagination malade. Il ne rencontrera rien que le vice inévitable, c'est-à-dire le regard du démon embusqué dans les ténèbres, ou l'épaule de Messaline miroitant sous le gaz ; rien que l'art pur, c'est-à-dire la beauté particulière du mal, le beau dans l'horrible. Et même, pour le redire en passant, la sensation générale qui émane de tout ce capharnaüm contient plus de tristesse que de drôlerie. Ce qui fait la beauté particulière de ces images, c'est leur fécondité morale. Elles sont grosses de suggestions, mais de suggestions cruelles, âpres, que ma plume, bien qu'accoutumée à lutter contre les représentations plastiques, n'a peut-être traduites qu'insuffisamment. »

C. Baudelaire, *Le Peintre de la vie moderne*, 1863.

II. L'ÉCHELLE DE VÉNUS

● Des courtisanes...

A. Esther ou la belle Juive

« Esther venait de ce berceau du genre humain, la patrie de la beauté : sa mère était juive. Les Juifs, quoique si souvent dégradés par leur contact avec les autres peuples, offrent parmi leurs nombreuses tribus des filons où s'est conservé le type sublime des beautés asiatiques. Quand ils ne sont pas d'une laideur repoussante, ils présentent le magnifique caractère des figures arméniennes. Esther eût remporté le prix au sérail, elle possédait les trente beautés harmonieuses fondues. Loin de porter atteinte au fini des formes, à la fraîcheur de l'enveloppe, son étrange vie lui avait communiqué le je ne sais quoi de la femme : ce n'est plus le tissu lisse et serré des fruits verts, et ce n'est pas encore le ton chaud de la maturité, il y a de la fleur encore. Quelques jours de plus passés dans la dissolution, elle serait arrivée à l'embonpoint. Cette richesse de santé, cette perfection de l'animal chez une créature à qui la volupté tenait lieu de la pensée doit être un fait éminent aux yeux des physiologistes. Par une circonstance rare, pour ne pas dire impossible chez les très jeunes filles, ses mains, d'une incomparable noblesse, étaient molles, transparentes et blanches comme les mains d'une femme en couches de son second enfant. Elle avait exactement le pied et les cheveux si justement célèbres de la duchesse de Berri, des cheveux qu'aucune main de coiffeur ne pouvait tenir, tant ils étaient abondants, et si longs, qu'en tombant à terre ils y formaient des anneaux, car Esther possédait cette moyenne taille qui permet de faire d'une femme une sorte de joujou, de la prendre, quitter, reprendre et porter sans fatigue. Sa peau fine comme du papier de Chine et d'une chaude couleur d'ambre nuancée par des veines rouges, était luisante sans sécheresse, douce sans moiteur. Nerveuse à l'excès, mais délicate en apparence, Esther attirait soudain l'attention par un trait remarquable dans les figures que le dessin de Raphaël a le plus artistement coupées, car Raphaël est le peintre qui a le plus étudié, le mieux rendu la beauté juive.

Ce trait merveilleux était produit par la profondeur de l'arcade sous laquelle l'œil roulait comme dégagé de son cadre, et dont la courbe ressemblait par sa netteté à l'arête d'une voûte. Quand la jeunesse revêt de ses teintes pures et diaphanes ce bel arc, surmonté de sourcils à racines perdues ; quand la lumière, en se glissant dans le sillon circulaire de dessous, y reste d'un rose clair, il y a là des trésors de tendresse à contenter un amant, des beautés à désespérer la peinture. C'est le dernier effort de la nature que ces plis lumineux où l'ombre prend des teintes dorées, que ce tissu qui a la consistance d'un nerf et la flexibilité de la plus délicate membrane. L'œil au repos est là-dedans comme un œuf miraculeux dans un nid de brins de soie. Mais plus tard cette merveille devient une horrible mélancolie, quand les passions ont charbonné ces contours si déliés, quand les douleurs ont ridé ce réseau de fibrilles. L'origine d'Esther se trahissait dans cette coupe orientale de ses yeux à paupières turques, et dont la couleur était un gris d'ardoise qui contractait, aux lumières, la teinte bleue des ailes noires du corbeau. L'excessive tendresse de son regard pouvait seule en adoucir l'éclat.

[...]

Ce regard n'exerçait point de fascination terrible, il jetait une douce chaleur, il attendrissait sans étonner, et les plus dures volontés se fondaient sous sa flamme. Esther avait vaincu la haine, elle avait étonné les dépravés de Paris, enfin ce regard et la douceur de sa peau suave lui avaient mérité le surnom terrible qui venait de lui faire prendre sa mesure dans la tombe. Tout, chez elle, était en harmonie avec ses caractères de la péri des sables ardents. Elle avait le front ferme et d'un dessin fier. Son nez, comme celui des Arabes, était fin, mince, à narines ovales, bien placées, retroussées sur les bords. Sa bouche rouge et fraîche était une rose qu'aucune flétrissure ne déparait, les orgies n'y avaient point laissé de traces. Le menton, modelé comme si quelque sculpteur amoureux en eût poli le contour, avait la blancheur du lait. Une seule chose à laquelle elle n'avait pu remédier trahissait la courtisane tombée trop bas : ses ongles déchirés qui voulaient du temps pour reprendre une forme élégante, tant ils avaient été déformés par les soins les plus vulgaires du ménage. »

H. de Balzac, *Splendeurs et misères des courtisanes*, 1838-1848.

B. Nana ou « Vénus naissant des flots »

« Elle était nue avec une tranquille audace, certaine de la toute-puissance de sa chair. Une simple gaze l'enveloppait ; ses épaules rondes, sa gorge d'amazone dont les pointes roses se tenaient levées et rigides comme des lances, ses larges hanches qui roulaient dans un balancement voluptueux, ses cuisses de blonde grasse, tout son corps se devinait, se voyait sous le tissu léger, d'une blancheur d'écume. C'était Vénus naissant des flots, n'ayant pour voile que ses cheveux. Et, lorsque Nana levait les bras, on apercevait, aux feux de la rampe, les poils d'or de ses aisselles. Il n'y eut pas d'applaudissements. Personne ne riait plus, les faces des hommes, sérieuses, se tendaient, avec le nez aminci, la bouche irritée et sans salive. Un vent semblait avoir passé, très doux, chargé d'une sourde menace. Tout d'un coup, dans la bonne enfant, la femme se dressait, inquiétante, apportant le coup de folie de son sexe, ouvrant l'inconnu du désir. Nana souriait toujours, mais d'un sourire aigu de mangeuse d'hommes.

[...]

Un murmure grandit comme un soupir qui se gonflait. Quelques mains battirent, toutes jumelles étaient fixées sur Vénus. Peu à peu, Nana avait pris possession du public, et maintenant chaque homme la subissait. Le rut qui montait d'elle, ainsi que d'une bête en folie, s'était épandu toujours davantage, emplissant la salle. A cette heure, ses moindres mouvements soufflaient le désir, elle retournait la chair d'un geste de son petit doigt. Des dos s'arrondissaient, vibrant comme si des archets invisibles se fussent promenés sur les muscles, des nuques montraient des poils follets qui s'envolaient, sous des haleines tièdes et errantes, venues on ne savait de quelle bouche de femme.

[...]

La salle entière vacillait, glissait à un vertige, lasse et excitée, prise de ces désirs ensommeillés de minuit qui balbutient au fond des alcôves. Et Nana, en face de ce public pâmé, de ces quinze cents personnes entassées, noyées dans l'affaissement et le détraquement nerveux d'une fin de spectacle, restait victorieuse avec sa chair de marbre, son sexe assez fort pour détruire tout ce monde et n'en être pas entamé. »

É. Zola, *Nana*, 1880.

C. Marguerite ou la vierge au camélia

« Grande et mince jusqu'à l'exagération, elle possédait au suprême degré l'art de faire disparaître cet oubli de la nature par le simple arrangement des choses qu'elle revêtait. Son cachemire, dont la pointe touchait à terre, laissait échapper de chaque côté les larges volants d'une robe de soie, et l'épais manchon qui cachait ses mains et qu'elle appuyait contre sa poitrine, était entouré de plis si habilement ménagés, que l'œil n'avait rien à redire, si exigeant qu'il fût, au contour des lignes.

La tête, une merveille, était l'objet d'une coquetterie particulière. Elle était toute petite, et sa mère, comme dirait de Musset, semblait l'avoir faite ainsi pour la faire avec soin.

Dans un ovale d'une grâce indescriptible, mettez des yeux noirs surmontés de sourcils d'un arc si pur qu'il semblait peint ; voilez ces yeux de grands cils qui, lorsqu'ils s'abaissaient, jetaient de l'ombre sur la teinte rose des joues ; tracez un nez fin, droit, spirituel, aux narines un peu ouvertes par une aspiration ardente vers la vie sensuelle ; dessinez une bouche régulière, dont les lèvres s'ouvraient gracieusement sur des dents blanches comme du lait ; colorez la peau de ce velouté qui couvre les pêches qu'aucune main n'a touchées, et vous aurez l'ensemble de cette charmante tête.

Les cheveux noirs comme du jais, ondés naturellement ou non, s'ouvraient sur le front en deux larges bandeaux, et se perdaient derrière la tête, en laissant voir un bout des oreilles, auxquelles brillaient deux diamants d'une valeur de quatre à cinq mille francs chacun.

Comment sa vie ardente laissait-elle au visage de Marguerite l'expression virginale, enfantine même qui le caractérisait, c'est ce que nous sommes forcé de constater sans le comprendre.

[...]

Marguerite assistait à toutes les premières représentations et passait toutes ses soirées au spectacle ou au bal. Chaque fois que l'on jouait une pièce nouvelle, on était sûr de l'y voir, avec trois choses qui ne la quittaient jamais, et qui occupaient toujours le devant de sa loge de rez-de-chaussée : sa lorgnette, un sac de bonbons et un bouquet de camélias.

Pendant vingt-cinq jours du mois, les camélias étaient blancs, et pendant cinq ils étaient rouges ; on n'a jamais su la raison de cette variété de couleurs, que je signale sans pouvoir l'expliquer et que les habitués des théâtres où elle allait le plus fréquemment et ses amis avaient remarquée comme moi.

On n'avait jamais vu à Marguerite d'autres fleurs que des camélias. Aussi chez Mme Barjon, sa fleuriste, avait-on fini par la surnommer la Dame aux camélias, et ce surnom lui était resté. »

A. Dumas fils, *La Dame aux camélias*, 1848.

● … AUX FILLES À NUMÉRO :

A. Élisa ou la « Parisienne »

« Parmi ces femelles, la plupart originaires du Bassigny, Élisa apportait dans sa personne la *féminilité* que donne la grande capitale civilisée à la jeune fille élevée, grandie entre ses murs.

Elle avait une élégante tournure, de jolis gestes ; dans le chiffonnage des étoffes légères et volantes habillant son corps, elle mettait de la grâce de Paris.

Ses mains étaient bien faites, ses pieds étaient petits ; la délicatesse pâlement rosée de son teint contrastait avec les vives couleurs des filles de la plantureuse Haute-Marne.

Elle parlait presque comme le monde qui parle bien, écoutait ce qui se disait avec un rire intelligent, se répandait certains jours en une verve gouailleuse d'enfant du pavé parisien, étonnant de son bruit le mauvais lieu de la petite ville.

Mais ce qui distinguait surtout Élisa, lui donnait là, au milieu de la soumission servile des autres femmes, une originalité piquante, c'était l'indépendance altière et séductrice avec laquelle elle exerçait son métier. Sous la brutalité d'une caresse, ou sous l'insolent commandement du verbe, il fallait voir le redressement tout à la fois rageur et aphrodisiaque de l'être vénal, qui *sottisant* et coquettant et mettant le feu aux poudres, avec la dispute de sa bouche et la tentation ondulante de son corps provocateur, arrivait à exiger du désir qui la voulait, des excuses amoureuses, des paroles lui faisant humblement la cour.

Élisa devenait la femme, dont à l'oreille et en rougissant, se parlaient les jeunes gens de la ville, la femme baptisée du nom de la *Parisienne*, la femme désirée entre toutes, la femme convoitée par la vanité des sens provinciaux.

Monsieur et Madame consultaient maintenant Élisa pour leurs affaires. Elle était le secrétaire qu'ils employaient pour écrire à une fille élevée dans un couvent de Paris. Elle prenait la plume pour répondre aux lettres du jour de l'an commençant et se terminant ainsi : « Chers parents, qu'il me soit permis, au commencement de cette année, de vous exprimer ma reconnaissance pour la sollicitude continuelle dont vous m'entourez et les sacrifices que vous ne cessez de faire… Chers parents, soyez heureux autant que vous le méritez et rien ne manquera à votre bonheur et à ma félicité ! »

Divine, qui, depuis quelques années, exerçait dans l'intérieur la petite tyrannie despotique d'une femme malade, dépitée de tomber au second plan, quittait la maison. Et devant la considération témoignée par Madame à Élisa, ses compagnes descendaient naturellement à se faire ses domestiques.

Au moment du départ de Divine, un événement fortuit grandissait encore la position de la Parisienne. Elle avait la fortune de faire naître un coup de cœur chez le fils du maire de l'endroit. De ce jour, affichant à son cou, dans un grand médaillon d'or, l'image photographiée du fils de l'autorité municipale, Élisa conquérait dans l'établissement le caractère officiel de la maîtresse déclarée d'un héritier présomptif. Elle pouvait s'affranchir des corvées de l'amour ; son linge était changé tous les jours. Au lieu de la soupe que l'on mangeait le matin, elle prenait, ainsi que Madame, une tasse de chocolat. Au dîner elle buvait du vin de Bordeaux, du vin du fils de la maison pour sa maladie. »

Edmond de Goncourt : *La Fille Élisa*, 1877.

B. Marie Coup-de-Sabre, Glaé, Augustine et les autres...

« Marie *Coup-de-Sabre*, une corpulente brune, légèrement moustachue, devait son surnom à une estafilade
qu'elle avait reçue dans une rixe. Séduite dans son pays par
un dragon, elle l'avait suivi à l'état vaguant de ces femmes,
qui s'attachent à un régiment, et campent à la belle étoile
autour de la caserne, nourries, la plupart du temps, d'un
morceau de pain de munition apporté sous la capote. Plus
tard elle avait vécu et vécu seulement dans des maisons de
villes de garnison. Marie *Coup-de-Sabre* représentait le
type parfait de la fille à soldat. Pour elle les bourgeois, les
pékins étaient comme s'ils n'existaient pas. Il n'y avait
d'hommes, à ses yeux, que les hommes en uniforme.
Toutefois, pleine d'un certain dédain pour le fantassin, et
mettant son orgueil à ne pas frayer avec l'infanterie, il lui
semblait déroger en acceptant le *mêlé* d'un *troubade*. La
tête, le sens de Marie *Coup-de-Sabre* ne se montaient
qu'en l'honneur de la cavalerie. Seuls, les hommes à
casques et à lattes lui apparaissaient, comme l'aristocratie
guerrière, uniquement digne de ses faveurs et de ses
complaisances.

[...]

Glaé, par abréviation d'Aglaé, la femme au bras tatoué,
aux beaux yeux, était une faubourienne de Paris. Elle avait
commencé, disait-elle, par *faire Pygmalion*.
— Tu étais employée dans les magasins?...
— Non, je me promenais devant, et j'avais tout à côté
une chambre que je louais cinq francs, de six heures à
minuit.
Glaé racontait alors qu'elle avait habité ensuite la rue des
Moulins, puis le quartier Latin, mais qu'à tous moments,
pour des riens, pour des bêtises, *soufflée* par les agents de
police et mise à l'ombre, elle avait renoncé à sa liberté.
Glaé apparaissait comme l'intelligence et la gaieté de
l'endroit, avec une élégance, dans le corps, d'ancienne
danseuse de bal public.
Augustine venait aussi du quartier Latin. Elle avait fait
successivement la *Botte-de-Foin*, les *Quatre-Vents*, la bar-

rière du Maine. Cette petite femme, on l'aurait crue enragée. Du matin au soir, il sortait d'elle un dégoisement de sottises, un vomissement d'injures, un engueulement enroué, qui avait quelque chose du jappement cassé de ces molosses assourdissants que promènent, dans leurs voitures, les garçons bouchers. Du reste Augustine avait le physique d'un dogue, une figure courte et ramassée, de petits yeux bridés, des pommettes saillantes, un nez écrasé, des dents que la lime avait séparées et qui ressemblaient à des crocs. Augustine tenait l'emploi d'orateur poissard de la maison.

Madame, qui manquait de platine, la mettait en avant, dans de certaines occasions, pour abrutir les payes récalcitrantes. Augustine inspirait un mélange d'admiration et de crainte aux autres femmes, qui la laissaient jouir, sans conteste, d'immunités particulières. On l'appelait : *Raide-Haleine*.

Peurette, — personne n'avait jamais su si c'était un surnom ou son vrai nom, — une toute jeune fille, presque une fillette. Elle avait un minois grignotant de souris, de petits yeux noirs effarouchés, et continûment dans le corps le remuement qu'aurait pu y mettre un cent de puces. *Peurette* ne voyait dans son métier que cela : la possibilité de se faire payer des consommations. Rien n'était plus drôle que de la voir au café, avec les coups de coude solliciteurs, la voix chuchotante des enfants, qui mendient tout bas quelque chose, implorer de l'homme, auprès duquel elle était assise, un café, une grenadine, une bière, des marrons, n'importe quoi se mangeant ou se buvant. Et aussitôt la chose *carottée* et avalée, de passer à une autre, avec la convoitise entêtée d'un désir de gamine. Rien ne pouvait assouvir cette soif et cette capacité de consommation ; on eût pu lui offrir dans une nuit tout le liquide du comptoir qu'elle n'eût jamais dit : Assez.

Peurette n'avait pas non plus sa pareille pour faire disparaître, dans l'entre-deux de ses seins, tous les petits paquets de tabac traînant sur les tables.

Gobe-la-lune! — Le surnom de cette prostituée d'un certain âge qui n'avait pas de nom, proclamait sa faiblesse d'esprit. L'exploitation à tout jamais consentie de son corps par une autre dénote, chez une femme, une absence de défense dans la bataille des intérêts. La femme qui a un peu de *vice* s'émancipe, tôt ou tard, de la tutelle d'une maîtresse de maison, et travaille pour son compte. La femme qui ne sait pas sortir du lupanar est toujours un être inintelligent. Les médecins, qui ont la pratique de ces femmes, vous peignent l'interrogation stupide de leurs yeux étonnés, de leurs bouches entr'ouvertes, à la moindre parole qui les sort du cercle étroit de leurs pensées. Ils vous les montrent vivant dans un nombre si restreint de sentiments et de notions des choses, que leur état intellectuel avoisine presque le degré inférieur, qui fait appeler un être humain : un innocent. Eh bien, parmi les basses intelligences de la maison, *Gobe-la-lune* était encore une intelligence au-dessous des autres.

On pouvait se demander si elle avait un cerveau ayant le poids voulu, pour qu'il s'y fît la distinction du bien et du mal, si elle avait une conscience où pouvait se fabriquer un reproche ou un remords, si enfin l'espèce d'idiote, toujours souriante qu'elle était, même au milieu des mauvais traitements, était responsable de sa vie.

Cette infériorité faisait, de *Gobe-la-lune*, le souffre-douleur, le martyr de l'endroit. Les femmes, non contentes des féroces mystifications qu'elles lui faisaient subir toute la journée, se donnaient le mot pour la livrer, — histoire de rire, — aux ivresses les plus mauvaises, aux amours les plus inclémentes. »

                                                              Ibid.

III. SPLENDEUR ET MISÈRE

A. Madame d'Anglars

« — Vous ne savez pas, il paraît que la propriétaire du château de Chamont est une ancienne du temps de Napoléon... Oh ! une noceuse, m'a dit Joseph qui le tient des domestiques de l'évêché, une noceuse comme il n'y en a plus. Maintenant, elle est dans les curés.

— Elle s'appelle ? demanda Lucy.

— Madame d'Anglars.

— Irma d'Anglars, je l'ai connue ! cria Gaga.

Ce fut, le long des voitures, une suite d'exclamations, emportées dans le trot plus vif des chevaux. Des têtes s'allongeaient pour voir Gaga ; Maria Blond et Tatan Néné se tournèrent, à genoux sur la banquette, les poings dans la capote renversée ; et des questions se croisaient, avec des mots méchants, que tempérait une sourde admiration. Gaga l'avait connue, ça les frappait toutes de respect pour ce passé lointain.

— Par exemple, j'étais jeune, reprit Gaga. N'importe, je me souviens, je la voyais passer... On la disait dégoûtante chez elle. Mais, dans sa voiture, elle vous avait un chic ! Et des histoires épatantes, des saletés et des roublardises à crever... Ça ne m'étonne pas, si elle a un château. Elle vous nettoyait un homme, rien qu'à souffler dessus... Ah ! Irma d'Anglars vit encore ! Eh bien, mes petites chattes, elle doit aller dans les quatre-vingt-dix ans.

[...]

« — Fichtre ! Irma se met bien ! dit Gaga en s'arrêtant devant une grille, dans l'angle du parc, sur la route.

Tous, silencieusement, regardèrent le fourré énorme qui
bouchait la grille. Puis, dans le petit chemin, ils suivirent la
muraille du parc, levant les yeux pour admirer les arbres,
dont les branches hautes débordaient en une voûte épaisse
de verdure. Au bout de trois minutes, ils se trouvèrent
devant une nouvelle grille ; celle-là laissait voir une large
pelouse où deux chênes séculaires faisaient des nappes
d'ombre ; et, trois minutes plus loin, une autre grille encore
déroula devant eux une avenue immense, un couloir de
ténèbres, au fond duquel le soleil mettait la tache vive d'une
étoile. Un étonnement, d'abord silencieux, leur tirait peu à
peu des exclamations. Ils avaient bien essayé de blaguer,
avec une pointe d'envie ; mais, décidément, ça les empoi-
gnait. Quelle force, cette Irma ! C'est ça qui donnait une
crâne idée de la femme !

« Brusquement, au dernier détour, comme on débou-
chait sur la place du village, la muraille cessa, le château
parut, au fond d'une cour d'honneur. Tous s'arrêtèrent,
saisis par la grandeur hautaine des larges perrons, des vingt
fenêtres de façade, du développement des trois ailes dont
les briques s'encadraient dans des cordons de pierre.
Henri IV avait habité ce château historique, où l'on conser-
vait sa chambre, avec le grand lit tendu de velours de
Gênes. Nana, suffoquée, eut un petit soupir d'enfant.

— Cré nom ! murmura-t-elle très bas, pour elle-même.

Mais il y eut une forte émotion. Gaga, tout à coup, dit
que c'était elle, Irma en personne, qui se tenait là-bas,
devant l'église. Elle la reconnaissait bien ; toujours droite,
la mâtine, malgré son âge, et toujours ses yeux quand elle
prenait son air. On sortait des vêpres. Madame, un instant,
resta sous le porche. Elle était en soie feuille-morte, très
simple et très grande, avec la face vénérable d'une vieille
marquise, échappée aux horreurs de la Révolution. Dans sa
main droite un gros paroissien luisait au soleil. Et, lentement, elle traversa la place, suivie d'un laquais en livrée,
qui marchait à quinze pas. L'église se vidait, tous les gens
de Chamont la saluaient profondément ; un vieillard lui
baisa la main, une femme voulut se mettre à genoux. C'était
une reine puissante, comblée d'ans et d'honneurs. Elle
monta le perron, elle disparut.

— Voilà où l'on arrive, quand on a de l'ordre, dit
Mignon d'un air convaincu, en regardant ses fils comme
pour leur donner une leçon.

Alors, chacun dit son mot. Labordette la trouvait prodi-

gieusement conservée. Maria Blond lâcha une ordure,
tandis que Lucy se fâchait, déclarant qu'il fallait honorer la
vieillesse. Toutes, en somme, convinrent qu'elle était
inouïe. On remonta en voiture. De Chamont à la Mignotte
Nana demeura silencieuse. Elle s'était retournée deux fois
pour jeter un regard sur le château. Bercée par le bruit des
roues, elle ne sentait plus Steiner à son côté, elle ne voyait
plus Georges devant elle. Une vision se levait du crépuscule, madame passait toujours, avec sa majesté de reine
puissante, comblée d'ans et d'honneurs. »

E. Zola, Nana, 1880.

B. La reine Pomaré

« Nana, dans son luxe, dans sa royauté de femme obéie, avait conservé une épouvante de la police, n'aimant pas à en entendre parler, pas plus que de la mort. Elle éprouvait un malaise, quand un sergent de ville levait les yeux sur son hôtel. On ne savait jamais avec ces gens-là. Ils pourraient très bien les prendre pour des filles, s'ils les entendaient rire, à cette heure de nuit. Satin s'était serrée contre Nana, dans un petit frisson. Pourtant, elles restèrent intéressées par l'approche d'une lanterne, dansante au milieu des flaques de la chaussée. C'était une vieille chiffonnière, qui fouillait les ruisseaux. Satin la reconnut.

— Tiens, dit-elle, la reine Pomaré avec son cachemire d'osier !

Et, tandis qu'un coup de vent leur fouettait à la face une poussière d'eau, elle racontait à sa chérie l'histoire de la reine Pomaré. Oh ! une fille superbe autrefois, qui occupait tout Paris de sa beauté ; et un chien, et un toupet, les hommes conduits comme des bêtes, de grands personnages pleurant dans son escalier ! A présent, elle se soûlait, les femmes du quartier, pour rire un peu, lui faisaient boire de l'absinthe ; puis, sur les trottoirs, les galopins la poursuivaient à coups de pierre. Enfin, une vraie dégringolade, une reine tombée dans la crotte ! Nana écoutait, toute froide.

— Tu vas voir, ajouta Satin.

Elle siffla comme un homme. La chiffonnière, qui se trouvait sous sa fenêtre, leva la tête et se montra, à la lueur jaune de sa lanterne. C'était, dans ce paquet de haillons, sous un foulard en loques, une face bleuie, couturée, avec le trou édenté de la bouche et les meurtrissures enflammées des yeux. Et, Nana, devant cette vieillesse affreuse de fille noyée dans le vin, eut un brusque souvenir, vit passer au fond des ténèbres la vision de Chamont, cette Irma d'Anglars, cette ancienne roulure comblée d'ans et d'honneurs, montant le perron de son château au milieu d'un village prosterné. Alors, comme Satin sifflait encore, riant de la vieille qui ne la voyait pas :

— Finis donc, les sergents de ville ! murmura-t-elle d'une voix changée. Rentrons vite, mon chat. »

E. Zola : *Nana*, 1880.

IV. MAISONS CLOSES

A. En province

« Au dehors, aucun bruit, la paix d'un quartier mort, le silence d'une rue où l'on ne passe plus, la nuit tombée. Au dedans, l'atmosphère tiède d'un poêle chauffé à blanc, où l'humidité chaude de linge, séchant sur les meubles, se mêlait à l'odeur fade de châtaignes bouillant dans le vin sucré. Une chatte pleine mettant un rampement noir sur un tapis usé. Des femmes à moitié endormies dans des poses de torpeur, sur les deux canapés. Monsieur, avec son épaisse barbiche aux poils tors et gris, dans son gilet aux manches de futaine, une petite casquette à la visière imperceptible enfoncée sur sa tête jusqu'aux oreilles, les mains plongées dans les goussets de son pantalon, les pouces en dehors, regardant bonifacement de ses gros yeux, sillonnés de veines variqueuses, les illustrations d'un volume des *Crimes célèbres*, que lisait le fils de la maison. Le fils de la maison, un joli jeune homme pâle, aux pantoufles en tapisserie, sur lesquelles était brodée une carte représentant un neuf de cœur, un joli jeune homme pâle, si pâle que papa et maman l'envoyaient coucher neuf heures sonnantes. Et comme fond du tableau, dans une robe de chambre d'homme à carreaux rouges et noirs, Madame, la grasse et bedonnante Madame, occupée à se rassembler, à se ramasser, repêchant autour d'elle sa graisse débordante, calant, avec un rebord de table, des coulées de chair flasque, Madame, toute la soirée, remontant ses reins avachis une main, cramponnée au dossier de la chaise, avec des *han* gémissants et des « Mon doux Jésus » soupirés par

une voix à la note cristalline et fêlée d'un vieil harmonica,
— pendant que, de loin en loin, la chute sur le parquet
d'une de ses galoches à semelle de bois, faisait un *flac*, qui
était là la plate et mate sonnerie de ces heures repues et
sommeillantes.

Les lieux mêmes, ce faubourg reculé, cette construction
renfrognée, perdaient de leur horreur auprès d'Élisa ; elle
ne les voyait plus avec les yeux, un peu effrayés, du jour de
son arrivée. Le bourgeonnement des arbustes, la verdure
maraîchère sortant de dessous la neige vers la fin des grands
froids, commençaient à rendre aimable cette extrémité de
ville, qui semblait un grand jardin, avec de rares habita-
tions, semées de loin en loin, dans les arbres. La maison,
elle aussi, en dépit de son aspect de vieille fortification,
avait pour ses habitantes une distraction, un charme, une
singularité. Des battements d'ailes et des chants d'oiseaux
l'enveloppaient tout le jour. C'était, cette maison, l'ancien
grenier à sel de la ville. Les murailles, infiltrées et encore
transsudantes de la gabelle emmagasinée pendant des
siècles, disparaissaient, à tout moment, sous le tourbil-
lonnement de centaines d'oisillons donnant un coup de bec
au crépi salé, puis montant dans le ciel à perte de vue, puis
planant une seconde, puis redescendant entourer le noir
bâtiment des circuits rapides de leur joie ailée. Et toujours,
depuis l'aurore jusqu'au crépuscule, le tournoiement de ces
vols qui gazouillaient. La maison était éveillée par une
piaillerie aiguë, disant bonjour au premier rayon de soleil
tombant sur la façade du levant ; la même piaillerie disait
bonsoir au dernier rayon s'en allant de la façade du couchant. Les jours de pluie, de ces chaudes et fondantes pluies
d'été, on entendait de l'intérieur — bruit doux à entendre
— un perpétuel froufrou de plumes battantes contre les
parois, un incessant petit martelage de tous les jeunes becs
picorant, à coups pressés, l'humidité et la larme du mur. »

E. de Goncourt : *La Fille Élisa*, 1877.

« Nous avions quitté les champs et, après avoir, quelque
cent mètres, suivi la barrière du chemin de fer, nous nous
étions engagés dans un dédale de petites ruelles fraîches ;
quelques-unes finissaient en cul-de-sac. Baignées d'ombre
et foisonnantes d'orties, on y sentait peser la vie som-

nolente de la province et, derrière de grands murs, l'haleine mystérieuse de profonds jardins...

A l'extrémité d'une haute muraille, Philibert s'arrêtait. Il tirait un trousseau de clés de sa poche, une serrure criait :
« C'est là, me disait-il, nous sommes chez nous. »

Une petite porte vermoulue secouait en s'ouvrant toute une pluie de roses et, du haut de trois marches, nous embrassions les plants de salades, les carrés de choux, les haricots ramés et les fèves en fleurs d'un jardin potager. Philibert avait refermé la porte :
« De quoi mettre mon bétail au vert ! Nous ne manquons pas de salades. »

Le jardin s'étendait très grand, coupé d'allées droites escortées d'arbres fruitiers. Il y avait des melons sous des châssis et des bordures de persil et de ciboulette. Mêlant l'utile à l'agréable, des œillets raidis sur des tuteurs, des tiges glauques de pavots et des sabres d'iris s'en échappaient ; une petite serre s'adossait contre un mur, des pêchers en espalier s'y étiraient au soleil et des arrosoirs s'attardaient oubliés au milieu des chemins : c'était un vrai domaine :
« Peste ! vous ne vous refusez rien, Philibert, combien de jardiniers ?
— Deux à l'année, mais l'un me sert de garçon de salle. »

Le potager était devenu verger. Sous les floconnements roses des branches enchevêtrées et grises, c'était, criblé d'ombre et de lumière, le charme japonais d'un petit clos normand. Poudrés à frimas, les pommiers tordaient et croisaient dans un visible effort l'alternance de leurs troncs.

Philibert me faisait remarquer leur écorce crevassée de fissures :
« Ce sont des birbes, ils ont la vie tenace. »

Un rideau de fusains terminait le verger. Une pelouse s'étendait, encadrée de massifs de hêtres rouges et de tilleuls argentés. Un jardinier paysagiste avait mêlé les essences et ménagé les perspectives. C'était presque un parc. Une maison blanche à deux étages s'écrasait sous un grand toit, offrant au moins vingt fenêtres de façade, espèce de caserne dépaysée dans ce jardin précieusement planté de mélèzes et de catalpas. Tel un jet d'eau, un gynérium à panaches d'argent s'épanouissait devant la maison.

J'étais abasourdi :
« Mais c'est une féerie ! C'est à vous ce jardin, ce potager, cette maison ?

— Un ancien chapitre de dames nobles. La famille de ma
femme a eu ça pour un morceau de pain à la Révolution.
C'étaient quasi des religieuses, maintenant j'y loge des
vestales. Ça n'a changé qu'à demi de destination, mais
écoutez roucouler mes colombes. Quand l'oiseau chante, le
nid n'est pas loin. »

« L'Aube naît et ta porte est close
Méchante, pourquoi sommeiller?
A l'heure où s'éveille la rose
Ne vas-tu pas te réveiller? »

Une voix un peu grasse s'attardait à des fioritures et
traînait sur les mots.

« Viens, Poupoule, viens!

éclatait une autre voix aiguë. Des rires fusaient, partis d'un
groupe de bouleaux :
« Ça, c'est ce chameau d'Angélina, faisait Philibert qui
s'arrêtait net, elle coupe toujours ses effets à Juliette. »
Nous étions dépistés. Un envol de peignoirs mettait des
taches claires dans la verdure des arbres, des chuchote-
ments couraient, puis des rires réprimés. Philibert me
faisait couper à travers la pelouse et, débusquant à l'impro-
viste dans une petite salle verte de lilas et de noisetiers :
« Eh bien, mesdemoiselles, c'est là l'accueil que l'on fait
au patron? Vous vous conduisez comme des gamines.
Quand je vous amène un monsieur de Paris, un journaliste!
Vous en avez un estomac! Qu'écrira-t-il de vous dans les
feuilles? »
Les cinq femmes s'étaient levées et se bousculaient,
secouées de rires, essayant en vain de garder leur sérieux,
au port d'armes.
« En place, repos, mauvaises graines, et ayant frappé
dans ses mains comme un maître de classe, faites comme
chez vous, mais tâchez d'être convenables. J'ai l'œil sur
vous. »
Et il me présentait ces demoiselles.

[...]

« Et nous sommes au complet! — triomphait Philibert,
— sept brebis au bercail, les sept péchés de M. de Cizen-

court, comme dit M. le curé en chaire. M. de Cizencourt était un vieux noble qui a laissé une renommée assez chaude dans le pays. Rébecca l'a bien connu, elle a toujours réussi dans la haute. T'es tout d'même un peu trop maquillée, ma fille, et toi, as-tu au moins un jupon de flanelle ? »

Et paternel, il retroussait le peignoir de Myrille et s'assurait de ses dessous :

« Faut bien que j'aie l'œil à tout. La petite est délicate. Un vrai père de famille, mais où est la maman ? A-t-on prévenu la bourgeoise ?

— V'la Madame, v'la Madame », s'écriaient ces demoiselles en chœur.

Boitillante de la cheville et de la hanche, une espèce de naine dévalait par la pelouse. Elle roulait plus qu'elle ne courait entre les massifs et tenait relevé contre sa gorge un tablier de cuisine en cotonnade à carreaux bleus et blancs. C'était Mme Philibert : pas laide malgré sa petite taille et la bosse qui tombait entre ses omoplates, de beaux cheveux châtains et soyeux, une petite face souffreteuse aux yeux endoloris, mais surplombée d'un front énorme, qui en ôtait toute proportion.

« Madame Philibert, Madame Philibert ! »

Mme Philibert s'était arrêtée, saisie par la présence d'un étranger :

« Et moi qui vous apportais des pois à écosser — faisait la pauvre femme. — Ah ! Philibert, c'est mal de ne pas m'avoir prévenue ! Ça m'a fait un coup ! Monsieur là au milieu de nous, et moi qui ne suis pas en tenue ! Qu'est-ce que monsieur va penser de moi ?

— Il pensera que tu es une brave ménagère, la bourgeoise modèle, la main à toutes les pâtes et pas en retard... M. Jacques Ménard, mon ami, Véronique, Mme Philibert, ma femme... Monsieur n'est pas à la pose, il est venu nous surprendre en famille. »

J. Lorrain, *La Maison Philibert*, 1904.

B. A Paris

« A la nuit, la maison au gros numéro, morne et sommeillante pendant le jour, s'allumait et flambait, par toutes ses fenêtres, comme une mission enfermant un incendie. Dix lustres, multipliés par vingt glaces plaquées sur les murs rouges, projetaient dans le café, dans le long boyau du rez-de-chaussée, un éclairage brûlant, traversé de lueurs, de reflets, de miroitements électriques et aveuglants, un éclairage tombant, comme une douche de feu, sur les cervelets des buveurs. Au fond, tout au fond de la salle resserrée et profonde et ayant l'infini de ces corridors de lumière d'un grossier palais de féerie, confondues, mêlées, épaulées les unes aux autres, les femmes étaient ramassées, autour d'une table, dans une espèce d'amoncellement pyramidant et croulant. Du monceau de linge blanc et de chair nue, s'avançaient, à toute minute, des doigts fouillant à même dans un paquet de maryland commun, et roulant une cigarette. A une des extrémités, une femme assise de côté, les jambes allongées sur la banquette, et soutenant un peu de l'effort de son dos, l'affaissement du groupe, épuçait une chatte, qui tenait une patte raidie arc-boutée sur un de ses seins, dans un défiant et coquet mouvement animal. Un jupon blanc sur une chemise aux manches courtes était toute la toilette de ces femmes, toilette montrant, dans le décolletage d'un linge de nuit et de lit, leurs bras, la naissance de leurs gorges, — chez quelques-unes l'ombre duveteuse du sinus de leurs épaules. Toutes, au-dessus de deux accroche-cœurs, avaient échafaudé une haute coiffure extravagante, parmi laquelle couraient des feuilles de vigne en papier doré. Plusieurs portaient sur la peau du cou — une élégance du lieu — d'étroites cravates de soie, dont les longs bouts roses ou bleus flottaient dans l'entre-deux des seins. Deux ou trois s'étaient fait des grains de beauté avec des pépins de fruits.

La porte-persienne du café commençait à battre. Les pantalons garance cognant leurs sabres-baïonnettes aux tabourets, les hommes à casques trébuchant dans leurs lattes, prenaient place aux tables. A mesure que l'un d'eux s'asseyait, du tas de femmes, une fille se détachait, et chantonnante, et la taille serrée entre ses deux mains, venait se piéter tout contre le nouvel arrivé, laissant déborder, sur le drap de son uniforme, ses nudités molles.

Au comptoir, au milieu des fioles colorées, reflétées dans la grande glace, trônait la maîtresse de la maison. Coiffée d'une magnifique chevelure grise, relevée en diadème et où demeurait encore une jolie nuance blond cendré, la vieille femme, qui avait quelque chose d'une antique marquise de théâtre, était habillée d'une robe ressemblant à une tunique de magicienne : une robe de satin feu avec des appliques de guipure. Debout, un coude posé sur le comptoir, son mari, un tout jeune homme, aux favoris corrects, une grosse chaîne d'or brinquebalant à son gilet, et frêle et charmant dans une veste de chasse, dont le coutil laissait apercevoir aux biceps le *sac de pommes de terre* du savetier, faisait, au bout d'une longue baguette, exécuter des sauts à deux petits chiens savants.

[...]

Des femmes se tenaient la tête renversée en arrière, les mains nouées sous leur chignon à demi défait, les paupières battantes, le fauve de leurs aisselles au vent. Parmi les bras qu'on apercevait ainsi tout nus, l'un d'eux portait tatoué en grandes lettres : « *J'aime* », avec au-dessous le nom d'un homme biffé, raturé, effacé, un jour de colère, dans la douleur et la fièvre d'une chair vive. D'autres femmes, un genou remonté, enserré entre leurs deux bras, et penchées et retournées de l'autre côté, cherchaient à s'empêcher de dormir, en tenant une joue posée sur la fraîcheur du mur.

[...]

Minuit enfin ! Les volets se fermaient, le gaz de la salle était éteint. Il ne restait d'allumé que le lustre du fond, sous la lumière duquel, poussés et soutenus par les femmes qui leur tenaient compagnie, se serraient deux ou trois ivrognes indéracinables, bientôt rejoints par des noctambules de barrières, qu'introduisait à toute heure la sonnette de nuit.

Alors dans les ténèbres emplissant la salle du café, près la porte du jour, dans une obscurité épaisse de la fumée du tabac et des molécules de la suante humanité renfermée là toute la soirée, on voyait les femmes avec des mouvements endormis, ayant et l'affaissement et la couleur grisâtre d'un battement d'ailes de chauve-souris blessée, s'envelopper de tartans, de vieux châles, de la première loque qui leur tombait sous la main, cherchant les banquettes aux pieds desquelles il y avait moins de crachats. Là-dessus elles s'allongeaient inertes, brisées, épandues, ainsi que des paquets de linge fripé, dans lesquels il y aurait la déformation d'un corps qui ne serait plus vivant. Aussitôt, elles s'endormaient, et, endormies, étaient de temps en temps réveillées par leurs propres ronflements. Un moment retirées de leurs troubles rêves, elles se soulevaient sur le coude, regardaient stupides. »

E. de Goncourt : *La Fille Élisa*, 1877.

C. Prostitution parisienne et prostitution provinciale

« La prostitution de la petite ville de province, diffère de la prostitution des grands centres de population. Le métier pour la fille, dans la petite ville, a une douceur relative ; l'homme s'y montre humain à la femme. Là, l'heure est plus longue pour le plaisir, et la hâte brutale commandée par l'activité de la vie des capitales n'existe pas. Une débauche plus naïve, plus sensuelle, moins cérébrale, moins hantée de lectures cruelles ne recherche point dans la Vénus physique l'humiliation et la douleur de la créature achetée. Et le public demandant en province moins de honte à la prostituée, la prostitution, en ses maisons à jardins, perd de son dégoût et de son infamie, pour se rapprocher un peu de la vénalité galante, ingénument exercée, dans la molle indulgence de peuples primitifs, sur des terres de nature.

La prostitution ! D'ordinaire, à Paris, c'est la montée au hasard, par une ivresse, d'un escalier bâillant dans la nuit, le passage furieux et sans retour d'un prurit à travers la mauvaise maison, le contact colère, comme dans un viol, de deux corps qui ne se retrouveront jamais. L'inconnu, entré dans la chambre de la fille, pour la première et la dernière fois, n'a pas de souci de ce que, sur le corps qui se livre, son érotisme répand de grossier et de méprisant, de ce qui se fait jour dans le délire de la cervelle d'un vieux civilisé, de ce qui s'échappe de féroce de certaines amours d'hommes. Dans la petite ville, le passant est une exception. Les gens admis dans la maison sont presque toujours connus, et condamnés, même au milieu de l'orgie, à un certain respect d'eux-mêmes dans leurs rapports avec les filles. Puis les hommes qui frappent à la porte, se présentent dans des conditions autrement et différemment amoúreuses que les hommes des grandes villes. En province, le rigorisme des mœurs et la police des cancans défendent à la jeunesse la maîtresse, la vie commune avec la femme. La maison de prostitution n'est pas absolument pour le jeune homme le lieu où il va rassasier un besoin physique, elle est avant tout, pour lui, un libre salon, dans lequel se donne satisfaction le tendre et invincible besoin de vivre avec l'autre sexe. Ce salon devient un centre où l'on cause, où l'on mange ensemble, où se noue entre ces jeunesses d'hommes et de femmes le lien d'innombrables heures passées à jouer au piquet, et à la longue avec l'ennui et l'inoccupation de la vie provinciale, les filles, les filles les plus indignes sortent de leurs rôles d'humbles machines à amour, se transforment en des espèces de dames de compagnie, associées à l'existence paresseuse des jeunes bourgeois. Cette fréquentation de tous les jours fait naître chez celui-ci ou celui-là pour celle-ci ou celle-là, des atomes crochus, des habitudes, des fidélités qui ressemblent à des amours réglées. De vraies passions, tenues de trop court par l'avarice terrienne de vieux parents de sang paysan, pour se charger de l'existence d'une femme, se voient condamnées à s'aimer là. Le cas n'est pas rare, de *déniaisés* qui restent, jusqu'au jour de leur mariage, reconnaissants à la femme qui les a débarrassés des prémices de leur puberté.

Par toutes ces causes, et il faut le dire aussi, au bout de ce compagnonnage honteux de ces jeunes hommes avec Monsieur et Madame, de l'immixtion un peu salissante dans les choses et les secrets de la maison, de ce long spectacle démoralisateur du commerce de l'endroit, il arrive que la femme payée prend sur l'homme qui la choisit toujours, l'espèce de domination attachante d'une femme qui se donne, et que la prostituée de petite ville échappe à la dégradation de son état, triomphe souvent de l'impossibilité de pouvoir, semble-t-il, être aimée avec le cœur.

Ibid.

V. LE TROTTOIR

A. Le racolage

« L'été finissait, un été orageux, aux nuits brûlantes. Elles partaient ensemble après le dîner, vers neuf heures. Sur les trottoirs de la rue Notre-Dame-de-Lorette, deux files de femmes rasant les boutiques, les jupons troussés, le nez à terre, se hâtaient vers les boulevards d'un air affairé, sans un coup d'œil aux étalages. C'était la descente affamée du quartier Bréda, dans les premières flammes du gaz. Nana et Satin longeaient l'église, prenaient toujours par la rue Le Peletier. Puis, à cent mètres du café Riche, comme elles arrivaient sur le champ de manœuvres, elles rabattaient la queue de leur robe, relevée jusque-là d'une main soigneuse ; et dès lors, risquant la poussière, balayant les trottoirs et roulant la taille, elles s'en allaient à petits pas, elles ralentissaient encore leur marche, lorsqu'elles traversaient le coup de lumière crue d'un grand café. Rengorgées, le rire haut, avec des regards en arrière sur les hommes qui se retournaient, elles étaient chez elles. Leurs visages blanchis, tachés du rouge des lèvres et du noir des paupières, prenaient dans l'ombre le charme troublant d'un Orient de bazar à treize sous, lâché au plein air de la rue. Jusqu'à onze heures, parmi les heurts de la foule, elles restaient gaies, jetant simplement un « sale mufe ! » de loin en loin, derrière le dos des maladroits dont le talon leur arrachait un volant ; elles échangeaient de petits saluts familiers avec des garçons de café, s'arrêtaient à causer devant une table, acceptaient des consommations, qu'elles buvaient lentement, en personnes heureuses de s'asseoir, pour attendre la sortie des théâtres.

Mais, à mesure que la nuit s'avançait, si elles n'avaient pas fait un ou deux voyages rue La Rochefoucauld, elles tournaient à la sale garce, leur chasse devenait plus âpre. Il y avait, au pied des arbres, le long des boulevards assombris qui se vidaient, des marchandages féroces, des gros mots et des coups; pendant que d'honnêtes familles, le père, la mère et les filles, habitués à ces rencontres, passaient tranquillement, sans presser le pas. Puis, après être allées dix fois de l'Opéra au Gymnase, Nana et Satin, lorsque décidément les hommes se dégageaient et filaient plus vite, dans l'obscurité croissante, s'en tenaient aux trottoirs de la rue du Faubourg-Montmartre. Là, jusqu'à deux heures, des restaurants, des brasseries, des charcuteries flambaient, tout un grouillement de femmes s'entêtait sur la porte des cafés; dernier coin allumé et vivant du Paris nocturne, dernier marché ouvert aux accords d'une nuit, où les affaires se traitaient parmi les groupes, crûment, d'un bout de la rue à l'autre, comme dans le corridor largement ouvert d'une maison publique. Et, les soirs où elles revenaient à vide, elles se disputaient entre elles. La rue Notre-Dame-de-Lorette s'étendait noire et déserte, des ombres de femmes se traînaient; c'était la rentrée attardée du quartier, les pauvres filles exaspérées d'une nuit de chômage s'obstinant, discutant encore d'une voix enrouée avec quelque ivrogne perdu, qu'elles retenaient à l'angle de la rue Bréda ou de la rue Fontaine.

Cependant, il y avait de bonnes aubaines, des louis attrapés avec des messieurs bien, qui montaient en mettant leur décoration dans la poche. Satin surtout avait le nez. Les soirs humides, lorsque Paris mouillé exhalait une odeur fade de grande alcôve mal tenue, elle savait que ce temps mou, cette fétidité des coins louches enrageaient les hommes. Et elle guettait les mieux mis, elle voyait ça à leurs yeux pâles. C'était comme un coup de folie charnelle passant sur la ville. Elle avait bien un peu peur, car les plus comme il faut étaient les plus sales. Tout le vernis craquait, la bête se montrait, exigeante dans ses goûts monstrueux, raffinant sa perversion. Aussi cette roulure de Satin manquait-elle de respect, s'éclatant devant la dignité des gens en voiture, disant que leurs cochers étaient plus gentils, parce qu'ils respectaient les femmes et qu'ils ne les tuaient pas avec des idées de l'autre monde. La culbute des gens chic dans la crapule du vice surprenait encore Nana, qui gardait des préjugés, dont Satin la débarrassait. Alors, comme elle le disait, lorsqu'elle causait gravement, il n'y avait donc plus de vertu? Du haut en bas, on se roulait. Eh bien, ça devait être du propre, dans Paris, de neuf heures du soir à trois heures du matin ; et elle rigolait, elle criait que, si l'on avait pu voir dans toutes les chambres, on aurait assisté à quelque chose de drôle, le petit monde s'en donnant par-dessus les oreilles, et pas mal de grands personnages, çà et là, le nez enfoncé dans la cochonnerie plus profondément que les autres. Ça complétait son éducation. »

E. Zola, *Nana*, 1880.

*
**

« Vers la fin du règne de Louis-Philippe, un jeune homme enfilait, un soir, la rue Basse-du-Rempart qui, dans ce temps-là, méritait bien son nom de rue Basse, car elle était moins élevée que le sol du boulevard, et formait une excavation toujours mal éclairée et noire, dans laquelle on descendait du boulevard par deux escaliers qui se tournaient le dos, si on peut dire cela de deux escaliers. Cette excavation, qui n'existe plus et qui se prolongeait de la rue de la Chaussée-d'Antin à la rue Caumartin, devant laquelle le terrain reprenait son niveau ; cette espèce de ravin sombre, où l'on se risquait à peine le jour, était fort mal hanté quand venait la nuit. Le Diable est le Prince des Ténèbres. Il avait là une de ses principautés. Au centre, à peu près, de cette excavation, bordée d'un côté par le boulevard formant terrasse, et, de l'autre côté, par de grandes maisons silencieuses à portes cochères et quelques magasins de bric-à-brac, il y avait un passage étroit et non couvert où le vent, pour peu qu'il fît du vent, jouait comme dans une flûte, et qui conduisait, le long d'un mur et des maisons en construction, jusqu'à la rue Neuve-des-Mathurins. Le jeune homme en question, et très bien mis du reste, qui venait de prendre ce chemin, lequel ne devait pas être pour lui le droit chemin de la vertu, ne l'avait pris que parce qu'il suivait une femme qui s'était enfoncée, sans hésitation et sans embarras, dans la suspecte noirceur de ce passage. C'était un élégant que ce jeune homme, — un *gant jaune*, comme on disait des élégants de ce temps-là. — Il avait dîné longuement au Café de Paris, et il était venu, tout en mâchonnant son cure-dents, se placer contre la balustrade à mi-corps de Tortoni (à présent supprimée), et guigner de là les femmes qui passaient le long du boulevard. Celle-là était justement passée plusieurs fois devant lui ; et, quoique cette circonstance, ainsi que la mise trop *voyante* de cette femme et

le tortillement de sa démarche fussent de suffisantes éti-
quettes ; quoique ce jeune homme, qui s'appelait Robert de
Tressignies, fût horriblement blasé et qu'il revînt d'Orient, —
où il avait vu l'animal femme dans toutes les variétés de son
espèce et de ses races, — à la cinquième passe de cette
déambulante du soir, il l'avait suivie... *chiennement*, comme il
disait, en se moquant de lui-même [...]

[...]

Exagérément cambrée, comme il est rare de l'être en
France, elle s'étreignait dans un magnifique châle turc à larges
raies blanches, écarlate et or ; et la plume rouge de son
chapeau blanc, — splendide de mauvais goût, — lui vibrait
jusque sur l'épaule. On se souvient qu'à cette époque les
femmes portaient des plumes penchées sur leurs chapeaux
qu'elles appelaient des plumes en *saule pleureur*. Mais rien ne
pleurait en cette femme ; et la sienne exprimait bien autre
chose que la mélancolie. Tressignies, qui croyait qu'elle allait
prendre la rue de la Chaussée-d'Antin, étincelante de ses
mille becs de lumière, vit avec surprise tout ce luxe piaffant de
courtisane, toute cette fierté impudente de fille enivrée d'elle-
même et des soies qu'elle traînait, s'enfoncer dans la rue
Basse-du-Rempart, la honte du boulevard de ce temps ! Et
l'élégant, aux bottes vernies, moins brave que la femme,
hésita avant d'entrer *là-dedans*... Mais ce ne fut guères qu'une
seconde... La robe d'or, perdue un instant dans les ténèbres
de ce trou noir, après avoir dépassé l'unique réverbère qui les
tatouait d'un point lumineux, reluisit au loin, et il s'élança
pour la rejoindre. Il n'eut pas grand'peine : elle l'attendait,
sûre qu'il viendrait ; et ce fut, alors, qu'au moment où il la
rejoignit, elle lui projeta bien en face, pour qu'il pût en juger,
son visage, et lui campa ses yeux dans les yeux, avec toute
l'effronterie de son métier. Il fut littéralement aveuglé de la
magnificence de ce visage empâté de vermillon, mais d'un
brun doré comme les ailes de certains insectes, et que la clarté
blême, tombant en maigre filet du réverbère, ne pouvait pas
pâlir.

[...]

« Viens-tu ? » lui dit-elle, à brûle-pourpoint, et avec le
tutoiement qu'aurait eu la dernière fille de la rue des Poulies,
existant aussi alors. Vous la rappelez-vous ? Une immondice !

Le ton, la voix déjà rauque, cette familiarité prématurée, ce tutoiement si divin — le ciel ! — sur les lèvres d'une femme qui vous aime, et qui devient la plus sanglante des insolences dans la bouche d'une créature pour qui vous n'êtes qu'un passant, auraient suffi pour dégriser Tressignies par le dégoût ; mais le Démon le tenait. La curiosité, pimentée de convoitise, dont il avait été mordu en voyant cette fille qui était plus pour lui que de la chair superbe, tassée dans du satin, lui aurait fait avaler non pas la pomme d'Ève, mais tous les crapauds d'une crapaudière !

« Par Dieu ! — dit-il, si je viens ! — Comme si elle pouvait en douter ! Je me mettrai à la lessive demain », pensa-t-il.

Ils étaient au bout du passage par lequel on gagnait la rue des Mathurins ; ils s'y engagèrent. Au milieu des énormes moellons qui gisaient là et des constructions qui s'y élevaient, une seule maison restée debout sur sa base, sans voisines, étroite, laide, rechignée, tremblante, qui semblait avoir vu bien du vice et bien du crime à tous les étages de ses vieux murs ébranlés, et qui avait peut-être été laissée là pour en voir encore, se dressait, d'un noir plus sombre, dans un ciel déjà noir. Longue perche de maison aveugle, car aucune de ses fenêtres (et les fenêtres sont les yeux des maisons) n'était éclairée, et qui avait l'air de vous raccrocher en tâtonnant dans la nuit ! Cette horrible maison avait la classique porte entrebâillée des mauvais lieux et, au fond d'une ignoble allée, l'escalier, dont on voit quelques marches éclairées d'en haut, par une lumière honteuse et sale... La femme entra dans cette allée étroite, qu'elle emplit de la largeur de ses épaules et de l'ampleur foisonnante et frissonnante de sa robe ; et, d'un pied accoutumé à de pareilles ascensions, elle monta lestement l'escalier en colimaçon, — image juste, car cet escalier en avait la viscosité...

[...]

Ce n'était, en effet, que l'appartement trivial et désordonné de ces filles-là... Des robes jetées çà et là confusément sur tous les meubles et un lit vaste, — le champ de manœuvres, — avec les immorales glaces au fond et au plafond de l'alcôve, disaient bien chez qui on était... Sur la cheminée, des flacons qu'on n'avait pas pensé à reboucher, avant de repartir pour la campagne du soir, croisaient leurs parfums dans l'atmosphère tiède de cette chambre où l'énergie des hommes devait se dissoudre à la troisième respiration... Deux candélabres allumés, du même style que ceux de la porte, brûlaient des deux côtés de la cheminée. Partout, des peaux de bêtes faisaient tapis par-dessus le tapis. On avait tout prévu. Enfin, une porte ouverte laissait voir, par-dessous ses portières, un mystérieux cabinet de toilette, la sacristie de ces prêtresses. »

Barbey d'Aurevilly, « La Vengeance d'une femme », *Les Diaboliques*, 1873.

B. La rafle

« [...] Satin lui faisait une peur abominable de la police.
Elle était pleine d'histoires, sur ce sujet-là. Autrefois, elle
couchait avec un agent des mœurs, pour qu'on la laissât
tranquille ; à deux reprises, il avait empêché qu'on ne la mît en
carte ; et, à présent, elle tremblait, car son affaire était claire,
si on la pinçait encore. Il fallait l'entendre. Les agents, pour
avoir des gratifications, arrêtaient le plus de femmes possible ;
ils empoignaient tout, ils vous faisaient taire d'une gifle si l'on
criait, certains d'être soutenus et récompensés, même quand
ils avaient pris dans le tas une honnête fille. L'été, à douze ou
quinze, ils opéraient des rafles sur le boulevard, ils cernaient
un trottoir, pêchaient jusqu'à des trente femmes en une
soirée. Seulement Satin connaissait les endroits ; dès qu'elle
apercevait le nez des agents, elle s'envolait, au milieu de la
débandade effarée des longues queues fuyant à travers la
foule. C'était une épouvante de la loi, une terreur de la
préfecture, si grande, que certaines restaient paralysées sur la
porte des cafés, dans le coup de force qui balayait l'avenue.
Mais Satin redoutait davantage les dénonciations ; son pâtis-
sier s'était montré assez mufle pour la menacer de la vendre,
lorsqu'elle l'avait quitté ; oui, des hommes vivaient sur leurs
maîtresses avec ce truc-là, sans compter de sales femmes qui
vous livraient très bien par traîtrise, si l'on était plus jolie
qu'elles. Nana écoutait ces choses, prise de frayeurs crois-
santes. Elle avait toujours tremblé devant la loi, cette puissance inconnue, cette vengeance des hommes qui pouvaient
la supprimer, sans que personne au monde la défendît.
Saint-Lazare lui apparaissait comme une fosse, un trou noir
où l'on enterrait les femmes vivantes, après leur avoir coupé
les cheveux. Elle se disait bien qu'il lui aurait suffi de lâcher
Fontan pour trouver des protections ; Satin avait beau lui
parler de certaines listes de femmes, accompagnées de photo-
graphies, que les agents devaient consulter, avec défense de
jamais toucher à celles-là : elle n'en gardait pas moins un
tremblement, elle se voyait toujours bousculée, traînée, jetée
le lendemain à la visite ; et ce fauteuil de la visite l'emplissait
d'angoisse et de honte, elle qui avait lancé vingt fois sa
chemise par-dessus les moulins.
      Justement, vers la fin de septembre, un soir qu'elle se
promenait avec Satin sur le boulevard Poissonnière, celle-ci

tout d'un coup se mit à galoper. Et, comme elle l'interrogeait :

— Les agents, souffla-t-elle. Hue donc! hue donc!

Ce fut, au milieu de la cohue, une course folle. Des jupes
fuyaient, se déchiraient. Il y eut des coups et des cris. Une
femme tomba. La foule regardait avec des rires la brutale
agression des agents, qui, rapidement, resserraient leur
cercle. Cependant, Nana avait perdu Satin. Les jambes
mortes, elle allait sûrement être arrêtée, lorsqu'un homme,
l'ayant prise à son bras, l'emmena devant les agents furieux. »

E. Zola, *Nana*, 1880.

VI. LA GRANDE SYPHILIS

Planant au-dessus de cette population féminine mouvante et multiforme, fascinante et répulsive, comme l'émanation morbide de ces vénériennes fleurs du mal — ou du mâle —, voici enfin le fantasme majeur de l'imaginaire masculin au XIXᵉ siècle :

« Il était un peu las et il étouffait dans cette atmosphère de plantes enfermées ; les courses qu'il avait effectuées, depuis quelques jours, l'avaient rompu ; le passage entre le grand air et la tiédeur du logis, entre l'immobilité d'une vie recluse et le mouvement d'une existence libérée, avait été trop brusque ; il quitta son vestibule et fut s'étendre sur son lit ; mais, absorbé par un sujet unique, comme monté par un ressort, l'esprit, bien qu'endormi, continua de dévider sa chaîne, et bientôt il roula dans les sombres folies d'un cauchemar.

Il se trouvait, au milieu d'une allée, en plein bois, au crépuscule ; il marchait à côté d'une femme qu'il n'avait jamais ni connue, ni vue ; elle était efflanquée, avait des cheveux filasse, une face de bouledogue, des points de son sur les joues, des dents de travers lancées en avant sous un nez camus. Elle portait un tablier blanc de bonne, un long fichu écartelé en buffleterie sur la poitrine, des demi-bottes de soldat prussien, un bonnet noir orné de ruches et garni d'un chou.

Elle avait l'air d'une foraine, l'apparence d'une saltimbanque de foire.

Il se demanda quelle était cette femme qu'il sentait entrée, implantée depuis longtemps déjà dans son intimité et dans sa vie ; il cherchait en vain son origine, son nom, son métier, sa raison d'être ; aucun souvenir ne lui revenait de cette liaison inexplicable et pourtant certaine.

Il scrutait encore sa mémoire, lorsque soudain une étrange figure parut devant eux, à cheval, trotta pendant une minute et se retourna sur sa selle.

Alors, son sang ne fit qu'un tour et il resta cloué, par l'horreur, sur place. Cette figure ambiguë, sans sexe, était verte et elle ouvrait dans des paupières violettes, des yeux d'un bleu clair et froid, terribles ; des boutons entouraient sa bouche ; des bras extraordinairement maigres, des bras de squelette, nus jusqu'aux coudes, sortaient de manches en haillons, tremblaient de fièvre, et les cuisses décharnées grelottaient dans des bottes à chaudron, trop larges.

L'affreux regard s'attachait à des Esseintes, le pénétrait, le glaçait jusqu'aux moelles ; plus affolée encore, la femme bouledogue se serra contre lui et hurla à la mort, la tête renversée sur son cou roide.

Et aussitôt il comprit le sens de l'épouvantable vision. Il avait devant les yeux l'image de la Grande Vérole.

Talonné par la peur, hors de lui, il enfila un sentier de traverse, gagna, à toutes jambes, un pavillon qui se dressait parmi de faux ébéniers, à gauche ; là, il se laissa tomber sur une chaise, dans un couloir.

Après quelques instants, alors qu'il commençait à reprendre haleine, des sanglots lui avaient fait lever la tête ; la femme bouledogue était devant lui ; et, lamentable et grotesque, elle pleurait à chaudes larmes, disant qu'elle avait perdu ses dents pendant la fuite, tirant de la poche de son tablier de bonne, des pipes en terre, les cassant et s'enfonçant des morceaux de tuyaux blancs dans les trous de ses gencives.

— Ah ! ça, mais elle est absurde, se disait des Esseintes : jamais ces tuyaux ne pourront tenir — et, en effet, tous coulaient de la mâchoire, les uns après les autres.

A ce moment, le galop d'un cheval s'approcha. Une effroyable terreur poigna des Esseintes ; ses jambes se dérobèrent ; le galop se précipitait ; le désespoir le releva comme d'un coup de fouet ; il se jeta sur la femme qui piétinait maintenant sur les fourneaux des pipes, la supplia de se taire, de ne pas les dénoncer par le bruit de ses bottes. Elle se débattait, il l'entraîna au fond du corridor, l'étranglant pour l'empêcher de crier ; il aperçut, tout à coup, une porte d'estaminet, à persiennes peintes en vert, sans loquet, la poussa, prit son élan et s'arrêta.

Devant lui, au milieu d'une vaste clairière, d'immenses et blancs pierrots faisaient des sauts de lapins, dans des rayons de lune.

Des larmes de découragement lui montèrent aux yeux ; jamais, non, jamais il ne pourrait franchir le seuil de la porte — Je serais écrasé, pensait-il, — et, comme pour justifier ses craintes, la série des pierrots immenses se multipliait ; leurs culbutes emplissaient maintenant tout l'horizon, tout le ciel qu'ils cognaient alternativement, avec leurs pieds et avec leurs têtes.

Alors les pas du cheval s'arrêtèrent. Il était là, derrière une lucarne ronde, dans le couloir ; plus mort que vif, des Esseintes se retourna, vit par l'œil-de-bœuf des oreilles droites, des dents jaunes, des naseaux soufflant deux jets de vapeur qui puaient le phénol.

Il s'affaissa, renonçant à la lutte, à la fuite ; il ferma les yeux pour ne pas apercevoir l'affreux regard de la Syphilis qui pesait sur lui, au travers du mur, qu'il croisait quand même sous ses paupières closes, qu'il sentait glisser sur son échine moite, sur son corps dont les poils se hérissaient dans des mares de sueur froide. Il s'attendait à tout, espérait même pour en finir le coup de grâce ; un siècle, qui dura sans doute une minute, s'écoula ; il rouvrit, en frissonnant, les yeux. Tout s'était évanoui ; sans transition, ainsi que par un changement à vue, par un truc de décor, un paysage minéral atroce fuyait au loin, un paysage blafard, désert, raviné, mort ; une lumière éclairait ce site désolé, une lumière tranquille, blanche, rappelant les lueurs du phosphore dissous dans l'huile.

Sur le sol quelque chose remua qui devint une femme très pâle, nue, les jambes moulées dans des bas de soie vert.

Il la contempla curieusement ; semblables à des crins crespelés par des fers trop chauds, ses cheveux frisaient en se cassant du bout ; des urnes de Népenthès pendaient à ses oreilles ; des tons de veau cuit brillaient dans ses narines entrouvertes. Les yeux pâmés, elle l'appela tout bas.

Il n'eut pas le temps de répondre, car déjà la femme changeait ; des couleurs flamboyantes passaient dans ses prunelles ; ses lèvres se teignaient du rouge furieux des Anthurium ; les boutons de ses seins éclataient, vernis tels que deux gousses de piment rouge.

Une soudaine intuition lui vint : c'est la Fleur, se dit-il ; et la manie raisonnante persista dans le cauchemar, dériva de même que pendant la journée de la végétation sur le Virus.

Alors il observa l'effrayante irritation des seins et de la bouche, découvrit sur la peau du corps des macules de bistre et de cuivre, recula, égaré ; mais l'œil de la femme le fascinait et il avançait lentement, essayant de s'enfoncer les talons dans la terre pour ne pas marcher, se laissant choir, se relevant quand même pour aller vers elle ; il la touchait presque lorsque de noirs Amorphophallus jaillirent de toutes parts, s'élancèrent vers ce ventre qui se soulevait et s'abaissait comme une mer. Il les avait écartés, repoussés, éprouvant un dégoût sans borne à voir grouiller entre ses doigts ces tiges tièdes et fermes ; puis subitement, les odieuses plantes avaient disparu et deux bras cherchaient à l'enlacer ; une épouvantable angoisse lui fit sonner le cœur à grands coups, car les yeux, les affreux yeux de la femme étaient devenus d'un bleu clair et froid, terribles. Il fit un effort surhumain pour se dégager de ses étreintes, mais d'un geste irrésistible, elle le retint, le saisit et, hagard, il vit s'épanouir sous les cuisses à l'air, le farouche Nidularium qui bâillait, en saignant, dans des lames de sabre.

Il frôlait avec son corps la hideuse blessure de cette plante ; il se sentit mourir, s'éveilla dans un sursaut, suffoqué, glacé, fou de peur, soupirant : — Ah ! ce n'est, Dieu merci, qu'un rêve. »

J.K. Huysmans, À Rebours, 1884.

BIBLIOGRAPHIE

1. Œuvres de Maupassant

L'édition de référence pour tous les récits brefs de Maupassant est celle de Louis Forestier : *Maupassant, Contes et Nouvelles*, 2 vol., Paris, Gallimard, Bibliothèque de la Pléiade, 1974-1979.
Contes et nouvelles, Romans, 2 vol., *Bouquins*, Flammarion, *Quid*, 1988.
Chroniques, 5 vol. UGC 10/18, 1980.

2. *Biographies*

ANDRY M., *Bel-Ami, c'est moi*, Presses de la Cité, 1982.

CHESSEX J., *Maupassant et les autres*, Ramsay, 1981.

LANOUX A., *Maupassant, le Bel-Ami* (1967), Livre de Poche, 1983.

SCHMIDT A.M., *Maupassant par lui-même*, Seuil, 1962.

TROYAT H., *Guy de Maupassant*, Flammarion, 1989.

3. *Etudes critiques*

BESNARD-COURSODON M., *Étude thématique et structurelle de l'œuvre de Maupassant : le piège*, Nizet, 1973.

BONNEFIS P., *Comme Maupassant*, PUL, 1981.

CASTELLA CH., *Structure romanesque et vision sociale chez Maupassant*, L'Age d'Homme, 1972.

COGNY P., *Maupassant peintre de son temps*, Larousse, 1976.

GREIMAS A.J., *Maupassant, la sémiotique du texte*, Seuil, 1976.

PARIS J., *Le Point aveugle, Univers parallèles II*, Seuil, 1975.

SAVINIO A., *Maupassant et l'autre*, Gallimard, 1977.

VIAL A., *Guy de Maupassant et l'art du roman*, Nizet, 1954. « Maupassant et la Vénus vénale », in *Faits et signification*, Nizet 1973.

WALD LASOWSKI P. : *Syphilis*, Gallimard, 1982.

4. *Publications collectives*

EUROPE, n° 47, avril-juin 1969.

REVUE DE LITTÉRATURE COMPARÉE, n° 4, 1976. *Problématiques de la nouvelle*.

Le Naturalisme, Colloque de Cerisy, UGE 10/18, 1978.

MAGAZINE LITTÉRAIRE, janvier 1980.

CENTRE D'ART, D'ESTHÉTIQUE ET DE LITTÉRATURE, (CAEL), *Flaubert et Maupassant écrivains normands*, PUF-PUR, 1980.

Maupassant, Miroir de la nouvelle, PUV, 1988.

5. *Sur le thème de la prostituée au XIXᵉ siècle*

ADLER L. : *La Vie quotidienne dans les maisons closes* (1830-1930), Hachette, 1990.

BORIE J. : *Le Célibataire français*, Paris, 1976.

CORBIN A. : *Les Filles de noce, Paris, 1978*.

TERNEAU J. : *Maisons closes de province*, Le Cénomare, 1986.

FILMOGRAPHIE

La Maison Tellier : Max Ophüls, *Le Plaisir* (France, 1952)[1]. Deux autres nouvelles de Maupassant (*Le Masque* et *Le Modèle*) ont aussi été adaptées dans ce film en 3 volets.

La Femme de Paul : Jean-Luc Godard, *Masculin-Féminin* (France, 1965). Le scénario utilise aussi la nouvelle *Le Signe*.

Yvette : Viatcheslav Tourjanski, *Yvette* (Russie, 1916) ; Alberto Cavalcanti : *Yvette* (Fee/All. G.B., 1920). Wolfang Liebenheimer, *Der Tochter einer Kurtisane* (Allemagne, 1938) ; Jean-Pierre Marchand, *Yvette* (télévision, France, 1971), adaptation d'Armand Lanoux.

Le Port, L'Armoire, L'Odyssée d'une fille : les trois nouvelles sont plus ou moins agglomérées dans le scénario de *L'Armoire, Odyssée d'une fille*, Claude Santelli (télévision, France, 1974).

Mouche : André Michel, *Trois Femmes* (France, 1951). Les deux autres « femmes » sont les héroïnes de deux autres nouvelles de Maupassant, *Boitelle* et *L'Héritage* ; Ivray Herz, *Les Doux Jeux de l'été passé* (Tchécoslovaquie, 1970, télévision ; diffusé en France le 15 novembre 1974).

Les Tombales : Carlo Rim, *Les Tombales* (France, 1961, télévision).

1. Avec Madeleine Renaud, Danielle Darieux, Jean Gabin.

TABLE DES MATIÈRES

- La date
- Le titre
- Composition :
  - Point de vue de l'auteur

- ●◆ Droit au but
  - *La sortie d'un bordel de campagne*
  - *Une demi-mondaine*

IMPRIMÉ EN FRANCE PAR BRODARD ET TAUPIN
1981W – La Flèche (Sarthe), le 10-08-1999
Dépôt légal : août 1999

POCKET – 12, avenue d'Italie - 75627 Paris cedex 13
Tél. : 01.44.16.05.00